神奈川大学人文学研究叢書
47

アフリカン・アメリカン児童文学を読む

子どもの本という「励まし」

鈴木宏枝

青弓社

アフリカン・アメリカン児童文学を読む

子どもの本という「励まし」

目次

序　章　アフリカン・アメリカン児童文学と「励まし」　9

1　アフリカン・アメリカンとは誰か　9
2　アフリカン・アメリカン児童文学とは何か　13
3　「励まし」としてのアフリカン・アメリカン児童文学　20
4　本書の構成　27

第1章　アメリカのなかの他者　34

1　『アンクル・トムの小屋』にみる隷従　34
2　『アンクル・リーマスの話』にみるミンストレル・ショー　42

3 アメリカ児童文学の黒人 50

第2章 アフリカン・アメリカン児童文学の輪郭 62

1 アフリカン・アメリカン児童文学の歩み 62
2 自伝や伝記の意義 74

第3章 「ブラウニーズ・ブック」の意義 86

1 W・E・B・デュボイスの教育観とハーレム・ルネサンス 86
2 アメリカの子ども像の多様化に向けて 94
3 アフリカへの親近感——「中間航路」の逆走 101

第4章　「わたしには夢がある」への応答　108

1　人種隔離の手枷と人種差別の足枷――『とどろく雷よ、私の叫びをきけ』　108
2　われらの白人の兄弟――『ミシシッピの橋』　116
3　アメリカの夢に深く根差した夢――『土地』　120

第5章　歴史の受容　129

1　墓石による防御――『偉大なるM・C』　129
2　虐待と病の受容――『マイゴーストアンクル』　136
3　神話の創造――『プリティ・パールのふしぎな冒険』　142

4　南部の鎮魂――『犂を打ち鳴らす』　149

第6章　ネットワークの形成

160
1　奴隷逃亡のネットワーク――『ハリエット・タブマン――地下鉄道の車掌』　160
2　ストリート・チルドレンの共同体――『ジュニア・ブラウンの惑星』　167
3　ハーレム地区の共助と新しい男らしさ――『ニューヨーク145番通り』　174

第7章　言葉の力

186
1　アフリカの言葉に宿る力――「すべて神の子には翼がある」　186
2　複数の言葉から生まれる空間――『次女――ある奴隷少女の話』　192

3　詩作でつながる若者――『ブロンクス・マスカレード』　198

おわりに――アフリカン・アメリカン児童文学というプラットフォーム：子どもを跳ばせる力　209

引用文献一覧　213

コレッタ・スコット・キング賞受賞作一覧　231

初出一覧　233

あとがき　235

装丁――神田昇和

序章　アフリカン・アメリカン児童文学と「励まし」

1　アフリカン・アメリカンとは誰か

アフリカン・アメリカンのルーツは、特許会社によって現在のバージニア州に最初のイギリス領植民地として一六〇七年に建設されたジェームズタウンに、一九年にアフリカ人二十人が入植者たちの下働きとして初めて公式に荷揚げされたころにさかのぼる。大陸間を結ぶ航路が完成して多国間による三角貿易が発展するなかで奴隷貿易も盛んになり、アフリカの西海岸の一部は奴隷海岸になって、拉致されたり抗争の代償にされたりした人が商品として出荷される地域になった。様々な背景をもつはずの様々な部族の様々な年齢のアフリカ人は商人たちによってひとまとめに奴隷船に積まれた。中間航路《ミドル・パッセージ》を経由して新大陸に荷揚げされると、奴隷として競りにかけられ、プランテーションや屋敷で肉体労働や家内労働に従事した。北アメリカの植民地から南アメリカまでアフリカ人が運ばれた範囲は広く、「英国領の北米に送られた奴隷は、全体のわずか六％前後にすぎない。しかし、アフリカ系米国人の体験は、米国を建国し拡大した他の移民たちの体験とは大きく異な[1]」るものになり、近代史のなかで特異な位置づけをされる。

十八世紀後半から西ヨーロッパで奴隷貿易への批判が高まっていったことと連動し、アメリカ北部では、一七八〇年に全人の自由と平等という内容を含む州憲法を制定したマサチューセッツ植民地を筆頭に奴隷制度が段階的に廃止されていき、アメリカ合衆国建国後の一八〇八年に奴隷貿易も禁止された。だが、南部の州では綿花やタバコのプランテーション農業のための奴隷制度が維持されたため、危険な密輸入が横行したり、各植民地が十七世紀から定めてきた奴隷法のなかで、当地で生まれた子どもは母親の身分にしたがって奉仕するというルールのもとで白人農園主による女性奴隷への性的搾取がおこなわれたりした。しかしこうした南部の州でも、主人の許しを得て賃貸しに出され、主人に取り分を渡したうえで残る金を貯めて自由を買い戻したり、遺言や贈り物で奴隷の身分から解放されたりして自由黒人になった例はあり[2]、北部自由州の黒人は法的には自由だった。ただ、白人とは明確に区別され、国内に奴隷制度が存続している間は、自由黒人が逃亡奴隷と間違われて捕らえられたり、売られたりする例もあった。問題は、同じ国の黒人が自由である者と奴隷である者に区別されていたことである。

やがて、一つの国に二つの制度が並立する矛盾、自由州と奴隷州の数的なバランスの問題に加え、心情的な反奴隷制度主義の声も高まっていく。北部の支持を受けて一八六〇年に共和党のエイブラハム・リンカーンが大統領になると、不満をもった南部の七州は連邦から脱退してアメリカ連合国を結成し、六一年から四年間にわたる南北戦争が起きた。リンカーン大統領が目指したのはあくまで「連邦の統一護持[3]」だったのだが、六五年に北部が勝利したあと、南部の制度の解体の一環として奴隷は解放され、修正憲法にすべての合衆国住民に対する平等保護条項が加えられた。南部に連邦軍が駐留した再建《リコンストラクション》期には、北部の価値観とシステムの流布が試みられ、南部でも黒人のための職業訓練校や大学が設立されたり黒人議員が誕生したりして「アメリカ合衆国の国民国家・国民創造の淵源として位置づけ(4)」られるようになるが、その一方、この期間は急な社会変化のために、黒人が「憎悪と偏見、無法と仮借ない競争の中になげこまれて、変貌を遂げようとしている人々の前に立ちはだかった難局(5)」でもあった。黒人の多くが小作人か季節労働者にならざるをえなかったことで白人貧農が恨みを募らせ、戦後まもない六六年に、過激な白人至上主義秘密結社の第一期クー・クラックス・クラン（ＫＫＫ）が南軍の退役軍人を中心にすでに結成されている。

駐留していた連邦軍が「一八七七年の妥協」で引き揚げると、南部では白人層が識字試験や不動産所得などによって選挙人登録の「適格／不適格」を決めるというルールを設けて黒人を実質的に締め出し、人種隔離法（ジム・クロウ法）を次々に成立させていく。ルイジアナ州法の鉄道での人種分離への申し立てに対する一八九六年のプレッシー対ファーガソン裁判で「分離すれども平等」の最高裁判断が示されたことで、公共での人種分離は決定的に拡張・固定化され、感情面からも黒人に対する暴行はますます横行するようになった。

二十世紀になって、人種暴動や差別やリンチはさらに深刻化した。リベラルな白人を中心に一九〇九年にＮＡＡＣＰ（全米有色人種地位向上協会）が結成されたが、好景気で寛容なジャズ・エイジを背景にした二〇年代を除き、大きな進捗は生まれなかった。

だが、大恐慌からの不況も相まって暗いムードが続く一九三〇年代から四〇年代を経て、カンザス州で学校教育での人種分離に申し立てがおこなわれた五〇年のブラウン対教育委員会裁判で、五四年に違憲判決が出たことを契機に、黒人の選挙人登録や公務就任権などの権利を求める公民権運動が盛り上がり始めた。この運動は、必ずしも黒人と白人の対立ではなく、多様で平等な社会にしようと考える側と従来の分離主義を貫こうとする側の闘いであり、信条は肌の色に関わらない。黒人の公民権に賛同する人たちは、人種差別法のもとに整備されたルールや商習慣に抵抗し、裁判を起こし、学校や交通機関など公共の場所での人種分離の撤廃を求める過程では、人種統反対派からのおびただしい暴力があり、世論が分断された。五七年のアーカンソー州リトルロックでは、合された高校に九人の黒人生徒が入学したことで反対派の暴動が起き、アラバマ州では人種統合に反対するテロが頻発して、六三年には、公民権運動の拠点だった教会にダイナマイトが投げ込まれて四人の黒人少女が死亡した。公民権運動に対する暴力や混乱は、過激な一部の集団による凶行ではなく、平凡なアメリカ市民の深層から憎悪の感情が引き出されて起こったものでもあった。世論が混乱するなか、世界情勢との連動や国内での政治駆け引きの結果、六四年にリンドン・ジョンソン大統領によって公民権法は成立したが、その後も、政治面・感情面をめぐる人種問題は、貧困や格差の問題とも重なって複雑化していくことになる。

建前のうえでは平等でも、アファーマティブ・アクションがあっても、緊張は残る。マーティン・ルーサー・キング・ジュニア牧師が「黒人が警察の犯す暴力の言語に絶する恐怖の犠牲者である」[6]と述べていたころと変わらず、警官から過剰な尋問を受けたり不要な暴力を振るわれたりする場合もある。フロリダ州で自警団によるトレイボーン・マーティン射殺事件が起きたことへの抗議から、二〇一三年に「黒人の命は大切である／黒人の命も大切である」というブラック・ライブズ・マター運動が生まれ、一四年のエリック・ガーナー事件やマイケル・ブラウン事件を経て、二〇年にフロリダ州のジョージ・フロイド事件で特に大きな広がりをみせ、SNSのハッシュタグ運動も含め、グローバルな抗議デモになった。ブラック・ライブズ（黒人の命・生活）という言葉のなかには様々なマイノリティも含まれ、制度的に外からみえにくい抑圧を受けている集団が呼応しあう半面、不要な暴動や略奪が平穏な暮らしを脅かす事態になったり、同じ国のなかでも州法や人種構成の地域差による感覚の違いもあったりするために問題は根深い。

アフリカン・アメリカンは例外的なケースや内部での差異はあるものの、集団として力をコントロールされ、社会的な無力感と緊張を強いられ続けてきた。奴隷制時代のアフリカから運ばれ奴隷として搾取された「ニグロ」としての記憶、奴隷解放後の人種差別法のもとでの抑圧の記憶を経て、「ブラック」として自己の美を見いだす一方、二流市民として扱われ、能力があってもモチベーションがあっても選択肢が少なかった時代から、

「アフリカン・アメリカン」としてアメリカでの存在感を増した現代へと移り変わってもなお、貧困や階層の固定化は進行し、社会の課題になっている。理念としての平等が実際に機能しているかという点で、個々人の機会は拡大したが、越えるべき壁はまだ存在し、それを包含する社会全体が模索を続けているといえるだろう。ある種の概念としての「黒人」あるいは「アフリカン・アメリカン」は、奴隷として連れてこられたアフリカ人の子孫、自由黒人の子孫、カリブ海諸国からの移民、現代のアフリカからの移民など様々な人を含むのだが、本書では、アフリカをルーツとし、奴隷制度や公民権運動や人種差別の経験を過去や現在に共有するアメリカ市民を指すものと捉えたい。

2　アフリカン・アメリカン児童文学とは何か

定義の試み

アフリカン・アメリカン児童文学は、アフリカン・アメリカンの作家がアフリカン・アメリカンの子どものために書いた作品として限定的に捉えるか、アフリカン・アメリカンによって書かれた作品やアフリカン・アメリカンの子どもが出てくる作品として包括的に捉えるかによって定義が異なるが、(7)おおむね、アフリカン・アメリカンの作家が十代までのアフリカン・アメリカンの子どもや若者のために書いた作品を指す。その隆盛については、十九世紀の作家や作品を散発的な源流として、一九二〇年代のハーレム・ルネサンス期に盛り上がりをみせたものの大恐慌とともにしぼみ、質量ともに再び拡大したのは六〇年代末であるというルディン・シムズ・ビショップのまとめで合意を得るようである。(8)二十世紀初頭からの通史をたどったヴァイオレット・ハリスも、黒人の子どもが自分と似たような子どもの出てこない白人の児童文学の正典《キャノン》や、黒人がステレオタイプ化された児童文学しか与えられてこなかったことをふまえ、二〇年代以降に、偏ったあり方に異議を唱えてアフリカン・アメリカン児童文学が発展したとしている。[9] 本書では、アフリカン・アメリカンの子どもを「内包された読者」[10]と想定し、彼らの心的成長を促したり、認知的な転換をさせたりすることを意図する児童文学を扱っていく。

児童文学は、読者対象によって規定される文学のジャンルである。保育者と一緒に絵本をたどる幼児から成人直前のヤングアダルト読者まで対象年齢は幅広いが、本書では、幼年文学と絵本を除外し、中央領域である学童期から十代までの読者を対象にした文学を考えたい。

二〇二〇年のアメリカの人口統計では、一〇年に比べて「白人」の割合が八・六パーセント減少した。それでも、約三億二千八百万人の人口のなかで「白人」と自己規定する人は二億人以上、「混血」と合わせると二億三千五百万人で多数派を占める。「黒人／アフリカン・アメリカン」と自己規定する人は四千六百九十万人で、マイノリティのなかでも第二グループになった。[11] 数の多寡だけでなく、近代史の汚点のような奴隷制度へとさかのぼるルーツをもつ当事者として、また、公民権獲得後も社会のなかで様々な制約を受けている集団としても、特異な背景をもっているといえるだろう。

ジュリア・B・アイザックスは一九六〇年代から九〇年代にかけての世帯収入や教育費に関する二〇〇七年の調査で、州法や風土的な格差など様々な要因を差し引いても、黒人の親のほうが白人の親よりも所得が低く、追跡調査では中産階級に生まれても白人よりも黒人のほうが大人になってから低所得者層に落ちる割合が高かったとしている。[12] 様々な政策が進み、州による違いも大きいが、特に優れた能力をもたない子どもが困難な局面で立ちすくみ、環境的要因でドロップアウトする可能性はアフリカン・アメリカンのほうが高く、「アフリカン・アメリカン的なもの」はむしろ制度的に構築され再生産されてきたのではないだろうか。そのようななかで、アフリカン・アメリカン児童文学は、生活のなかの様々な局面で緊張状態に置かれているアフリカン・アメリカンの子どもを読者としてのターゲットにし、彼らが児童書のなかに「自分と同じ子ども」を見いだして守られた日常を楽しんだり、冒険に出たり、アフリカン・アメリカンとしての歴史や経験をポジティブに受け止めたりすることができる物語をあえて提供し、そのような子どもたちがアメリカの一員であり、アメリカの子ども像は多様なのだと伝えることを目指してきた。

一般文学と児童文学の違い

次に、アフリカン・アメリカン児童文学の評価方法について整理したい。まず、一般のアフリカン・アメリカン文学は、自伝、死者の声、民話など、様々なモチーフや書き方を用いながら、他地域のアフリカ系文学と同様に「自分たちを奴隷化し、植民地主義支配のもとに置いてきた近代化の論理に対抗する視点[13]」を保持してきた。そのため、児童文学もしばしば同じ「抵抗の文学[14]」として扱われ、ブックガイドやレファレンスブックでも主流のアメリカ文学から分離されてもう一つのアメリカ児童文学史を提示する「他者」としての役割を担わされてきたように見受けられる。

だが、一般文学の方法や批評を児童文学にそのままあてはめることはできない。同じ状況を扱っていても、児童文学は一般文学とは違う指標で論じられるべきではないだろうか。

まず、モチーフへのアプローチが異なる。例えば、一般文学では、アフリカはアンビバレントな場所である。ラングストン・ヒューズは「エチオピアの呼び声」（一九三五年）の詩で、ベニート・ムッソリーニ政権下のイタリアによるエチオピア侵攻を批判し、「エチオピアよ／お前の夜の闇の顔を上げろ／アビシニア／シバの女王の部族の息子／お前のヤシの木は高く／お前の山はそびえる[15]」とうたってアフリカを好ましくみている。同様の見方をするカウンティ・カレンは、「遺産」の詩で「銅の太陽や　真紅の海／密林の星や　踏みかためられた密林の道／頑丈な　日焼けした男たち／また　エデンの鳥たちが　うたっていた頃／僕が　その腰からとび出した堂々たる黒い女たちとは？／三世紀もの間／その祖先たちの愛した光景から／香ばしい匂いの林　肉桂の木から遠ざけられている者／この私にとって　アフリカとは何だろう？」[16]と、アフリカに精神的な憧れを投影している。

他方で、リチャード・ライトは、自らが実際に訪れたアフリカがアメリカから物理的にも精神的にも隔たっていると感じ、現地の人が人の死に際して踊っているのを見て「私は何も理解できなかった。私は黒人で、彼らは黒人だった。しかし、私の黒さは助けにならなかった」[17]と、アフリカの事物が異文化であることを実感する。また、アリス・ウォーカーの『カラーパープル』（一九八二年）でも、主人公の姉妹が到達したアフリカは必ずしも幸福な場所ではなく、特に妹のネッティは、現地人が教育にも生活向上にも無気力であることにいらだっている。同じウォーカーの『喜びの秘密』（一九九二年）は、アフリカで強制的におこなわれている女性器削除の習慣と女性への抑圧を、オリンカという架空の村を想定して批判している。アフリカ人女性のタシは、植民地主義に抵抗し、ひとつの文化的営為として女性器切除という「女の儀式」を受けるが、結果的にタシは、女であることを受け入れることができない、魂を抜かれた人間になってしまう。大好きだった姉もかつてその儀式を施されて出血多量で死んだ。夫とともにアメリカに渡ったタシは、自分と姉に「女の儀式」を施し、姉を肉体的に、自分を精神的に殺した女治療師のマリッサを殺害し、そのかどで銃殺刑を言い渡される。だが、タシの血のつながらない息子のピエールは文化人類学者として、タシ個人の苦悩の人生が、男によって抑圧され暴力を振るわれてきたアフリカの女たち全員の恐怖と苦しみに重なることを明らかにする。治療師という仕事を世襲で受け継いできたマリッサもこの儀式を受けていて、彼女自身も「男性の支配原理」[18]による暴力の被害者であることを示し、白人に抵抗するアフリカ文化というイメージは、フェミニズムの観点から転覆されている。

対象年齢が絞られる児童文学では、こうしたアンビバレンスの表出は起こりにくく、アフリカへの空想はより素直にルーツの受容と結び付く。ライトが感じた苦い現実や、ウォーカーが断罪した家父長制度を脇に置き、肯定的な場所としてアフリカを再形成する。「「子どもとは何か」を考え続けるその自意識のなかに」[19]存在の核がある児童文学は、テクストを読む対象を具体的に想定し、それが社会からの祈りを込められるべき子どもであることによって、一般文学にはない楽天性や希望をあえて構築し、分断や痛みを後退させる。

関連して、児童文学は表現の点でも制約を受ける。アフリカン・アメリカンの男性作家は、アメリカ社会で去勢され、男としての尊厳を保てない苦渋と無力感をしばしば表現し、女性作家はジェンダー／セクシュアリティ／黒い肌という三重の抑圧を見つめることが多い。性暴力や夫からの抑圧、出産や、産んだ子どもが奴隷とされる悲哀など、児童文学で扱いにくいテーマのなかには、アフリカン・アメリカン文学の本質的な力強さがある。トニ・モリスンの『ビラヴド（愛されし者）』（一九八七年）では、奴隷女性のセテが妊娠中に逃亡し、川岸で貧乏白人《プア・ホワイト》の少女の助けを借りて出産する。嬰児を抱えて逃げるセテの足は肉の塊になり、肉体的な痛みが謎めいた亡霊ビラヴドの精神的な痛みと重なる。極端な苦痛なしには奴隷の経験は描けず、その精神的・肉体的な苦痛をつまびらかにする点で、モリスンを旗手とするアフリカン・アメリカン女性文学にはすごみがある。

しかし、児童文学で読者対象の問題を考えるとき、こうした底なしの絶望や物理的な痛苦の詳細は除去されざるをえない。奴隷の逃亡というテーマ一つをみても、暴力を伴う追走や、追っ手に捕まった逃亡奴隷への残酷な刑やリンチの詳細も避けなければならない。スラングを多用する言語表現や、麻薬や暴力と隣り合わせの緊張感も、子どもを対象にするときには吟味される。絶望的な欠乏や、極端な差別や貧困から生まれる表現としての猥雑な言葉やフレーズも、子どもの本では削除される。現代作品で、性や暴力や麻薬に関する子細な内容や若者が好んで使う挑発的な言葉遣いをたとえ含んでいても、より曖昧で穏やかな表現になる。一般文学がもつ激しさや苦さは薄められるといっていいだろう。

同じ読者対象の問題によって、アフリカン・アメリカン文化のなかでは重要な概念が機能しない場合もある。ヘンリー・ルイス・ゲイツ・ジュニアが提唱した「もの騙り《シグニファイ》」[20]は「茶化す／揶揄する／模倣する」などを表す言葉で、言語から行動まで様々なレベルの事柄を説明できる。例えば、奴隷制時代の奴隷は、サボタージュや愚かなふりをすることで消極的に抵抗した。のろのろと仕事をして農園主に損害を与えることは、相手に気づかせることなく抵抗するという意味での身体的な「もの騙り」である。愚かな振る舞いをしたり、言葉がわからないふりをしたりすることで、権力を振るわれる対象になるのを巧妙に避けるようなカモフラージュも同様の反抗である。ゲイツは、黒人が白人を喜ばせる「ブラック・フェイス」[21]を身につけながら、その仮面の下で様々な「もの騙り」をおこなってきたことを明らかにしている。

しかし、「もの騙り」は、しばしば解釈の問題と裏表でもある。この理論では『ハックルベリ・フィンの冒険』（一八八五年）のジムは、表面上愚かしく頑迷な奴隷を装い、「アフリカやアフリカン・アメリカンの民話の両方で「もの騙り」と深く結び付けられる「トリックスター」として振る舞って[22]いるのだが、児童文学の範疇で考えるとき、子ども読者には、彼が装っていることを見抜くことは難しい。サボタージュが白人への抵抗だったり、愚かなふりをすることで罰を免れたりするような、裏を読者に読み取らせようとする書き方は児童文学にはなじまず、ある登場人物が「怠け者である」と地の文で語られれば、彼は基本的に本当に怠け者であって、子ども読者がそこに抵抗の意味を読み取ることは困難である。児童文学は、推理的な要素をもたせる場合などでいくつかの例外はあるが、基本的には直接的で平易な語彙を用い、ストーリーで子ども読者にもう一つの人生を経験させる文学である。現実をからかったり、別な言葉に偽装して本意を伝えたりする手法とは相性が悪い。

アフリカン・アメリカン児童文学の評価方法

あらためて、アフリカン・アメリカン児童文学をどのように評価し、また、アフリカン・アメリカン児童文学はどのようなあり方を目標にすればいいのだろうか。

まず、実用面では教育的観点から啓蒙をおこなうための手段としての役割が求められ、第一段階では、市場での出版点数を増やそうという動きがあった。ビショップは、一九九〇年の時点で、一年間にアフリカン・アメリカン作家によって書かれた児童書は八十四点、アフリカン・アメリカンの経験や歴史を扱ったものが百八十点で、あまりに少ないと述べている。[23]この状況に対して出版点数を増やしたりシリーズを充実させたりするように求めていくことは確かに重要な戦略であり、実際、二〇〇二年にアメリカで出版されたなかで、ウィスコンシン＝マディソン大学教育学部の共同児童書センターに献本された三千百五十点の児童書のうち、アフリカン・アメリカン作家が書いたものは六十九点、アフリカン・アメリカンについて書いてあるものは百六十六点で、両方合わせても七・四パーセントだったが、二〇年になると、全三千二百九十九点のうち、それぞれ二百五十二点と四百点で、一九・七パーセントに増加している。また、先住民、アジア系、太平洋諸島民に比べれば、割合としてはいちばん高い。[24]

次に「何を書くか」という点では、「出版や流通の制限、図書館、学校、書店からの切り捨て、無知な批評」[25]への反駁を出発点としたうえで、アフリカン・アメリカンの子どもにどのように立体的で具体的な自画像を与えるか、白人の視点が強いアメリカ児童文学のなかで不可視化されている子どもをどのようにポジティブに示し、読者である児童・生徒に自信を与えるか、といった指標[26]が批評家によって提言されてきた。クラインは、アフリカン・アメリカンの児童が自らのアイデンティティに自信をもてるような文学教材を充実させるべきであると提言し、[27]アリシア・ヘルビッグとアグネス・リーガン・パーキンスは、学生のためのリーディングリストとして『この土地は私たちの土地』（一九九四年。未訳）をまとめ、「どれほど共感的に描かれていたとしても、固定観念で書かれた登場人物は、読み手の感情を揺さぶりこそすれ真の理解は生まない[28]」という考えに沿った選書方針を採用し、アフリカン・アメリカン、アジアン・アメリカン、ヒスパニック・アメリカン、ネイティブ・アメリカンのそれぞれについて、固定観念に基づく描写がない作品を選んだとしている。ビショップも、一九八〇年代以降の作品について、アフリカン・アメリカンの子どもに、自分と同じような主人公が登場していると思わせる本を与える意義や、アフリカン・アメリカンの子どもを文学的に覚醒させ、意識が高い読者にする必要性を説き、本の評価にあたっては自己肯定感を与え、視野を広げうるものであるかどうかを重視している。[29]一方で、これらは教育の問題と絡んでおり、研究は、家庭環境の問題も含め、学校の勉強で低迷することが多いアフリカン・アメリカンの生徒の学力を伸ばすために文学教材をどのように用いるかという実践を主体にしたものが多くなる。アフリカン・アメリカン児童文学に関する論文は三二年創刊の学術雑誌「ニグロ教育ジャーナル」に比較的多く掲載されているが、雑誌の特性上、学校教育での図書の利用法や読書実践活動の研究成果の発表が中心になっている。教室でのテクストの活用について、授業に後れがちなアフリカン・アメリカンの生徒の学力を伸ばすための文学教材の用い方についての実践報告(30)も多く、文学が特定の目的のために使われがちであることを示す。

一九五〇年代以降のアフリカン・アメリカン児童文学の発展は、「人種のるつぼ」意識の形成や、文化的覚醒が進んでいく過程と並行している。七〇年代以降には、奴隷制と人種差別に付随する残酷性から目をそむけない、正確な歴史描写を目指そうという社会意識の高まりが大きな役割を果たしてきたといえ、社会のなかでアフリカン・アメリカンの子どもに向けてどのように書くか、あるいは、アフリカン・アメリカンの子どもをどのように書くかの試行錯誤がなされてきたといえるだろう。

3 「励まし」としてのアフリカン・アメリカン児童文学

「励まし」とは何か

こうしたこれまでの議論の延長線上に、本書では「励まし」という観点からアフリカン・アメリカン児童文学を考えてみたい。

アフリカン・アメリカン児童文学が、白人が作ってきた児童文学への「抵抗」を軸にする場合、白人の視点を内在化させ、自分たちが描かれないことを批判し、描かれたい、受容されたいと願うことになる。そこには受け身のアンビバレンスが生まれ、むしろ、制度を無批判に受容することにもなりかねない。「対抗」「抵抗」し、足りないものを求めるというロジックに縛られるかぎり、アフリカン・アメリカン児童文学は、アメリカ児童文学の外側に閉鎖的な領土を見つける。そして研究もまた、アウトサイダーとして白人の児童文学を批評するという固定した関係性を受容してしまう懸念がある。啓蒙のための素材としてだけ文学作品を眺め、アフリカン・アメリカンの子どもが児童文学のなかにバランスよく登場しているか、ステレオタイプを脱した像が描かれているかに注目するだけでは限定的だろう。アイデンティティ構築、非－ステレオタイプで肯定的な自画像の提示、読者から共感を得られる登場人物やプロットの構築性といった評価の要素に、さらに何かを付け加えることはできないだろうか。

この問いをもとに考えると、アメリカの「他者」として自らをまなざすのではなく、アフリカン・アメリカン児童文学の主体性や独自の立ち位置について、母体になるアフリカン・アメリカン文化との連接から考えることができれば、子どもという読者対象が文化から「励まし」を引き出して児童文学を形成すると考えられる。「自分と同じような子どもが出てくる楽しい物語が読みたい」という子ども読者の素朴な願いを作家がかなえようとするとき、そのメッセージを託せる素材を、外界のイデオロギーではなく作家自身の内側の願いのなかに探ることになるが、そのとき、母体文化が一般文学とは異なるやり方で作品の創造に関わりうる。

「励まし」は、臨床心理士のバーバラ・ブライアント・ソロモンが『ブラック・エンパワメント――抑圧されたコミュニティにおけるソーシャルワーク』（一九七六年。未訳）で用いた「エンパワメント」が指す意味に近い。「エンパワメント」は、人種差別のために無力だと感じているアフリカン・アメリカンのクライアントから前向きに生きる力を引き出すようソーシャルワーカーに助言するもので、「ソーシャルワーカーがクライアントやクライアントを取り巻く制度とともに一連のアクティビティに取り組み、烙印を押された集団の一員であるという状態に基づいたネガティブな評価が生む無力感を軽減することを目指す過程[31]」を通じて実現されるという。ソロモンは、グループワークや一対一のカウンセリングを通じて、アフリカン・アメリカンの個人や家庭や共同体が意思決定の力や能力をもてるように援助し、それを「エンパワメント」という言葉で表現した。(32)

児童書の「励まし」やエンパワメントの要素は、「子どもが背筋を伸ばして社会を歩く方法を学ぶ手助けをする」(33)ための文学としてのアフリカン・アメリカン児童文学という、これまでの概念とも重なる。未成年者に権力や参政権を与えたり、集団ないしは個人に対して物理的な力を外側から与えることはできないが、成長途上である子どもを見守り、大人の責任で彼らの自己決定力、主体性、自己肯定力など、自助努力と能動性に結び付く彼ら自身のなかの「力」を個人の内側から引き出すサポートをしようとするのが児童文学であり、アフリカン・アメリカン児童文学は、特にその推進力が彼らの特異な歴史と関連している。

児童文学論との結び付き

「励まし」は、一般的な児童文学を論じるためにこれまでに提唱されてきたいくつかの用語とも響き合うかもしれない。児童文学は、近代の産物としての「子ども」を見いだした社会によって生み出され、発展してきた。読者によって規定されるというジャンルとしての難しさや限界を論じられたり、絵本やマンガやアニメなどほかのメディアとの境界の曖昧性を指摘されたりしながらも、テクストもまたそれを読む子ども読者も確かに存在してきた。共同体のなかに「子ども」はいて、彼らに対して役割を果たしていくべき児童文学は、大人の手を介在するという特殊性をもちながらも、領域としてあり続けている。フレッド・イングリスは『幸福の約束』（一九八一年）で、子どもに「自信と未来への希望」(34)を与えるのが児童文学作家の義務であるとし、イギリス児童文学は「幸福の約束と笑いの確実さ」が特徴であると論じている。イングリスが挙げるのは『クマのプーさん』（一九二六年）や『ツバメ号とアマゾン号』（一九三〇年）など、終わりがある幸福な子ども時代を描いた一九三〇年代の作品である。大戦間の束の間の安息の時代の文学として、子どもへの信頼や愛情を盛り込んだユーモアに満ちた作品を扱う論考だが、同じ視点は、アメリカ児童文学にも演繹できるだろう。シーラ・イーゴフは、ファンタジーが「読者を非現実というネバーランドに留めることを目的としているのではなく、現実に戻ったときに世界や読者自身について新たな見方ができることをめざしている」[35]として、そうした変化のきっかけを与えることが児童文学の特質であると考えている。ピーター・ホリンデイルは、想像力にあふれ、様々なことを試そうとする意欲があり、相互交流を求め、興味関心が移ろいやすい子どもを読者として想定し、子どもがそれを通じて大人である作家とやりとりをする文学であると定義している。[36]

文体論では「物語」という概念による児童文学の理解可能性が指摘でき、[37]児童文学の主人公が物語のなかで不思議な現象や人物を通じてこの世の秩序を学ぶとき、子ども読者も疑似的な通過儀礼や試練の克服を経験し、生の意味の全体像をみせてもらえる。[38]ピーター・ハントは、空想で作られた別世界という存在に注目し、ジャンルとしてのファンタジーを重視した。児童文学の特質は「強い郷愁と天性のイメージ、場所と領土の感覚、自己中心性、試練と儀礼、アウトサイダーとインサイダーの関係、大人と子どもの相互の尊重、閉鎖性、ぬくもりと安全、食べ物、そしておそらく最も重要なのはリアリティとファンタジーの関連である」[39]と述べ、空想で作られた別世界を描くことが児童文学を際立たせていると考えている。

いずれの解釈でも、児童文学は限定的な読者を対象にすることで明示的な特徴を得るものと考えられる。民話や教養小説の流れを汲み、大衆性と子どもを育成する力を混交させて、プロット、登場人物、細部、語り口が工夫され、楽しみ、幸福の約束、充足を描き、現実と空想が絶妙の仕方で関連するなど独自の特徴をもち、そこに、共同体の次の世代である「子ども」を何らかの視点で見いだし、テクストに結び付ける。これらの特質に「励まし」も付け加えられるだろう。

文化や歴史との結び付き

アフリカン・アメリカンのそもそもの歴史は、第1節「アフリカン・アメリカンとは誰か」で述べたように、拉致、奴隷化、尊厳の剥奪、隔離、共同体内での分裂（法的身分、白人との距離感、肌の色の濃淡、混血性、運不運を含む）など複雑で艱難辛苦の連続だったといっていい。その内部で醸成されたアフリカン・アメリカン文化は、文化として認知されるようになってからも、二流のものとみなされる期間が長かった。例えば、黒人霊歌は、南北戦争期に反奴隷制度主義者で超越主義者でもあるトーマス・ウェントワース・ヒギンソン[40]が、黒人部隊の兵士が輪になって歌いながら手拍子や足拍子をとって動いていく「シャウト」に注目し、一八六七年に「アトランティック・マンスリー」[41]誌で報告したことが広く知られるきっかけになった。掲載された三十七編の多くは素朴な歌詞とメロディーで、労働歌や宗教歌が混在していて、ヒギンソンは、劣等なはずの黒人に音楽文化があることは驚きであるという文脈で報告している。

黒人英語《エボニクス》は、各地のアフリカ人奴隷が生き延びるためのコミュニケーションから生まれた言語である。英語とアフリカの諸地域の言葉が交ざり合っただけのピジン語（どちらの言語にも属さない混成語）が、独自の語彙や文法をもつ黒人英語に発展する一方で、この言葉も長い間、まがいものとして軽蔑され、「正しい」英語とは見なされてこなかった。

だが、黒人霊歌はアフリカの交唱《アンティフォナル》の歌い方を引き継いで独自の発展を遂げた文化である。「アフリカから持ってきた踊りや歌だけを彼らなりにモディファイしながら続けていた中に、十八世紀半ば以降、西洋音楽はさまざまな形で浸透してくるが、奴隷たちはそれを一方において受け入れながらも、他方においては自分たち固有の音楽を、許されるかぎりやり続けていこうとし[42]」て形成された音楽は、結果的に、「シンコペーションを多く取り入れたリズム[43]」、「歌い出しがソロで始まり、これにその他の人々が応える、いわゆるコール・アンド・リスポンス」[44]、「独特な哀感を醸し出す、まさに「ブルー」な音調」[45]であるところの「ブルー・ノート」、「即興的要素」[46]などの特徴をもって体系づけられ、アメリカ音楽のなかに溶け込んでいった。

黒人英語もアメリカでの暮らしを生き延びるためのツールとなった。独自の複雑な文法をもち、"You is beautiful" "I loves you" などの人称無視、"been" による過去の強調、"be" を用いた習慣的現在表現、接頭辞 "a-" を現在分詞形に付けることによる近未来などの複雑な時制表現のほか、"I don't have nothing" という二重否定による否定の強調、"Us don't say nothing" のような人称格変化の無視など、話者間で合意される複雑な文法が存在している[47]。この言葉は、アフリカン・アメリカンの「人種の意識を背景にした同胞意識、その固有の特徴を意識化[48]」した言語として、「黒人の精神世界の遺産[49]」の核になった。

これらの音楽や言語を生み出したのは、アメリカに拉致されてきたアフリカ人のやむにやまれない希求であり、アフリカをルーツにする音楽やリズムや言語を、故郷のそれとは異なるものに変容させ展開させてきた共同体的な活動である。ミンツは、南北アメリカとカリブ海域全体を包括した文化を捉えて、

> 人間として生きのびてみせたこと、それ自体が抵抗だった。生きのびることそのものが抵抗だった。そのためには、創造力と偉大な人間性が必要とされた。その二つを土台にして、奴隷とよばれた非自由人は文化をつくった。それはアフリカの文化を直接に移植したものではなかったが、アフリカの伝統なくしては「新世界」に生まれることはなかったものだ[50]。

と、その試み自体の強靱なハイブリディティと人間らしさへの願いをまとめている。

こうした文化を保持し、自分たちの慰めにして人間らしく生き延びようとしてきた歴史そのものを子ども読者に向けて語ろうというとき、抑圧された環境でも生きようとした集団の強さが前景化され、そのあり方そのもの

が「励まし」になる。アフリカン・アメリカン児童文学は、アフリカン・アメリカン文化と感応して多様性を希求し、ルーツの受容や他者とのつながりを描くという特徴をもち、子どもたちに文学的な足場を与えようとしつづけているのではないだろうか。ゾラ・ニール・ハーストンはエッセーで「私は悲劇的に有色なのではない。私の心の中でせき止められていたり、目の届かないところに潜んでいたりする大きな悲しみはない。私は、何も気にしない」[51]と宣言しており、「彼女の属する民族の根源的な健全さを疑ったことがない」[52]。アフリカン・アメリカン文化の土台には、したたかに生き延びる集合的な前進力や態度があり、児童文学はその前進力をメタ的に受け継ぎうる。

「励まし」の具体例として、そもそも社会的に「見えない」子どもの感情を可視化する作品がある。また、アフリカをルーツとしてポジティブに捉え、「現実に帰り着くところというよりは、精神の領域における故郷[53]」として構築したり、西インド諸島とのつながりを感じさせたりする作品もある。アメリカに連れてこられたあとのつらい歴史をどう語り直すかというところで、近代史の汚点として奴隷制度や人種差別の痛苦を書きながらも、それを「生き延びた」ことの強さにあえて焦点を当て、現代を生きる子どもに新たな視点を与える作品もある。逆にいえば、奴隷制や人種差別という苦さが充満したアフリカン・アメリカン文化からこれらの特質を引き出すのが児童文学というテクストである。

自文化とつながった「励まし」は、ほかの民族集団の文化にも見いだせる可能性はある。しかしながら、アフリカン・アメリカンは、移民のように自らの意志でやってきたのではなく、奴隷というサバルタン的状況を経由し、なおかつ、奴隷制時代に自由黒人と奴隷が併存していた矛盾や、ジム・クロウ法による意図的な選挙制度がもたらした不利益なども含め、アメリカという近代国家の制度内の抑圧と感情的憎悪を引き受けてきた点で、ほかの移民集団とは一線を画す。沈黙を強いられ、あるいは、「もの騙る」ことでしか表現できず、文字や言葉ではなく歌や踊りに感情や意思を込めざるをえない、しかしそれでもなお生き延びようとした歴史をふまえてこそ切実に「励まし」を志向できるのではないか。

4　本書の構成

本書は序章と「おわりに」を除き七章で構成している。第1章は「アメリカのなかの他者」として、おもに白人作家が形作ってきたアメリカ児童文学のなかで黒人やアフリカンがどう描かれてきたのかを概観する。第2章「アフリカン・アメリカン児童文学の輪郭」では、それに異議を唱えるようにして成立・発展してきたアフリカン・アメリカン作家による児童文学の歴史を、フィクションとノンフィクションの両面から概観する。第3章「「ブラウニーズ・ブック」の意義」では、アフリカン・アメリカン児童文学の嚆矢として評価が高い一九二〇年代の雑誌「ブラウニーズ・ブック」が「励まし」の土台を形成したことを確認する。第4章「「わたしには夢がある」への応答」では、公民権運動を牽引したキング牧師の思想に応答してアメリカの人間像の多様性と人種差別の醜悪さを訴えたミルドレッド・テイラーの「ローガン・サーガ」を考える。第5章「歴史の受容」では、アフリカン・アメリカンの歴史が現代を生きる子どもの成長や気づきにどう影響するかを問う作品として、ヴァジニア・ハミルトンの『偉大なるM・C』（一九七四年）と『マイゴーストアンクル』（一九八二年）、アンジェラ・ジョンソンの『犂を打ち鳴らす』（一九九三年。未訳）を取り上げる。第6章「ネットワークの形成」では、奴隷制時代に白人の目には見えないようにして広がっていた黒人奴隷のネットワークや、逃亡奴隷の幇助組織である「地下鉄道」のネットワーク性に着目し、それらが現代のアフリカン・アメリカン作家によってどう翻訳されたかを、ハリエット・タブマンの二つの伝記で比較する。また、欠落を抱えた人間たちのつながりという点からハミルトンの『ジュニア・ブラウンの惑星』（一九七一年）とウォルター・ディーン・マイヤーズの

『ニューヨーク145番通り』(二〇〇〇年)を考える。第7章「言葉の力」では、アフリカの部族語を奪われて奴隷になった人々がアメリカで根を張り生き延びていくにあたって、言葉がどのように力になったかを軸に、民話「すべて神の子には翼がある」の再話、ミルドレッド・ピッツ・ウォルターの『次女——ある奴隷少女の話』(一九九六年。未訳)、ニッキ・グライムズの『ブロンクス・マスカレード』(二〇〇二年。未訳)から考える。最後に、アフリカン・アメリカン児童文学は、白人のアメリカ児童文学への対抗的なジャンルではなく、むしろ、アメリカ児童文学の内側でアフリカン・アメリカンの文化的特質を備えたプラットフォームを形成し、この領野を活性化させているのではないかと結論づける。

特筆しないかぎり、名前を挙げる作家や登場人物はすべて、「黒人」「アフリカン・アメリカン」である。「白人」のルーツも実際のところは多様だが、本書では、おもに西ヨーロッパからの移民とその子孫を指す。二〇二〇年の人口統計調査でいちばん多いのはドイツ系だが、歴史的には、イングランド系移民の子孫が建国以来の主流派と思われる。未訳の文献からの引用は、すべて引用者が日本語に訳した。

注

(1)ジョージ・クラック編『ついに自由を我らに——米国の公民権運動』米国大使館レファレンス資料室、四ページ(https://americancenterjapan.com/wp/wp-content/uploads/2015/11/wwwf-pub-freeatlast.pdf)[二〇二二年一月十五日アクセス]

(2)ジェームス・M・バーダマン『アメリカ黒人の歴史』森本豊富訳、NHK出版、二〇一一年、三八ページ

(3)本田創造『アメリカ黒人の歴史 新版』(岩波新書)、岩波書店、一九九一年、一一五ページ

(4)貴堂嘉之「南北戦争・再建期の記憶とアメリカ・ナショナリズム研究——『ハーパーズ・ウィークリー』とトマ

ス・ナスト政治風刺画リスト(1)1859-1870」、千葉大学文学部総務委員会内図書・紀要委員会編「千葉大学人文研究」第二十九号、千葉大学文学部、二〇〇〇年、一五二ページ

(5) W・E・B・デュボイス『黒人のたましい』木島始／鮫島重俊／黄寅秀訳（岩波文庫）、岩波書店、一九九二年、一三二ページ

(6) M・L・キング「私には夢がある」、M・L・キング、クレイボーン・カーソン／クリス・シェパード編『私には夢がある——M・L・キング説教・講演集』所収、新教出版社、二〇〇三年、一〇二ページ

(7) Michelle Martin, "African American," in Philip Nel and Lissa Paul eds., *Keywords for Children's Literature*, New York University Press, 2011, p. 10.

(8) Rudine Sims Bishop, "Introduction," *Free Within Ourselves: The Development of African American Children's Literature*, Heinemann, 2007, Kindle.

(9) Violet J. Harris, "African American Children's Literature: The First One Hundred Years," *The Journal of Negro Education*, 59, 1990, pp. 546-550.

(10) 読書反応批評で使われる用語。作品が想定する望ましい読者を指し、『オックスフォード文学用語事典』では「どんなテクストでも「理想」の読者を前提としている。その読者は、テクストが百パーセントの効果を達成するためにふさわしい特定の態度（モラル面、文化面など）をもっている。内包された読者は実際の読者とは区別され、実際の読者は内包された読者の地位に取って代わることはできないし、またその気もない」と定義している（Chris Baldick, "implied reader," *The Oxford Dictionary of Literary Terms*, 4th ed., Oxford University Press, 2015, Kindle）。

(11) "Population by Race: 2010 and 2020," U.S. Census Bureau (https://www2.census.gov/programs-surveys/decennial/2020/data/redistricting-supplementary-tables/redistricting-supplementary-table-01.pdf)［二〇二二年一月十五日アクセス］

(12) Julia B. Isaacs, "Economic Mobility of Black and White Families," The Brookings Institution (https://www.brookings.edu/research/economic-mobility-of-black-and-white-families/)［二〇二二年一月十五日アクセス］

(13) 加藤恒彦／北島義信／山本伸編著『世界の黒人文学——アフリカ・カリブ・アメリカ』鷹書房弓プレス、二〇〇〇年、六ページ

(14) Geoffrey Fenwick, "African American Literature," in Jack Zipes ed., *The Oxford Encyclopedia of Children's Literature, vol.1*, Oxford University Press, 2006, p.30.

(15) Langston Hughes, *The Collected Poems of Langston Hughes*, Arnold Rampersad and David Roessel eds., Vintage Classics, 1994, p.184.

(16) カウンティ・カレン『色——カウンティ・カレン詩集』斎藤忠利／寺山佳代子訳、国文社、一九九八年、六九ページ

(17) Richard Wright, "*Black Power*, Chapter 15," *Three Books from Exile: Black Power; The Color Curtain; and White Man, Listen!*, Cornel West intro., Harper Collins,〔2008〕2010, Kindle.

(18) 阪口瑞穂「女性の「儀式」と「血」の色——アリス・ウォーカーの『喜びの秘密』」大阪大学大学院英文学懇話会／O・L・R同人会編「Osaka Literary Review」第三十六号、大阪大学大学院英文学談話会、一九九七年、一一三ページ

(19) 横田順子「読者反応批評」、日本イギリス児童文学会編『英米児童文学ガイド——作品と理論』所収、研究社出版、二〇〇一年、一八六ページ

(20) ヘンリー・ルイス・ゲイツ・ジュニア『シグニファイング・モンキー——もの騙る猿／アフロ・アメリカン文学批評理論』松本昇／清水菜穂監訳、南雲堂フェニックス、二〇〇九年、八四ページ

(21) ミンストレル・ショーで役者にほどこされる黒い厚塗りの化粧を指す。人種差別的なカリカチュアであるとして、公民権運動以降は廃れた。黒塗りのメーキャップであっても黒人だけでなくほかの民族集団やキャラクターを表す場合もあり、「いわゆる秩序や上品なことを好む既成の価値観からはみ出ていることを身上として観客の前に立つ」（斎藤偕子『19世紀アメリカのポピュラー・シアター——国民的アイデンティティの形成』論創社、二〇一〇年、三六ページ）ための装置であり、そこにある自由なエンターテインメント性がアメリカの娯楽を形作ったとする意見もある。

だが、笑われる対象としての黒い顔は、アフリカン・アメリカンにとって好ましいものではないと思われる。

(22) Shelly Fisher Fishkin, *Was Huck Black?: Mark Twain and African American Voices*, Oxford University Press, 1993, p. 65.

(23) Rudine Sims Bishop, "Walk Tall in the World: African American Literature for Today's Children," *The Journal of Negro Education*, 59(4), 1990, p. 556.

(24) Cooperative Children's Book Center, "Books by and/or about Black, Indigenous and People of Color (All Years)," Cooperative Children's Book Center, School of Education, University of Wisconsin-Madison (https://ccbc.education.wisc.edu/literature-resources/ccbc-diversity-statistics/books-by-about-poc-fmn/)［二〇二三年一月十五日アクセス］

(25) Harris, op. cit., p.540.

(26) Lucinda Kline, "African-American Children's Literature," 1992, Fairfield University (https://files.eric.ed.gov/fulltext/ED355520.pdf)［二〇二三年一月十五日アクセス］

(27) Ibid., pp. 12-13.

(28) Alethea K. Helbig and Agnes Regan Perkins, *This Land is Our Land: A Guide to Multicultural Literature for Children and Young Adults*, Greenwood Press, 1994. p. vii.

(29) Rudine Sims Bishop, op. cit., 1990, pp. 560-561.

(30) アフリカン・アメリカンの子どもの教育についての有用な提言や方法論は、Gloria Ladson-Billings, *The Dream-Keepers: Successful Teachers of African American Children*, 2nd ed., Jossey-Bass,［1994］2009を参照。

(31) Barbara Bryant Solomon, *Black Empowerment: Social Work in Oppressed Community*, Columbia University Press, 1976, p. 19.

(32) 同じ「エンパワメント」という言葉は、R・S・トライツも用い、YA（ヤングアダルト）小説は「若者に活力《エンパワーメント》を与えるとともに、抑圧するために作られた新たな制度である」（R・S・トライツ『宇宙をかきみだす――思春期文学を読みとく』吉田純子監訳、人文書院、二〇〇七年、一〇ページ）と述べている。トライツは大人が力を振るう場としてＹＡ文学を捉え、主体性を与えることそのものも権力行使の一部であるとして、この分野の文学での大人から子どもや若者への政治的な力の行使に切り込んでいる。児童文学が伝えるものを分析したのちに、そのテクストを手渡すことが大人から子どもへのどのような力関係を反映するかを考えることも、次の段階では重要である。

（33）Bishop, op.cit., p.563.

（34）フレッド・イングリス『幸福の約束――イギリス児童文学の伝統』中村ちよ／北條文緒訳、紀伊國屋書店、一九九〇年、二九七ページ

（35）シーラ・イーゴフ『物語る力――英語圏のファンタジー文学：中世から現代まで』酒井邦秀／靍田公江／南部英子／西村醇子／森恵子訳、偕成社、一九九五年、四四ページ

（36）ピーター・ホリンデイル『子どもと大人が出会う場所――本のなかの「子ども性」を探る』猪熊葉子監訳（子どもと本）、柏書房、二〇〇二年、二三―四三ページ

（37）神宮輝夫『現代イギリスの児童文学』（神宮輝夫児童文学の世界）、理論社、一九八六年、二六七―二六八ページ

（38）谷本誠剛『児童文学とは何か――物語の成立と展開』中教出版、一九九〇年、五八ページ

（39）Peter Hunt, *An Introduction to Children's Literature*, Oxford University Press, 1994, p. 184.

（40）ヒギンソンの生涯については、Tilden G. Edelstein, *Strange Enthusiasm: A Life of Thomas Wentworth Higginson*, Yale University Press, 1968に詳しい。南北戦争時の歌謡文化に対するヒギンソンの影響は John Picker, "'Red War is My Song': Whitman, Higginson and Civil War Music," in Lawrence Kramer ed., *Walt Whitman and Modern Music: War, Desire, and the Trials of Nationhood*, Garland Publishing, 2000 を参照。

（41）Thomas Wentworth Higginson, "Negro Spirituals," *The Atlantic Monthly*, June, 19, 1867, The Atlantic (https://www.theatlantic.com/magazine/archive/1867/06/negro-spirituals/534858/)［二〇二二年一月十五日アクセス］

（42）小川洋司『深い河のかなたへ――黒人霊歌とその背景』音楽之友社、二〇〇一年、八二ページ

（43）同書一一〇ページ

（44）同書一一二ページ

（45）同書一一五ページ
（46）同書一一六ページ
（47）泉山真奈美編著『アフリカン・アメリカンスラング辞典 改訂版』研究社、二〇〇七年、二三〇―二三七ページ
（48）菅原大一太「ゾラ・ニール・ハーストン『彼らの目は神を見ていた』研究――音とプロットについて」、成蹊大学大学院文学研究科編「成蹊人文研究」第二十一号、成蹊大学大学院文学研究科、二〇一三年、一八ページ
（49）藤本和子『ブルースだってただの唄――黒人女性のマニフェスト』（朝日選書）、朝日新聞社、一九八六年、一一ページ
（50）シドニー・W・ミンツ『聞書 アフリカン・アメリカン文化の誕生――カリブ海域黒人の生きるための闘い』藤本和子編訳、岩波書店、二〇〇〇年、三ページ
（51）Zora Neale Hurston, *I Love Myself when I am Laughing: A Zora Neale Hurston Reader*, Alice Walker ed., The Feminist Press, 1979, p.152.
（52）前掲『ブルースだってただの唄』六ページ
（53）荒このみ『アフリカン・アメリカンの文学――「私には夢がある」考』（平凡社選書）、平凡社、二〇〇〇年、一一六ページ

第1章　アメリカのなかの他者

1　『アンクル・トムの小屋』にみる隷従

反奴隷制度主義小説

アメリカ児童文学のメインストリームのなかで、「黒人」「アフリカン・アメリカン」はどう捉えられてきたのだろうか。アメリカ児童文学のプロトタイプが生まれるのは十九世紀になってからだが、まず、このころによく読まれた同時代の一般文学の黒人表象が子ども向けのテクストに与えた影響を考えたい。

南北戦争直前のアンテベラム期に書かれたハリエット・ビーチャー・ストウの長篇小説『アンクル・トムの小屋』（一八五二年）は、反奴隷制度主義を掲げる「ナショナル・イアラ」誌に一八五一年六月五日から五二年四月一日まで連載されて大反響を呼び、異例なことに連載終了前の五二年三月に単行本が出版された。ストウ自らが執筆背景や登場人物造形のヒントを明らかにした『アンクル・トムの小屋への鍵』（一八五三年。未訳）によると、彼女は父親のライマン・ビーチャーの影響を受けて熱心な反奴隷制度主義者になり、実際の逃亡奴隷の話や手紙、南部の様々な見聞録やエピソードやほかの反奴隷制度主義者の声を参考にしてアンクル・トムの話を創作したという。

『アンクル・トムの小屋』の主人公のトムはケンタッキー州のシェルビー農園の奴隷で、敬虔なキリスト教徒として一目置かれ、自分の小屋にほかの奴隷を集めて『聖書』の話を聞かせることを許されている。冒頭で、白人農園主のシェルビーは投機に失敗して奴隷のジョージ・ハリスを悪辣な奴隷商人であるヘイリーに売ることを決めるが、計画を察知したジョージ・ハリスが逃亡したため、トムが身代わりを引き受ける。ニューオーリンズの奴隷市場へ運ばれていく船上で、川に落ちた少女エヴァンジェリンを救出したことで、エヴァンジェリンの父親のオーガスティン・セント・クレア氏は感激し、エヴァンジェリンの望むままにヘイリーからトムを買って、ルイジアナ州にある自分の農園へ連れていく。そこでトムは束の間の穏やかな時間を過ごすが、エヴァンジェリンが結核で、オーガスティンも事故で亡くなったことで再び売られ、レグリー農園で所有されることになる。残酷なことで有名な白人農園主のレグリーは、トムがほかの奴隷をかばって余分に働いたり、女奴隷のキャシーとエメリンの逃亡について秘密を貫いたりしたことでひどい折檻を加える。最後に、もとのシェルビー農園を継いだジョージ青年がトムを買い戻しにくるが、トムは彼の目の前で息を引き取り、敷地外の砂地に葬られる。ジョー

図1　『アンクル・トムの小屋』の原書の表紙
(Harriet Beecher Stowe, *Uncle Tom's Cabin: or Life Among the Lowly*, Sea Wolf Press, [1852]2019.)

ジは奴隷制度の残酷さを非難し、自分の農園の奴隷を解放すると決める。トムの物語と並行して、ジョージ・ハリスの逃亡と、彼の後を追った妻のエライザと幼いハリーのたどった道のりについても語られ、それによると、合流した一家はカナダからリベリアに渡っていく。

作品は、当時の反奴隷制度運動に大きく寄与し、単行本化された最初の週に一万部を売り、大ベストセラーとして世論の形成に影響を与えた。時代背景をふまえたうえで功績が多大だと認められる一方、のちの黒人の権利運動では、運命に抵抗もせず主人にとってのいい奴隷であり続ける「アンクル・トム」は白人にこびへつらう黒人を表す蔑称になり、受容しがたいステレオタイプである点も問題視されてきた。

宗教・家庭・大衆

小林憲二による『新訳 アンクル・トムの小屋』の「解説・資料」や『アンクル・トムとその時代』、常山菜穂子の『アンクル・トムとメロドラマ』などを参照すると、当時のアメリカ社会での黒人の扱われ方や奴隷解放運動との関わり以外に、宗教性、家庭小説の要素、メロドラマとしての作られ方が本作の特徴であることがわかる。本作が児童文学にもたらした問題は、これらの要素が子どものためのテクストの形成に影響しやすく、作品の極端な人物造形や感傷主義の残像が二十世紀になっても影を落とし続けたことだろう。

第一に、作品の強い宗教性が子どもの本の特質と呼応する。そもそもアメリカの子ども向けのテクストの源流には、建国の経緯に大きく関わる宗教の本がある。植民地時代のアメリカで読まれていたのは、おもに『聖書』や教理問答であり、一六四六年にボストン第一教会の牧師だったジョン・コットンが出版した『子どもの心の糧』[1]は『聖書』を土台にし、六十四の問いと答えで構成される。「問い――神はあなたに何をしてくれましたか？答え――神は私を作り、生かし、救ってくださいました」[2]といった質疑で構成され、子どもはそれを暗唱する。一六五六年の改訂以降も長く家庭教育の中心になってきたテクストである。

イングランド国教会が主流のイギリスから新天地のボストンに来たカトリックの出版人ベンジャミン・ハリスは、『ニュー・イングランド・プライマー』[3]を一六八七年から九〇年ごろに執筆した。これも、新大陸の子どものための最初期のテクストのひとつで、「A　アダム（Adam）の罪により、私たちはみんな罪深くなった」[4]など、アルファベットに文頭の文字を合わせた『聖書』の話や教理問答、詩、教訓物語などが含まれている。ハリスは九〇年に植民地アメリカで初めての独立新聞「国内外の公共的出来事」を発行している[5]ので、出版物の公共的な力を認識して子どもと宗教を結び付け、教育書を設計したといえるだろう。この本は、改訂されながら二百年以上アメリカで読本として広く読まれることになった。いずれにせよ、アメリカの土台にはキリスト教があり、草創期のアメリカの子どもの本にはキリスト教の要素が欠かせなかった。

ひるがえって、『アンクル・トムの小屋』は、「すべての真実なる行動は物質的なものではなく精神的なものであることを明記する力の論理を福音主義の改心運動と共有して[6]」いる。作中には、熱心な北部の福音主義者だったストウの信仰心が様々に反映され、南部の奴隷たちの間でおこなわれていた信仰活動が実際は荒々しく素朴なものだったにもかかわらず、作中での宗教集会は、ストウが理想とする穏やかな聖歌と説教と信仰経験についての語りで構成されている。成人後に洗礼を受けたトムにとって、「聖書は彼自身の一部となり、唇から無意識に漏れ出てくるほどにまで、彼の存在に深く溶け込[7]」むもので、シェルビー氏は、トムが自分の小屋で近隣の奴隷たち全体の牧師役を務めることを特別に許可している。セント・クレア農園のエヴァンジェリンは、トムが「新しきエルサレムとか輝かしき天使とか約束の地カナンとか、そりゃ美しいことばかり歌う[8]」ことに驚き、レグリー農園では拷問を受けても「おらの古ぼけた身体から血を一滴残らずとることで、あなたの尊い魂が救われるんなら、主がおらのために してくださったように、いくらでもおらの血を差し上げますだ[9]」と、蛮行をおこなう農園主に救済を与えようとする。混血の知的な逃亡奴隷ジョージ・ハリスは、「私らをお造りになった偉大なる神にかけて、私らは自由のために死ぬまで闘うつもりだ[10]」と追っ手に叫び、彼の逃走自体が宗教心に根差していることを宣言する。作品そのものが北部からの布教活動の一環として解釈できるものであり、宗教的教訓を土台としていたアメリカの子ども向けテクストとも相性がいいために、トムやエヴァンジェリンのエピソードは何度も再生産されることになった。

第二に、ニューイングランドらしい、穏やかに整った家庭重視の側面である。ハリエットは、アメリカの女子教育確立に力を尽くしたキャサリン・エスター・ビーチャーの妹である。姉妹の父ライマン・ビーチャーはカルヴァン派の牧師で、その厳しい宗教性と家父長制を背景にして書かれたキャサリンの『家政学論――家庭や学校の若い淑女に向けて』(一八四一年。未訳)は女子校の教科書に採用され、主婦の参考書としてベストセラーになった。ハリエットはキャサリンとの共著で『アメリカ女性の家庭――家政学の原理』(一八六九年。未訳)を出版し、女性が手腕を発揮できる場としての家庭を明るく居心地よくすることの重要性や使用人の管理方法、看護術などを詳説している。

『アンクル・トムの小屋』でも、現実に奴隷に与えられる食事は乏しく、多くが飢えに苦しんでいたにもかかわらず、トムの小屋は彼の善良さを示すアイコンとしての食料が実に豊かである。トムの妻のクロウは明るく、その台所はチキンやターキーの匂いに満ち、母屋から遊びにくるジョージにはコーンケーキやマフィンが振る舞われる。残酷な奴隷商人のヘイリーがエライザとハリーを追跡しようとするとき、気持ちの優しいシェルビー夫人はわざと食事を勧め、それに呼応して奴隷たちはゆっくり支度をしたり粗相をしたりして彼の出立を遅らせ、台所を奴隷制度への抵抗の場としている。

セント・クレア農園では、南部の放埒さを示すかのように奴隷のダイナが家政を仕切り、オーガスティンの妻のマリーは主婦として成熟しきれていない。以前にマリーの母親の所有物だった奴隷たちにも「マリーお嬢様」[11]と未婚気分のままに呼ばせて、女主人としての役割を放棄している。十九世紀以降のイデオロギーのなかで形成されてきたアメリカらしい「家庭の天使」が不在の屋敷では、人々は怠惰でけじめがない。奴隷の料理番ダイナは料理上手だがだらしがなく、引き出しのなかは雑多なものであふれかえり、洗い物入れの上でビスケットの粉を練るありさまである。[12]

レグリー農園では、レグリーの残忍さと宗教心の欠落は彼が摂取する食べ物の貧しさや飲酒で表現される。愛人にしている奴隷のキャシーと口論になったときにはパンチを作っていたために理性がはたらかず、新たな情婦になる奴隷を買ったときにはブランデーを飲ませて支配しようとする。食と台所をめぐるよき家庭のイデオロギーも、児童文学と相性がよく、心が豊かになる食を用意する母親を中心とした家庭の礼賛と堕落への嫌悪も、子ども向けテクストのなかで再生産されうる。

第三に、「ステレオタイプ化した物語や記号的な登場人物、直情的な台詞と上演スタイルは、観客の感情に訴えかけ[13]」るというメロドラマとしての作られ方である。メロドラマは十八世紀から十九世紀のヨーロッパで流行した音楽付きの劇のことだが、しだいに、勧善懲悪や家族の別離と再会、ハッピーエンドの恋愛を盛り込んだ大衆的な通俗劇を指すようになった。『アンクル・トムの小屋』では、トムの肉体は滅びても、彼のあつい信仰心は征服されず、その平明さが大衆的な感動を呼ぶ。レグリー農園のキャシーとエメリンが自由黒人の婦人と小間使いだと身分を偽って逃亡することにはスリルがあり、その途中で、ジョージ・シェルビーの助力によって、キャシーがかつて引き離された娘であるところのエライザと再会するという家族の物語も、連載にふさわしい盛り上げ方である。こうしたメロドラマ的な要素は、センセーショナルなエピソードや描写を抜き出す子ども向けの抄録版をつくるときに重宝される。

子どもの登場人物の役割

これらの思想や特徴を強化するのが子どもの登場人物である点も、児童文学と相性がいい。エヴァンジェリンは、その名前のとおり、ストウが考える導きの天使で、彼女の「「聖性」は、われわれ読者の「郷愁」や「ナル

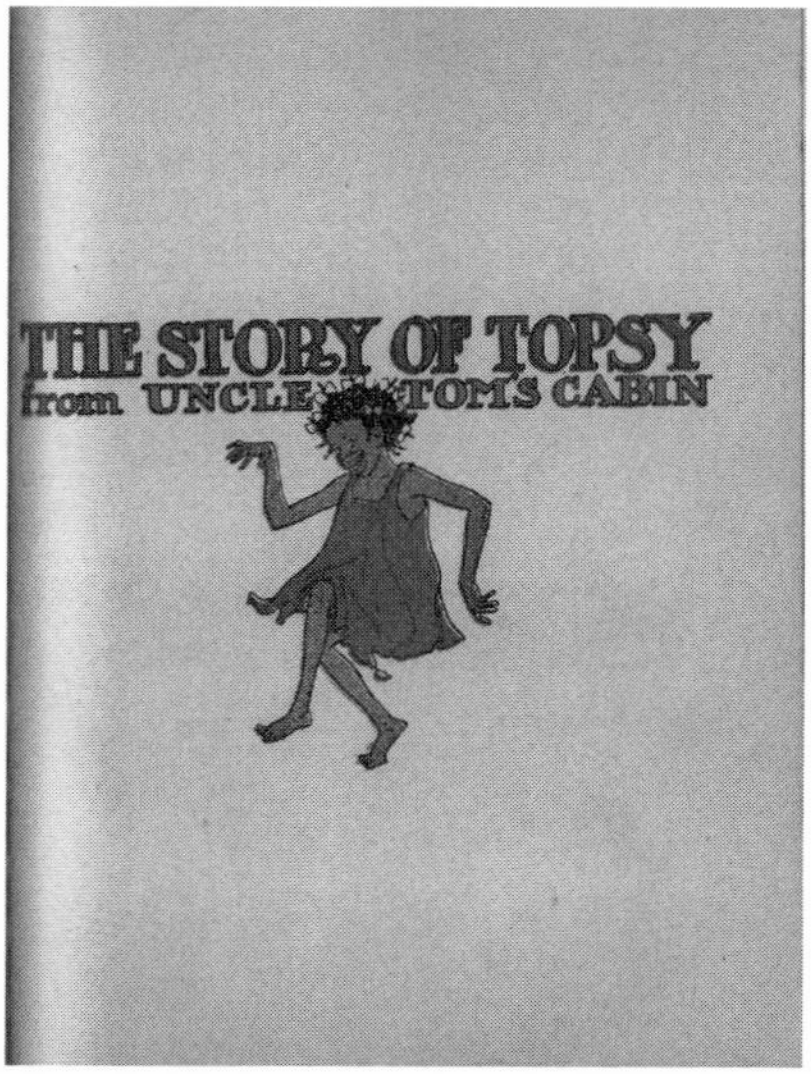

図2　「トプシーの話」を所収した絵本（未訳）の中表紙
(Bannerman, *The Story of Little Black Sambo* [*including The Story of Topsy from Uncle Tom's Cabin]*, John R. Neill illus., Reilly & Britton, 1908.)

シシズム」を加速させるためのものであり、読者は「自己慰撫的な」心情を満喫させるよう要請されている」[14]。他方で、奴隷の孤児トプシーはセント・クレア農園に来る前から手癖が悪く、罰を受けることが多い。セント・クレアの従妹で教育や家庭運営に心を砕く北部出身の白人女性オフィーリアをからかうつもりでセント・クレアはトプシーを買い、しつけのための素材として提供するのだが、トプシーは、愚かで無知蒙昧な黒人像と、教化されるべき白紙状態のタブラ・ラサという近代的児童像の奇妙な混合体として示され、なおかつ、エヴァンジェリンの完璧な影として対照される。トプシーは、オフィーリアのしつけに反発し、「よい子になったって、あたいは黒んぼでしかないんだ」「あの人〔オフィーリア：引用者注〕はあたいが黒んぼだから、あたいにがまんがなんないのさ！」とわめいて行動を改めないが、エヴァンジェリンが同情し、「ああトプシー、かわいそうな子。わたしがあなたを愛しているわ！」と手を肩に置くやいなや感極まって涙を流し、その瞬間に信仰の光に貫かれて改悛する[15]。トプシーは、ストウの主張を強化するために要請された醜悪な子ども像であり、エヴァンジェリンが救済を授ける客体としての役割を果たし、愚かさや罪深さから抜け出す。

メロドラマ性は、「アンクル・トムの小屋」の演劇版として様々なバージョンがある「トム・ショウ」で、いっそう強められた。一八五二年ごろから制作されはじめた「トム・ショウ」のなかでは、白人演出家のジョージ・エイキンが大胆に改変した版が特に人気を博し、音楽で盛り上げたり、レグリーが撃ち殺される改変がおこなわれたりしている。レグリーがトムに振るう暴力の生々しい残酷さや、ハリーを抱いたエライザの大胆な逃亡は、原作ではごく簡潔に記してあるだけにもかかわらず、「様相が肥大化し、「スリルとサスペンス」の度合いをどんどん増し」(16)、凍りついたオハイオ川を超人的な脚力で跳びはねながら渡るエライザの並外れた様子を強調し、やがて別の「トム・ショウ」では奴隷狩りの場面で本物の犬を舞台に上げることさえおこなわれるようになった。ここでは、無垢なハリーが母親に抱かれて逃げるという点で悲劇性が増幅する。

「トム・ショウ」のデフォルメされた人物造形や劇的な展開は、その後の『アンクル・トムの小屋』の子ども向け抄録版にも影響を与え、トムの悲劇的な運命を感傷的に語る抄録版のほか、複数の絵本も出版された。トプシーの改悛も、本筋から切り離し可能な、それ自体が一つの物語として受容しうるものになる。いたずら好きな悪童の面を取り上げる場合は、規範から逸脱して暴れ回る「悪い」トプシーの道化ぶりが騒々しく描かれる半面、気高い心にふれて劇的に改心する点に注目する場合はキリスト教的改悛が強調され、絵本のなかには、トプシーが長じてアフリカに渡って教師になった、という改変を付け加えたものさえある。

『アンクル・トムの小屋』は、反奴隷制度主義の思想を効果的に伝え、世論に訴えかけ、大衆を動かす力があった半面、その大きすぎる遺産は、子ども向けの多くのテクストに残り続けた。運命を甘受し、奴隷であることを否定しないトム像や、教化されるべき野蛮で性質が悪いトプシー像はそれらのなかで特に中心化されている。だが、白人農園主に従順な奴隷のトムは、二十世紀以降のアフリカン・アメリカンにとっては嫌悪と侮蔑の対象であり、白人の「善い」少女エヴァンジェリンの気高さにふれて改心する「悪い」トプシーの野卑な像がアフリカン・アメリカンの子どもを力づけることはない。

2 『アンクル・リーマスの話』にみるミンストレル・ショー

盗み取られた話

十九世紀のヨーロッパで、グリム兄弟やジョゼフ・ジェイコブズがロマン主義的な関心をもって自国の口承昔話を収集し、『グリム童話』(初版一八一二―一五年、第七版一八五七年)や『イギリス民話集』(一八九〇年)にまとめたのに対し、ヨーロッパ各国の植民地を土台にして成立したアメリカでは、ネイティブ・アメリカンの諸部族を一掃したことで民話を失った。白人同化政策のもとで土着の文化伝承は大きな打撃を受け、言葉とともに口承の民話はほとんど滅ぼされたといっていい。一九七〇年代以降の先住民復権運動で、彼らの神話や民話は新たに注目を浴び、諸部族の創生譚や動物物語は英語に書き起こされて再配布されるようになったが、使用される言語の問題や諸部族の差異が意識されない点や、現代のエコロジー主義にも影響を受けた再話である点で、すでに語られていたときのままではない。

移民と祖国を結び付ける各出身国の民話も、必ずしも北米全体に広がるものではない。アイルランド、オランダ、ドイツ、北欧など様々な地域から運ばれてきた話は、むしろアメリカの内側に点在する小さな共同体内の移民たちのつながりを強化し、互いの差異をあらわにする。最もアメリカらしく土着のものとして発展したトール・テール(ほら話)は、開墾作業のなかで仲間同士が楽しい時間を共有するために語られたもので、特に巧みに誇張された話が生き残って知られるようになった。例えば、ウォルター・ブレアが収集した話のなかで、伝説の木こりポール・バニヤンは生後三週間で数キロメートルの高さの大木を蹴り倒し、成長後はベーブという青色の牛を連れて見事な伐採作業をおこない、五大湖を掘る。アライグマの帽子がトレードマークの軍人デイヴィ・

クロケットは、狩りの名人だったため、狙われたアライグマが自ら覚悟を決めて頭を下げる。コヨーテに育てられたカウボーイのペイコス・ビルはガラガラヘビを鞭に使う。こうした話はアメリカが好むヒロイズムを内部で膨張させ、土着の話を飲み込みながら文化の磁場を形成したことは間違いないが、いずれも人為性があり、史実や実在の人物を脚色した点で、主人公を特定しない話としての民話にはカテゴライズしにくい。

この点で黒人民話は新大陸の土壌で生まれた黒人英語で語られ、ルーツになるアフリカの話とつながりながら独自の変容を遂げてアメリカの物語になった。それらはカリブや西アフリカと自在に接続して共同体の物語を構築したうえで、白人のアメリカとは異なる地図を浮かび上がらせ、アメリカという土地に根を張った。しかし、その本来の力強さは、白人にまず見いだされ、消費されることで、アフリカン・アメリカンが望まないものとして広まることになった。

南北戦争後の再建期のジョージア州でジャーナリストをしていた白人記者のジョエル・チャンドラー・ハリスは、同僚の白人記者サム・スモールのスタイルを参考に、「アトランタ・コンスティテュート」紙で黒人民話や小話を連載し『アンクル・リーマス――彼の歌と発言』（一八八〇年。本書の引用では『リーマス爺や』〔一八八〇年〕を使用）にまとめた。全体にアンクル・リーマスという奴隷が屋敷の七歳の白人少年に語り聞かせるという枠物語形式を用い、ハリス自身が大農園の黒人奴隷から見聞きした話や新聞広告で募集して聞き書きした話などで構成している。動物の擬人化や一見愉快なやりとりが好評を博し、『アンクル・リーマス』以下、『アンクル・リーマスとの夜』（一八八三年。未訳）、『アンクル・リーマスと友達』（一八九二年。未訳）、『アンクル・リーマスの語り』（一九〇五年。未訳）、『アンクル・リーマスとブレア・ラビット』（一九〇七年。未訳）、『アンクル・リーマスの七つの話』（一九四八年。未訳）など全十冊が出版された。素朴な「民話に高い技巧をもって手を加え、綿密に研究したジョージアの黒人特有の話し言葉で話をふくらませ、ストーリーテラーとしての並々ならぬ才能を発揮した[17]」、あるいは、「時代に特有のミンストレル的な態度があるにしても、弱者が強者に知恵で立ち向かう動物たちの話には黒人の生活感情が滲み出ていて、したたかに生きる人間の社会が投影され、黒人英語の表記工夫に見られるように、語り口にも独自性がある[18]」と一定の評価を受け、まさにアメリカの民話として受容されうる存在感がある。

翻訳される暴力

しかし、「時代に特有のミンストレル的な態度」は、時代を経ればなお看過しがたい。アフリカン・アメリカン文学批評では、「ジョエル・チャンドラー・ハリスによるアンクル・リーマスのような好感のもてる黒人の人物造形さえもが、話し言葉の表象に関わる以上に、ミンストレル・ショー、プランテーション小説、そして寄席演芸から派生した人種差別主義者によるテクストの伝統に、ずっと深く関わっていた[19]」と非難され、作品にあるミンストレル・ショー的な要素は、再話時の人種間権力関係がアンバランスであるゆえにきわめて歪んでいる。問題はここでも、テクストの性質上、ハリス版の民話が児童文学の領野に残り続けることになった点である。

グリム兄弟やジェイコブズの民話収集と異なり、ハリスは民俗学的な背景をもたず、広告を出して話を聞かせてくれる黒人を募集して話を買い取ったり、自分の幼少時に聞いたおぼろげな記憶のなかから探ったりして話を組み立てた。『アンクル・リーマス』の第一話で、アンクル・リーマスの話を立ち聞きする大農園の女主人のミス・サリーと同様に、ハリスは本来なら語り手と聞き手の間に有機的に成立すべき語りの空間に参加せずに、横からかすめ取っている。

奴隷共同体のなかで語られていたとき、アフリカにルーツをもつ民話は確かにひそやかな力になりえていた。社交や恋愛から、情報交換、逃亡援助に至るまで、黒人奴隷だけのネットワーク内では話すことそのものが、白人の監視が及ばない領域での主体的行為として力をもっていた。このとき、愉快な話のなかで力が弱いウサギには黒人奴隷、出し抜かれる強い動物には白人農園主が仮託され、ウサギが知恵で勝る話は共同体の成員にとって楽しみだっただろう。しかし、そうしたネットワークを外れたリーマスが母屋の幼い白人少年のためだけに語るとき、話は共同性から切断され、本来の力を失い、違うトーンを帯びる。例えば、アンクル・リーマスが語る暴力は、アフリカに由来する話として捉えるかぎり、昔話に特有の、具体性を欠いた事象にすぎない[20]。だが、アンクル・リーマスの語りに乗せて白人に向けて語られることで、にわかに黒人奴隷に対する陰惨な暴力を想像するのを免れえなくなる。

第二話の「すばらしいタール・ベイビーの物語」は、キツネが仕掛けたタール人形にウサギの手足がくっついて捕まる「タール人形の話」として有名な話で、第四話の「ウサギさんはすばしこくて、キツネさんには捕まらないわけ」では、タール人形にくっついたままのウサギが知恵をはたらかせてキツネを出し抜き、慣れ親しんだイバラの茂みに解放される。ネイティブ・アメリカンや南アジアの伝承にも類話があるが[21]、アメリカ南部に伝わった話の起源はおそらく西アフリカで、アメリカ南部やカリブ文化圏に似た話が広く伝播している。地理的に近接した地域の類話には、例えば、ロジャー・D・アブラハムズ編纂の『アフロ―アメリカンの民話』（一九八五年。一九九九年に『アフリカン・アメリカンの民話』に改題）に所収の「王様を一人残らずだます」（セント・ヴィンセント島）がある。強い相手をだますのはアフリカ民話由来でよく知られたトリックスターのアナンシ（同書ではナンシという名前で登場）で、王さまが井戸の水泥棒を捕まえようとし

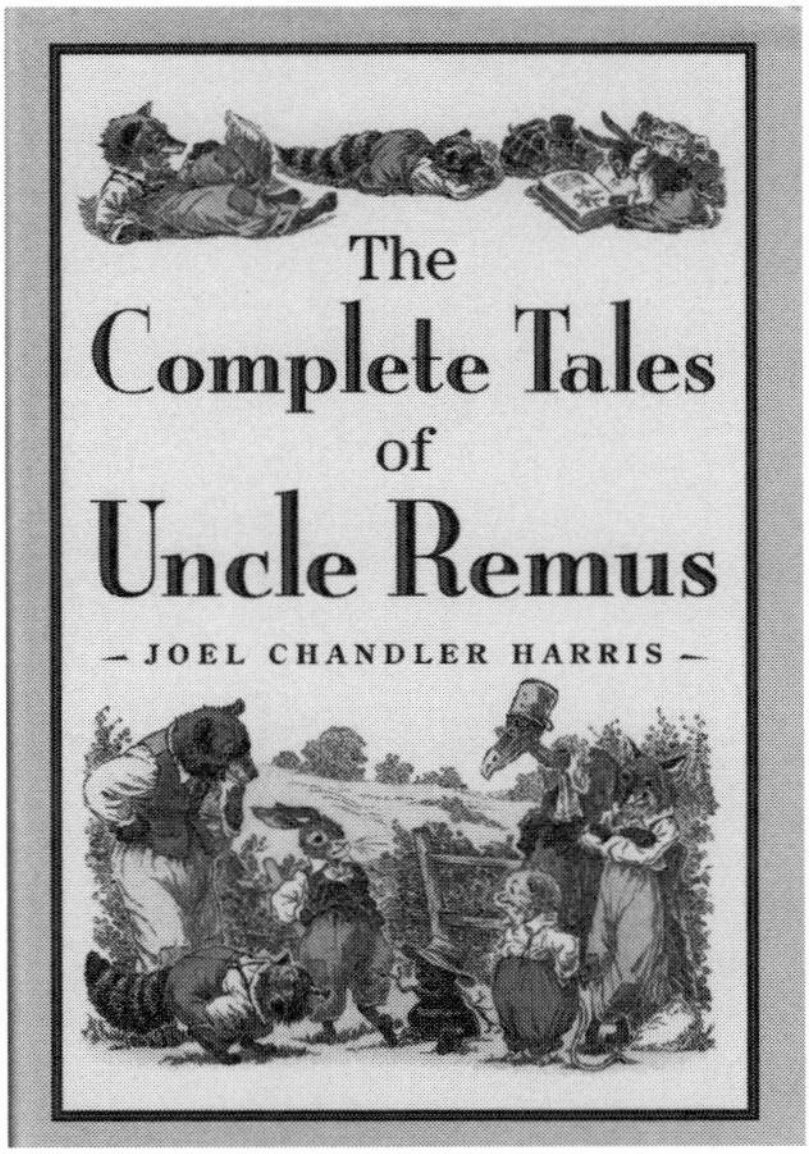

図3　『アンクル・リーマス――彼の歌と彼の発言』ほか計9編を所収した原書の表紙
(Joel Chandler Harris, *The Complete Tales of Uncle Remus,* 1880, 1881, 1892, 1903, 1906, 1910, 1918, 1948. Richard Chase comp., Houghton Mifflin, [1995] 2002.)

て魚とパンを持つタール人形を仕掛けると、アナンシが引っかかる。アナンシは海にだけは投げ込まないでほしいと懇願したために海に投げ込まれるが、それは実は彼の希望どおりで、首尾よく海底から浮かび上がったアナンシは、サメとライオンをどちらもだましてスープにして飲んでしまう。

「タール人形の話」を大農園の奴隷だけが共有していたときは、

自分より力が強い相手を主に取引でからかいながら、策略で負かす小さな英雄に焦点を当てている。ウサギは悪知恵がはたらくトリックスターで、不正をするとき以外は無力である。オオカミは白人の奴隷所有者を表し、(文字どおり)ウサギの子どもたちを食べたがっている。どちらも動物の仮面をかぶっているが、それは、奴隷たちが生き残りの戦略や抵抗を隠すために用いた寓意的な道具である。[22]

と考えられる。しかし、その企みがハリスによって引きずり出されるとき、奴隷だけの符丁は無効化され、作中の暴力や殺害は、黒人が白人に提供する奇妙なゲームの色が濃くなる。

タール人形の不気味な黒さには、無実の罪でリンチにあいかねない黒人の緊張が投影され、ねばねばするタール人形とウサギの格闘は、溶けたコールタールを体に塗って鳥の羽を付けて担ぎ回る「タール&フェザー」のリンチを想起させる。タールについて、元逃亡奴隷で黒人運動指導者のフレデリック・ダグラスは、果樹園の果物を盗む奴隷を捕まえるために主人が柵にタールを塗り、服にタールがついている奴隷を厳しくむち打ちする様子を見たことを苦々しく思い出し、[23]トニ・モリスンは『タール・ベイビー』(一九八一年)の着想のきっかけが「タール人形の話」であることを述べたうえで、「小さな子どもの愉快な話と考えていい。だが、話のなかにある何かが私をおびえさせた。私をおびえさせたのはタール人形への言及である」[24]と述べている。路上で奴隷を食虫動物のように引き付け、命を奪いかねないタール人形をおもしろがることができるのは、タールをめぐる言説やそこから想像できる身体的恐怖と無縁の者しかいない。
『アンクル・リーマス』では、ウサギはかつて自分の子どもを何匹もさらった仕返しに、オオカミを大きな箱に閉じ込めて煮え湯をそそいで殺す。クマをだまし、自分のかわりに木の枝に宙吊りにして、キツネにステッキで殴りつけさせる。しかも、リーマスはそれを実に楽しげに語る。だが、不条理なむち打ちやリンチが見聞きされ、それらへの恐怖と隣り合わせだった時代に、人間の畑を荒らして捕まったウサギがキツネをだまして身代わりにし、「ヒッコリーの木で打ちすえただ。なんしょ、ミスター・マンがラップジャケットばやるやり方は、近所じゃ警戒もんになってただからな。キツネどんはよ、ひきつったり、跳び上がったりしながら、ヒーヒー悲鳴ばあげただ。だけんど、ミスター・マンはな、やつば、雨あられとぶったたいただ、ええか、まるで、怒り狂ったスズメバチと戦って、巣ば取るとき見てえにな[25]」という目にあわせる暴力の描写を、黒人は心から楽しめただろうか。

アンクル・リーマスが語る暴力を笑える白人の観客は、ラルフ・エリスンの『見えない人間』（一九五二年）で、黒人の子どもたちに殴り合いのバトル・ロワイヤルをさせ、その後、同じ子どもたちに電流を通したカーペットでおもちゃのコインを拾わせて笑う白人男性たち、あるいは、リチャード・ライトの『ブラック・ボーイ』（一九四五年）で、少年時代のライトがファイトマネーに釣られた別の黒人少年と実際に拳闘の対戦をさせられ、それを見て楽しむ白人の店主たちとも類似する。ライトは自分に親しげな店主にうっかり心を許したために、拳闘の賭け試合に出場させられ、同じ境遇の黒人少年のハリスンと闘うことになる。最初は、お互いに「ふり」をする約束だったが、拳闘の心得もないために、観衆を欺くような芝居もできない。

ぼくは、罠にかかったみたいで、恥かしくなった。ぼくは、ますます激しく打って出たが、ぼくがむきになればなるほど、ハリスンの方もむきになってくる。こうなると、もうぼくたちの計画も、約束も、役に立ちはしない。ぼくたちは、突いたり、撲ったり、唸ったり、唾を吐いたり、悪態をついたり、わめいたり、血を流したりしながら、四ラウンドの激闘を続けた。挑発と知りつつうかうか乗ってしまったことを思うと、恥かしくもあり腹立たしくもあり、その気持が、ぼくたちの打ち振る拳の力にこもって来る。血が目に入って、半分目が見えなくなった。ぼくたちをうまく操った白人に対する憎しみが、相手を撲る拳の力にこめられた。(26)

『アンクル・リーマス』で進行しているのは、このようなゲームである。アフリカではユーモアを交えた捕食／闘争関係だった動物たちの姿は変容し、さらされて笑われる。尊厳を売り、殴り合わざるをえない状況そのものへの怒りを互いにぶつける『ブラック・ボーイ』の黒人少年たちの姿に、唐突に舞台に現れてナンセンスな闘争を繰り広げる動物たちの姿が重なる。

ミンストレル・ショーとの類似

この暴力性や嘲笑は、ミンストレル・ショーにも接近する。ミンストレル・ショーとは、白人（やときには黒人）が顔を黒く塗り、黒人の身体的特徴を強調したうえで繰り広げる寸劇や歌などのエンターテインメントである。白人芸人のトーマス・ディクソン・ライスによる「ジム・クロウ」(27)やジョージ・ディクソンによる「ジップ・クーン」が有名なキャラクターで、ジム・クロウは、つぎはぎだらけのズボンと、酒落者を表すスカーフ、裾がぼろぼろの上着、底が抜けた靴など雑多な衣装をまとった奇妙な姿でナンセンスな歌を歌い、(28)ジップ・クーンは都会派ダンディとしてシルクハットと燕尾服姿で単純な歌を歌った。(29)いずれも、黒人を愚かしいものとしておとしめる態度をとることに役者と観客の双方が合意することで笑いを生む。十九世紀末にこれらの芸はヴォードビル・ショーに発展し、単体としてのミンストレル・ショーは衰退していくが、人種差別的態度は残り続け、二十世紀半ばまで、顔を黒塗りにして赤い唇を誇張した芸を舞台でもテレビでも見ることができた。「アンクル・リーマス」の動物は、お定まりの役割を演じる騒々しいミンストレル・ショーの役者と重なり、ウサギがかかとを打ち鳴らして、「ジャンプだ、ジム・クロウ」[30]とジム・クロウ風に踊る話もあるほどである。

ハリスの素朴な意図は、黒人奴隷たちのユーモラスな動物の話を、語られている音韻に忠実に再現しようとするものだったかもしれない。しかし、その試みは、語り手や聞き手としての黒人に寄り添うものではなく、白人の大衆文化と白人の子どもだけの場で構築された遊戯となっている。結果的に、暴力的な笑いのうえに並べられた民話は、アフリカで根付いていたときの生命力を奪われ、黒人奴隷と白人少年という閉じた階級空間によってエンターテインメント化した。ハリスが工夫したリーマスという枠は、それ自体、黒人民話を固定化し、あたかもボクシングのリングのなかに奴隷たちを閉じ込めて外から観戦するような閉塞性を招く。ハリスが買い取った話は消費され、固定性のなかに置かれたウサギやキツネは、ミンストレル・ショーの場面を演じさせられている役者になる。

図4　“Jim Crow” ジム・クロウの衣裳を着たライスの絵。1833―45年ごろ。Library of Congress所蔵

リーマスという枠組みで語られた民話は、アフリカン・アメリカンの子どもを支えるものにはならない[31]。一九八〇年代になってから、ジュリウス・レスターは子ども向けの再話として『アンクル・リーマスの話――ブレア・ラビットの冒険』（一九八七年。未訳）を編み、白人の少年やミス・サリーを除外し、アンクル・リーマスを単なる語り手とした。また、ファン・ダイク・パークスは、『ジャンプ！　ブレア・ラビットの冒険』（一九八六年。未訳）で、リー

マスも出さずに五話を再録した。アマンダ・コックレルはこうした試みを、ハリスの人種差別主義の枠組みから話を救い出した例としている。(32)語りの本質を示すには、少なくとも大農園の権力者である白人が除外されなければいけないという現代のアフリカン・アメリカン作家たちの直感は正鵠を射ているといえるだろう。

3 アメリカ児童文学の黒人

十九世紀の児童文学の黒人像

『アンクル・トムの小屋』や「アンクル・リーマス」シリーズは、黒人奴隷の実情や黒人民話を主題とし、一般向けに書かれながらも子どもの本に影響を与えることになったテクストである。では、明示的に子ども向けに書かれたアメリカ児童文学のメインストリームでは、ある時期まで黒人はどのように描かれてきたのだろうか。

アメリカ児童文学の出版市場は、植民地時代には宗教的なテクストや教訓小説、本国から移入された本が中心であり、イギリスから移入／輸入した書籍などで形成されていた。物語の背景にアメリカらしさを加え、教育性を宗教的なモチーフによって描くだけでなく、より広義に捉えて子ども読者を楽しませ、心身の滋養という面から国産の児童文学が発展していったのは、アメリカン・ルネサンスと連動する十九世紀半ば以降である。大衆小説や家庭小説などに源流をもつ国産の作品が生まれ始め、南北戦争後の連邦側の価値観によって取捨選択されてきた作品がメインストリームに残り続けて文学史になったともいえるかもしれない。

ストウの『アンクル・トムの小屋』は、熱心な反奴隷制度主義を訴えるものだったが、その奴隷は自由になってどこに行くのか。この点で、ストウは奴隷を救済の必要な未開人と捉え、その魂を救おうとしながら、アメリカ北部で黒人と白人が混交していくことは周到に避けている。シェルビー農園で解放された奴隷はそのまま格安で使用される労働者になって南部にとどまり、黒人奴隷と白人の関係が緩かったセント・クレア農園は崩壊した。反奴隷制度を訴えて勇ましい演説をぶったジョージ・ハリスは一家でカナダに暮らし、その後、フランスからアフリカに行くことが示唆される。アメリカでの混交は避けられている。

家庭小説の正典《キャノン》である『若草物語』（一八六八年）の白人作家ルイーザ・メイ・オルコットは、父親のエイモス・ブロンソン・オルコットの影響を受け、熱心な反奴隷制度主義者だった。ブロンソンは、ヘンリー・デイヴィッド・ソローやラルフ・エマソンと親しい超絶主義者で、理想に燃える半面、家族を様々な事業の巻き添えにしたことで知られる。ルイーザ・メイも、生活の困窮や経済問題を打破するために針子や家庭教師として働き、新聞や雑誌に作品を投稿し、大衆作家として報酬を得ていた。

ブロンソンは、コネティカット州で教員になったあと、私財を投じてボストンでテンプル・スクール（一八三四―三九年）という学校を設立した。ニューイングランド・ペダゴジーを背景に、「他者に対する共感（同感）あるいは模倣を前提とした、個と集団の相互作用による共同の自治(33)」を目指す教育思想の実践の場だったが、そもそもの経営難に加え、黒人生徒を入学させたことが最後の一撃になり、五年ほどで倒産している。ルイーザ・メイも南北戦争では北軍の従軍看護師として働き、その体験を土台にした中篇小説の『病院のスケッチ』（一八六三年）では、主人公のトリビュレイションが黒人の赤ちゃんにキスをしたり、黒人たちのなかに「決着がつくときまで待ちながら希望を見つめ続ける辛抱強い魂(34)」を見いだしたりして心を寄せている。

しかし、これほど黒人に関わっていても、子ども向けの『若草物語』には、奴隷制度や黒人に関わる言及は一切ない。『第三若草物語』（一八七一年）で、ジョーと夫のベア教授が設立したプラムフィールド学園は、テンプル・スクールをモデルにしているにもかかわらず、十二人の生徒は全員が白人で、外見について言及されているのは、青い眼のナット、金髪のフランツ、背中が曲がっているディックであり、残り九人のうち四人はジョーやメグの子どもたちである。奴隷問題に対して意識的であっても、オルコットは児童文学に人種の問題を織り込むことはせず、子ども向けに黒人と白人の共存を書くという過激さを避けている。

少年小説の草分けになる『トム・ソーヤーの冒険』（一八七六年）を書いた白人作家のマーク・トウェインも、幼少期はミシシッピ川流域の町で暮らし「黒人たちは皆、私たちの友人」[35]と考え、近所の奴隷のアンクル・ダニエルを懐かしく回顧して[36]、『ハックルベリ・フィンの冒険』（一八八五年）のジムに投影している。知性とすぐれた人間性をもつジムは黒人の登場人物の造形として画期的で、逃亡中にハックを諭すジムの登場は「文学史上最大のエポックをなした[37]」と評価される。

しかし、同じ自伝でトウェインは「私たちは同志でありながら、同志ではなかった。どちらの側も肌の色と身分とを意識していて、完全な融合を不可能にする微妙な一線があったのだ[38]」と述べ、本当の混交は避けられている。『ハックルベリ・フィンの冒険』でハックとジムは命がけの旅を経て小屋に身を隠すが、実際は、ジムの主人のミス・ワトソンが遺言ですでにジムを自由にしている。おもしろがったトム・ソーヤーが、「ジムの命を自分の楽しみのためにもてあそべるという仮定を通じて[39]」ジムの苦難を自分の遊びに矮小化しているなかで描かれるジム像は、人間としての黒人奴隷のまれな誇りという深みに完全には達していない。

ほかにも、十九世紀の白人作家ホレイショ・アルジャー・ジュニアは、貧しいが勤勉で清廉な少年が社会的に成功するという内容の少年向け小説を多数書き、「ぼろから金持ちへ」のパターンを確立した。だが、その出世作になった『ぼろ着のディック』（一八六八年）以降、『若いバイオリン弾きフィル、あるいは若い路上の音楽家の話』（一八七二年。未訳）、『電報配達の少年』（一八七九年。未訳）、『秘密の小箱』（一八九〇年）などの作品[40]のなかには黒人についての言及はほとんどないか、ホテルの荷物運びや新聞売り、または『恐れ知らずにやれ、あるいは勇敢な少年の幸運への戦い』（一九一一年。未訳）で、白人主人公のかつての仲間が、悪い気質だったために黒人専用レストランの下働きに身を落とし、粗野な経営者にこき使われているところを主人公たちに助けられ、勤勉になることを誓う場面[41]などにわずかに登場するにすぎない[42]。

十九世紀のニューイングランド地方の児童文学作家は、人種的混交を阻止するという建前にくみして「徹底して異人種間の混交を禁止し、混血の誕生を阻止し、生まれてしまった混血をできるかぎり白人から区別していこうと」[43]する制度のもと、分離主義の原則を貫いていた。児童文学の対象として想定される子ども読者は白人であり、彼らをどう教化するのか、楽しませるのかが重要だった。書き手が社会のマジョリティであり、かつ、彼らの目に白人の子どもしか読者として見えない場合、黒人の登場人物は描かれないか、ステレオタイプ化されることになる。[44]

二十世紀の児童文学の黒人像

公民権運動を経てアメリカ児童文学の主流の側にも姿勢の変化が生まれるが、それはアフリカン・アメリカンの子どもへの「励まし」になっただろうか。アラバマ州生まれの白人作家ネル・ハーパー・リーの自伝的な『アラバマ物語』（一九六〇年）は、人種差別が激しいアラバマ州で黒人容疑者の弁護を白人弁護士が引き受けたことで、家族が経験する苦悩を兄妹の視点から描いている。マサチューセッツ州出身でジャズ評論やコラムも多い白人作家のナット・ヘントフも、『ジャズ・カントリー』（一九六四年）でジャズに憧れる白人少年トムを登場させている。黒人にはたやすくできるように見える「スイング」を白人の自分がうまくやるにはどうすればいいかトムが悩む一方、彼が憧れるジャズメンのモーゼ・ゴッドフリーの息子フレッドは黒い肌を呪い、ジャズを嫌っている。二作は高い評価を得ているが、結局のところ白人の若者を成長させるために人種差別や黒人音楽が利用され、黒人の若者の感情の深部には踏み込みきれていないのではないだろうか。

ニューヨーク州生まれの白人作家ポーラ・フォックスの『バビロンまではなんマイル』（一九六七年）は、自分がアフリカの王子だと夢想する少年ジェームズの物語である。白人の不良に捕まり、犬さらいの手伝いをさせられたあとかろうじて帰宅するが、これまでの世界観は一変し、自分はアフリカに連なる存在なのだという誇りは失われる。同じフォックスによる『どれい船にのって』(一九七三年)は、十九世紀のニューオリンズに住む白人少年ジェスの悲劇的な経験を描く。無法者にさらわれて違法の奴隷密輸船に乗せられたジェスの仕事は、甲板に出された数珠つなぎの奴隷が運動不足にならないように笛で踊らせることである。最後に船がアメリカの巡視艇に見つかると奴隷たちは海に投げ込まれ、船も沈没するが、ジェスと一人の奴隷少年だけが岸に泳ぎ着き、元逃亡奴隷の老人に救い上げられる。

『どれい船にのって』は、これまで正視されてこなかった奴隷制度というモチーフに正面から切り込んだことで高い評価を受けてきた。しかし、黒人が経験した暗い歴史というテーマにこれだけ真剣に迫ろうとしているにもかかわらず、黒人はあくまで他者として可視化されたにすぎない。奴隷船で笛を吹かされるジェスは自分の苦しみを奴隷に転嫁し、鎖の音を立てて足を引きずる奴隷を叩きのめしたいという衝動に駆られる。非人間的な奴隷取引を告発しながら、劣悪な環境に詰め込まれ故郷から拉致されたアフリカ人の絶望には奇妙なほど共感がなく、動物園の檻を外から見物しているようである。カナダの白人児童文学研究者のペリー・ノーデルマンは、この本が奴隷制度の問題を扱ったすばらしい本であると考えていたが、ある学生からの意見によって、「この本のアフリカ人たちが声なき者であること、彼ら自身の苦しみや物語を語る方法ももたないものであることに気づいた。テクストのなかでアフリカ人が発するのはたった三語で、そのうちの一語は妙な発音である」[45]という考えに至り、評価に混乱が生まれたことを告白している。白人研究者のリズ・レイコックも、『どれい船にのって』と『アンクル・トムの小屋』を並べ、白人少年の成長を描くという目的を達するために、奴隷があくまで無力で受け身のままであることを批判的にみている。[46]

ユダヤ系の白人作家E・L・カニグズバーグの『魔女ジェニファとわたし』(一九六七年)のエリザベスは、隣に引っ越してきたジェニファと一緒に奇妙な魔女修行を始める。このとき、ジェニファの疎外された状況について、学校参観のときに「ジェニファのおかあさんがみえました。黒人のおかあさんはたったひとりだったので、ジェニファのおかあさんとわかりました[47]」と肌の色によって可視化されて説明されている。ノイズをもたらす褐色の肌を示すことで、ジェニファの孤独もエスカレートする彼女たちの魔女修行も、満たされない思いを抱えていたエリザベスが彼女に共感を寄せた理由も一元的に説明される。結末では、二人だけの危うい修行に終止符が打たれて解き放たれるが、肌の色に奇妙さを象徴させる点に一九六〇年代の限界があるといえるだろう。

　バージニア州出身の白人作家ウィリアム・H・アームストロングの『父さんの犬サウンダー』（一九六九年）は、一九三〇年代の南部に生きる貧しい黒人一家の悲哀を描写してニューベリー賞を受賞した。しかし、肉を盗んで強制労働送りになってダイナマイト事故で半身の自由を失う「父親」と諦めることしかできない「母親」の間に生まれた「少年」は、救いがたい偏見と人種差別を経験する点で黒人の子ども読者の希望を構築する作品にはならない。「少年」は道端で拾ったミシェル・ド・モンテーニュの『エセー』（一五八〇年）によって勉学への道を開かれるが、それは彼がたまたまこの本に啓蒙されることによって、ましな人生を選べる可能性があることが示されているにすぎない。収監された父親を捜して一人で町や強制労働現場にいく「少年」を通して、作者はあたかもブルース歌手の身ぶりをまねるかのように、感傷性たっぷりに黒人の現実を見つめるそぶりをする。

図5　『どれい船にのって』の原書の表紙
(Paula Fox. *The Slave Dancer*, Bradbury Press, 1973, Aladdin, 2008.)

　一世紀の間にアメリカ児童文学の主人公は、アフリカン・アメリカンをはじめ、アジア系、ヒスパニックなど様々な広がりをみせてきた。しかし、アフリカン・アメリカンの子どもの登場人物が作中で自由に振る舞えているかという問いに対しては、ある時期まで、彼らを縛るものが相当に見え隠れする。[48] オリエンタリズム論では、西洋人が東洋人に対し「ありとあらゆる可能な関係系列のなかで、常に相手に対する優位を保持[49]」するが、児童文学のなかで、これまで見えていなかったものが見えてくるという発見は、しばしば見いだした側の成長につながる。『どれい船にのって』のジェスは奴隷制度の悪を理解し、ニューオリンズ出身ながら南北戦争では北軍に加わり、『ジャズ・カントリー』のトムは人権運動に意識的に関わるようになる。エリザベスはジェニファとの魔女遊びを卒業して、よりオープンな人間関係を築こうとする。一方で、「他者」が「主体が所有しないものすべてのことであり、主体ではないすべてをさす究極的なシニフィエ[50]」だとするなら、これらの作品のアフリカン・アメリカンは「他者」のままであり、立体的に描かれているようでありながら実は「主体」である白人の子どもの成長を促すための周縁的で平面的な役割を押し付けられてきたのではないだろうか。

注

（1）John Cotton, *Milk for Babes.Drawn Out of the Breasts of Both Testaments. Chiefly, for the Spirituall Nourishment of Boston Babes in Either England: But May Be of Like Use for Any Children*, 1646, Paul Royster ed, Libraries at University of Nebraska-Lincoln.（https://digitalcommons.unl.edu/etas/）［二〇二三年一月十五日アクセス］

（2）*Ibid.*, p. 4.

（3）Benjamin Harris, *The New-England Primer, Improved; or, an Easy and Pleasant Guide to the Art of Reading. To Which Is Added, The Assembly's Catechism*, Manning & Loring,［circa 1690］circa 1803, p.8. The Lilly Library, Indiana University（https://collections.libraries.indiana.edu/lilly/exhibitions_legacy/NewEnglandPrimerWeb/title.html）［二〇二三年一月十五日アクセス］

（4）*Ibid.*, p. 8.

(5) 荒木暢也「植民地アメリカのジャーナリズム――PUBLICK OCCURRENCES Both FORREIGN and DOMESTIC」、法政大学社会学部学会編「社会志林」第六十六巻第三号、法政大学社会学部学会、二〇一九年、一五五ページ
(6) Jane Tompkins, *Sensational Designs: The Cultural Work of American Fiction 1790-1860*, Oxford University Press, 1986, p. 151.
(7) ハリエット・ビーチャー・ストウ『新訳アンクル・トムの小屋』小林憲二監訳、明石書店、一九九八年、四六ページ
(8) 同書二二二ページ
(9) 同書四八四ページ
(10) 同書二三六ページ
(11) 同書二四九ページ
(12) 同書二四九ページ
(13) 常山菜穂子『アンクル・トムとメロドラマ――19世紀アメリカにおける演劇・人種・社会』(慶應義塾大学教養研究センター選書)、慶應義塾大学教養研究センター、二〇〇七年、二二ページ
(14) 前掲『新訳アンクル・トムの小屋』五六八ページ
(15) 同書三三五―三三六ページ
(16) 小林憲二『アンクル・トムとその時代――アメリカ大衆文化史』(立教アメリカ研究ブックレット)、立教大学アメリカ研究所、二〇〇八年、八四ページ
(17) 前掲『オックスフォード世界児童文学百科』六一九ページ
(18) 池本佐恵子「大農園の神話――ジョエル・チャンドラー・ハリス」、本多英明／桂宥子／小峰和子編著『たのしく読める英米児童文学――作品ガイド120』(シリーズ・文学ガイド)所収、ミネルヴァ書房、二〇〇〇年、七七ページ
(19) 前掲『シグニファイング・モンキー』二六三ページ

(20) 本来、昔話の暴力は、具体的で写実的な血しぶきや死体や闘争を示すものではなく、「残酷さをもてあそぶことはない。残酷なできごとは、ある種のメルヒェン映画とちがって、現実に近く描写されることがない。痛みや苦しみをえぐりだして見せる楽しみとか、報告されたできごとを、なおもくだくだ述べる楽しみは、メルヒェンにはない」(マックス・リュティ『昔話 その美学と人間像』小澤俊夫訳、岩波書店、一九八五年、三三六ページ)。

(21) Henry Louis Gates Jr. and Maria Tatar eds., "African American Tales, IV Silence and Passive Resistance: The Tar-Baby Story," *The Annotated African American Folktales*, Liveright, [2017] 2018, Kindle.

(22) Amanda Cockrell, "Harris, Joel Chandler," in Jack Zipes and et al eds., *The Oxford Encyclopedia of Children's Literature*, Oxford University Press, 2006, p. 205.

(23) フレデリック・ダグラス『数奇なる奴隷の半生――フレデリック・ダグラス自伝』岡田誠一訳(りぶらりあ選書)、法政大学出版局、一九九三年、三七―三八ページ

(24) Charles Ruas, "Toni Morrison, Charles Ruas, 1981," in Danille Taylor-Guthrie ed., *Conversations with Toni Morrison*, University Press of Mississippi, 1994, p.102.

(25) ジョエル・チャンドラー・ハリス『リーマス爺や――彼の歌と彼の発言:「懐かしい農園の伝説」』市川紀男訳、三恵社、二〇〇九年、一八七ページ

(26) リチャード・ライト『ブラック・ボーイ――ある幼少期の記録』下、野崎孝訳(岩波文庫)、岩波書店、二〇〇九年、一九八ページ

(27) 再建期以降に成立していった人種隔離の法律は、この黒人揶揄のキャラクターと結び付けられて「ジム・クロウ法」と称された。公民権運動は、ジム・クロウ法に一つずつ抵抗して撤廃を求めていく運動だったといえる。

(28) 前掲『19世紀アメリカのポピュラー・シアター』四二―四七ページ

(29) 同書 四七―五二ページ。アライグマ《クーン》は、貧しい黒人が狩って食べたたんぱく源であり、侮蔑的に黒人を指す言葉にもなっている。

(30) Joel Chandler Harris, *The Complete Tales of Uncle Remus*, Houghton Mifflin, 1955, Richard Chase comp., [1955]

2002, p. 92.

（31）話の一部は子どものためのテクストとして継承されて楽しまれた一方、黒人研究の観点から早い時期に問題が指摘され、「アンクル・リーマス」をベースにしてディズニーが制作した実写とアニメーションのコンビネーションによるハーブ・フォスター監督の映画『南部の唄』（一九四六年）は「幸せな奴隷」という誤った像を提示しているという点でNAACPから抗議を受け、一九八七年から自主規制になった。

（32）Cockrell, op. cit., p. 205.

（33）山本孝司「オルコット教育思想へのアダム・スミスの影響――「道徳感情」論の受容と展開」「九州看護福祉大学紀要」第十八号第一巻、九州看護福祉大学、二〇一七年、八ページ

（34）L・M・オルコット『病院のスケッチ』谷口由美子訳、篠崎書林、一九八五年、七五ページ

（35）マーク・トウェイン、カリフォルニア大学マーク・トウェインプロジェクト編『マーク・トウェイン完全なる自伝』Volume 1、和栗了／市川博彬／永原誠／山本祐子／浜本隆三訳、柏書房、二〇一三年、四一九ページ

（36）Arthur G. Pettit, *Mark Twain and the South*, The University Press of Kentucky, 2005, p. 19.

（37）原昌「アメリカ児童文学」、日本児童文学学会編『児童文学事典』所収、東京書籍、一九八八年、八五四ページ

（38）前掲『マーク・トウェイン完全なる自伝』四一九ページ

（39）Charles H. Nilon, "The Ending of Huckleberry Finn," in James S. Leonard, Thomas Tenney, and Thadious M. Davis eds., *Satire or Evasion?: Black Perspectives on Huckleberry Finn*, Duke University Press Books, ［1991］ 1992, Kindle.

（40）アルジャーの作品一覧は、"Works" The Horatio Alger Society (https://www.horatioalgersociety.net/101_works.html)［二〇二三年一月十五日アクセス］に詳しい。

（41）Horatio Alger Jr., Chapter XXXVIII, *Do and Dare, Or A Brave Boy's Fight for Fortune*, Porter and Coates, 1884, Project Gutenberg (https://www.gutenberg.org/files/5747/5747-h/5747-h.htm)［二〇二三年一月十五日アクセス］

（42）彼の大人向けの大衆小説である『ニューヨークの放浪、ないしは世界に立ち向かうトムとフロレンス』（一八九五年。未訳）には、黒人男性が誘拐と監禁に関わる悪者として登場し、黒人英語を話し、反社会的に振る舞っている。

(43) 山田史郎『アメリカ史のなかの人種』(世界史リブレット)、山川出版社、二〇〇六年、九ページ

(44) 本書では絵本は扱っていないが、黒人の子ども像は視覚的にも偏向していたことを付記する。イギリスの白人作家ヘレン・バンナーマンの絵本『ちびくろ・さんぼ』(一八九九年)の舞台はインドで、サンボの服や傘を奪ったトラたちは互いに追いかけて回り続けたあげくにギィに変わる。だが、作品がアメリカに輸入されると、新しい服を買ってもらって意気揚々と歩くインド人の子どもはアメリカ黒人像に変換され、一九二七年のマクミラン社版のフランク・ドビアスのものをはじめ、三〇年代までに出された同書の挿絵の多くは、ミンストレル・ショーのように丸い目や厚く赤いくちびるを強調したアメリカ黒人的な造形でサンボと両親を描いている。フローレンス・ケイト・アプトンの絵本『二つのオランダ人形の冒険』(一八九五年)に登場するゴリウォグ人形には、縮れた黒髪や極端に赤い唇をもつ類型的な挿絵が付けられ、絵本から派生して製造された人形にも人種的な特徴が引き継がれて、二十世紀後半に問題になった。日本では、ドビアスの挿絵を採用した一九五三年の岩波書店版の『ちびくろ・さんぼ』が長く親しまれていたが、黒人差別を理由に八八年に絶版になっている。急な絶版だったこともあり、人種差別にみえる表現は時代的な背景に帰するのだから、細部ではなく話としてのおもしろさを評価するべきであるという論と、ユーモアの一端が人間の身体的特徴を強調することで生まれるなら、それは子どもに与えるべきではないという論がぶつかりあった。絶版当時の「ちびくろさんぼ論争」については杉尾敏明/棚橋美代子『焼かれた「ちびくろサンボ」――人種差別と表現・教育の自由』(青木書店、一九九二年)に詳しい。時間をおき、バンナーマン自身の挿絵を用いた『ちびくろさんぼのおはなし』が一九九九年に径書房から出版されたほか、瑞雲社が二〇〇五年に岩波書店の版を『ちびくろ・さんぼ』として復刊した。また、二〇〇八年に径書房が、マクミラン社のドビアス版の挿絵を用いてテクストはバンナーマンに従った『ちびくろサンボ』(ヘレン・バナーマン作、フランク・ドビアス絵)を出版している。現代の文脈では、図書館資料としても保存すべきでないという考えによる廃棄は妥当ではなく、絵本を楽しく読んだ子ども時代の思い出を否定するものでもないが、ドビアス版のようにミンストレルな特徴を表象化した挿絵の絵本を積極的に子どもの読書に取り入れる必然性はまったくないと思われる。

(45) Perry Nodelman, *The Pleasure of Children's Literature*, 2nd ed., Longman, [1992] 1996, pp.126-127.

(46) Liz Laycock, "Slavery and the Underground Railroad: Working with Students," in Fiona M Collins and Judith Graham, eds., *Historical Fiction for Children: Capturing the Past*, David Fulton, 2001, p.152.

(47) E・L・カニグズバーグ『魔女ジェニファとわたし』松永ふみ子訳（岩波少年文庫）、岩波書店、一九八九年、九一―九二ページ

(48) 二十一世紀のディズニー映画でさえその痕跡を残している。白人のジョン・マスカーとロン・クレメンツ監督の『プリンセスと魔法のキス』（二〇〇九年）は、ニューオーリンズのフレンチクォーターを舞台に、アフリカン・アメリカンのティアナを主人公にした長篇アニメ映画である。ティアナは紆余曲折を経て架空の国マルドニアの王子ナヴィーンと結婚し、自分のレストランを開くという夢をかなえるが、作中ではアフリカン・アメリカンの遺産はきわめて恣意的に扱われている。ガンボスープやニューオーリンズの街並み、湿地帯などのアイコンにあふれている一方で、作中ではブードゥー教に対する著しい偏見がある。ブードゥー教は土着の民間信仰に西アフリカの文化やカトリックなどが融合した土着的で素朴な信仰だが、ティアナとナヴィーンをおとしいれるのは黒魔術めいたディズニー風の邪悪さをもつブードゥー教の魔術師であり、二人は自文化に裏切られている。ナヴィーンはヒスパニックを思わせる浅黒い肌で、少しでも肌の色が明るいほうがいいと考えられているようである。レストランをもつというティアナの夢はかなえられてハッピーエンドになるが、結果的にカップルは料理人とウエーターとして働き続けるため階層の上昇は見込めず、ティアナが白雪姫やベルのように上流階級の仲間入りをするのは阻止されている。

(49) エドワード・W・サイード、板垣雄三／杉田英明監修『オリエンタリズム』今沢紀子訳（テオリア叢書）、平凡社、一九八六年、八ページ

(50) 川口喬一／岡本靖正編『最新文学批評用語辞典』研究社、一九九八年、一七二ページ

第2章　アフリカン・アメリカン児童文学の輪郭

1　アフリカン・アメリカン児童文学の歩み

十九世紀——宗教小説

次に、主流のアメリカ児童文学への違和感から出発したアフリカン・アメリカン児童文学の作家がどのように子ども読者と向き合ってきたかを概観したい。アフリカン・アメリカン児童文学の源流は、十九世紀末の宗教的な教訓小説にさかのぼる。カナダ生まれのアメリア・E・ジョンソンは、モントリオールで教育を受けたあと、浸礼派教会の牧師と結婚してアメリカのフィラデルフィア州に移り住み、夫を助けて日曜学校向けの話を書いた。一八八七年に教会が三カ月足らずの間に発行した、子ども向けのキリスト教布教のための八ページほどの小冊子「ジョイ」に掲載された、ジョンソン自作の詩や短い話が、黒人作家による最初期の子どものためのテクストである。これらは伝道のための話だったため、黒人の経験に直接には関連した内容ではない。また、「ジョイ」の廃刊後に書かれた『クラレンスとコリーン、あるいは神の道』（一八九〇年。未訳）や『ヘイズリー家』（一八九四年。未訳）からも、作者が黒人であることは直接的には推測できない。だが、「貧困、アルコール中毒、家庭内暴力などが、人種に特有の問題ではなく社会で考えるべきこととして論じられている」(1)点で、彼女の作品が黒人が置かれた生活と関わる内容であることは評価されている。

『クラレンスとコリーン』の兄妹は貧しい家の孤児で、親切な夫婦に引き取られ、教会に通って教育を受け、長じてクラレンスは医者に、コリーンは教師になる。副題の「神の道」のとおり教訓話の形式をなぞり、人種や肌の色に関わる言及は皆無で、登場する子どもたちは戯画的におとしめられもしないかわりに、黒い肌の持ち主であるとも明言されない。ホーテンス・スピラーズやクローディア・テイトらアフリカン・アメリカンの批評家は、ジョンソンが白人読者と同じ信仰と価値観をもっていることを前景化したことで、アメリカの共同体の一員として対等に立ったことを評価している(2)。肌の色を書かないことで、逆に、黒人の書き手がアメリカの規範を理解していることが示され、アメリカ児童文学としての正当性を獲得したといえるのかもしれない。

ハーレム・ルネサンス期

現代につながる内容や姿勢をもつアフリカン・アメリカン児童文学の萌芽期は、一九二〇年代である。南北戦争後の再建期に黒人大学などで教育を受けることができたアフリカン・アメリカンの知識人は社会的な発言力をもち、教育の必要性を訴えた。同時期に、「ハーレム・ルネサンス」では、第一次世界大戦後のニューヨークのハーレム地区にカリブ系移民や国内のアフリカン・アメリカンが多く移住して(3)、文学、音楽、演劇など様々なジャンルで文化的な充実をもたらした。文学では、ラングストン・ヒューズやゾラ・ニール・ハーストンらが登場し、差別のなかに生きざるをえないアフリカン・アメリカンの自画像を多様に描こうとし、その仕事は、（当時はアクセスできる層は限られていたにしても）黒人の若者読者にも訴求しうるものだった。

図6　『川のうた』の原書の表紙
(Langston Hughes, *The Negro Speaks of Rivers*, E. B. Lewis illus., Disney Book, 2009.)

十七歳のヒューズは一九二〇年に「黒人はおおくの河のことを語る」の詩を旅の途中で書き留め、二一年にＮＡＡＣＰの月刊機関誌の「クライシス」に掲載した。旅で広がる自己についての感覚と自分の内部に流れる血を重ね合わせて「曙がまだわかかったとき、ぼくはユーフラテス河でゆあみした。／ぼくはコンゴー河のちかくに小屋をたて、夜ごと眠りにさそわれた。／ぼくはナイル河をながめやり、その上流にピラミッドをうちたてた。ぼくはエイブ・リンカーンがニュー・オーリーンズへくだったときに、ミシシッピ河がうたうのをきき、その泥だらけの河のおもてが夕陽をうけてすっかり金色にかわるのに眼をうばわれた[4]」とうたっている。アフリカン・アメリカンのなかに流れる複数のルーツのイメージを鮮やかに浮かび上がらせ、「ミシシッピ川が夕日によって泥から黄金に変わる魔法のように魅惑的な変容は、リンカーンの奴隷解放宣言で奴隷が自由人に変わったことと鏡写し[5]」であり、アフリカン・アメリカンの自己をより広いダイナミクスのなかに再置している点から、児童文学としても展開させることができる。

　この詩を使って二〇〇九年に『川のうた』として絵本が制作されたほか、ヒューズと親しかった児童文学者のアーナ・ボンタンは、ノンフィクションの『ニグロの歴史』（一九四八年。未訳）をヒューズに捧げ、その最初のページに「黒人はおおくの河のことを語る」を載せている。また、同じヒューズの一九二六年の詩「ぼくもまたアメリカをうたう」は、かつて白人から同じ食卓につくことを拒絶されて台所に追いやられた「色のくろい兄弟[6]」であるところの「ぼく」が、自分もまたアメリカ市民だと叫び、客と食事をするのに「ぼく」を同席させずに台所に追いやる者が恥じ入る未来を想像している。これも、アメリカの子どもとしてのひとつの自画像を、黒人の視点から示したものといえるだろう。

アフリカン・アメリカンの子どもたちが自己投影できる像を示し、自己肯定や成長を実感できる文学を与えたいという機運が高まるなか、ＮＡＡＣＰの創立メンバーの一人であるウィリアム・エドワード・バーグハード・デュボイスは、自分が主幹を務めていた「クライシス」の姉妹誌として、子ども向けの「ブラウニーズ・ブック」を一九二〇年に創刊し、アフリカン・アメリカンによる子どものための本格的なテクストが初めて書かれはじめた。[7] 等身大のアフリカン・アメリカンの物語を子ども読者に届けることを目的とし、その趣旨も構成も、現代につながるエポックメイキングな出版であり、ハーレム・ルネサンスの文学者であるヒューズやネラ・ラーセン、ジェシー・フォセットも小篇を寄せている。この雑誌の功績については次章で詳しく論じたい。

最初のアフリカン・アメリカン児童文学

図7　『ポポとフィフィナ――ハイチの子どもたち』の原書の表紙
（Arna Bontemps and Langston Hughes, *Popo and Fifina: Children of Haiti*, Macmillan, 1932, Oxford University Press, 1993.）

「ブラウニーズ・ブック」は画期的だったが、採算が取れずに二年で廃刊になり、大恐慌とともにアフリカン・アメリカン児童文学を世に送り出そうという盛り上がりもしぼんだ。ここから数十年は、一部の作家による細々とした努力によって、かろうじて制作が続けられた時代になる。

一九三〇年代に「道を切り開いた作家」[8]といわれるアーナ・ボンタンは、高校教師や図書館員の経験を生かし、親しかったヒューズと一緒に『ポポとフィフィナ――ハイチの子どもたち』（一九三二年）を初のアフリカン・アメリカン児童文学の単行本として出版した。『ポポとフィフィナ』はハイチを舞台にし、パパ・ジャン、ママ・アンナ、少年のポポ、少女のフィフィナ、赤ちゃんのペンシアの五人家族が親戚を頼りに貧しい山村を出て、カプ・ハイチアンの町で生活する様子を描いた連作短篇である。パパ・ジャンは漁師になり、子どもたちは洗濯や火おこし用の葉っぱ集めなどの手伝いをしたり、ミルク缶を洗って小銭を稼いだりする。ポポはやがて、ジャックおじさんの工房に通うようになり、木工職人の見習いとしていとこのマルセルと一緒に食事をする間も惜しんで木皿作りに取り組む。ママ・アンナは育児優先で、フィフィナは母親の右腕として成長していく。当時の「ニューヨーク・タイムズ」紙はタヒチの海や自然の描写について言及し、「旅の本」として、やや的外れながら好ましく紹介した[9]。黒人作家が広い意味で黒人の子どもを主人公にした作品を書き、それが単体で出版されたことの意義は大きい。

カリブ海域諸国は、アメリカからみると貧しく政情不安定な地域である。奴隷制時代に少数の白人が狭い島内で大量の奴隷を使って農園経営をおこなった結果、奴隷の数が宗主国の人間の数を圧倒していった。イギリス統治領だったジャマイカでは、十八世紀に洞窟や山中に逃げた奴隷がマルーンと呼ばれる共同体を形成して反乱を起こし、フランス領サン・ドマングでは、トゥーサン・ルーヴェルチュールによる第一次黒人蜂起に続いてルーヴェルチュールの部下であるジャン＝ジャック・デサリーヌによる第二次黒人蜂起が起き、他国からの支援を受けてフランス軍に勝利した。その結果、一八〇四年にデサリーヌをジャック一世とする初の黒人国家ハイチ帝国が建国された。同時期のアメリカでは、一七一二年のニューヨーク奴隷蜂起、三九年のサウスカロライナ州でのストノの反乱、一八三一年のナット・ターナーの反乱などの奴隷による暴動はあったものの、いずれも短期間で制圧され、首謀者や協力者には報復に近い処罰や制裁が加えられている。

実際のハイチは国家としての運営がうまくいかず、南北分裂や治安悪化などを経て一九一五年から三四年はアメリカが軍事支配するほど国難続きだったのだが、アフリカン・アメリカンにとっては、そのトポスを少なくとも子どもの本のなかでは豊かに空想でき、また、一般社会でカリブ海諸国やアフリカへの無警戒な憧憬が引き起こした分断とも距離を置くことができた。

一九一〇年代にジャマイカ出身のマーカス・ガーヴェイによって推進されたラスタファリ運動[10]について、デュボイスは、アフリカン・アメリカンがアメリカを離れる傾向を助長するものとして嫌悪し、ガーヴェイの素朴な言説が「アメリカには肌の色の白い者が住むべきである」という分離思想に容易に結び付くことを懸念して、彼の船舶会社が白人の人種差別主義者と結託して黒人地位向上運動を混乱させ、組織としても腐敗していると「クライシス」で猛然と非難している。[11]実際のところ、ガーヴェイの財産は二隻の船だけだったため、エチオピアへの大規模な移住は不可能であり、彼自身、会社の役員が起こした詐欺事件に関わったことで有罪判決を受け、運動は頓挫する結果になった。

このように大人の世界では、カリブ海諸国やアフリカの捉え方をめぐる対立があるなかで、その緩衝になるかのように、子どもを対象にするテクストでは、アメリカでの権利を求めながら、アメリカの外の汎アフリカ的世界と接続できた。『ポポとフィフィナ』が描くハイチは、「多様で活力があるアフリカン・アメリカンのアイデンティティを構築できるような鉄床のようなもの[12]」であり、アメリカ南部や東部から西インド諸島につながり、アフリカへ続く空間として構想される。『ポポとフィフィナ』の村では夜になると若者が通りで素朴な楽器を用いたコンゴ風の踊りを明るく楽しむ様子が好ましく描かれている。

ハイティの音楽には、ヴードゥーに関連する音楽ばかりではなく、作業歌、遊び歌、物語り歌から抵抗の歌や諧謔的な歌にいたる世俗的な音楽においても、アフリカの伝統が豊かに息づいている。ララ（rara または Ra-Ra）は、カーニヴァルとくに関係が深い、街頭で踊るダンスである。ララの楽団のなかには、呼び笛、太鼓、伝統的なラッパを使うものから、ヴァクシーヌと呼ばれるアフリカ伝来の竹のラッパをさまざまに組み合わせてほかの楽器とともに用いたり、あるいはヴァクシーヌだけを使ったりするものもある。ヴァクシーヌが出せるのは単音だけで、その音は楽器の大きさによって決まる。またこの楽器は吹くだけではなく、棒で叩いても演奏される。(13)

シュロ葺きの屋根の下で様々な大きさの太鼓を打ち鳴らして楽しむ人たちを見たポポは驚き、自分も踊りたいと考える。アフリカ人がかつて調和して生きていたトポスとしてアフリカ大陸を、また、黒人自身の国を打ち立てたことへの憧れの目でハイチをみる。それらの場所は鮮やかな原色に彩られ、草原と雨のなかに多様な動植物が共生し、褐色の肌を生んだ場所として強く肯定的に描かれる。西インド諸島は、「一つの万華鏡的な全体性、すなわち、保持された多様性に対する非全体主義的な意識を表現する」(14)クレオールの場所で、一般文学のなかでもしばしばそのダイナミズムが描かれているが、さらに児童文学では、遠くふるさとのアフリカ大陸までつながる点にルーツを感じながら、アメリカ大陸と少し距離を置いた場所として憧れを描くことができる。

重要なのは、自然にあふれるハイチの住民であるものの、ポポとフィフィナの一家があくまでアメリカらしい核家族として暮らしていることである。彼らは移民と開拓民を混合したユニットであり、山間の村から移動してきて海沿いの町で労働者になったという経歴で、アメリカの多くの移民と同じ道をたどることができている。長いあいだ自分たちではない者のための労働を強いられ、解放後も二流市民として制約が多い暮らしを送るアメリカの黒人とは異なり、ハイチの彼らは労働によって開拓民として国づくりに主体的に参加し、肌の色で差別されることなく稼ぎ、同じ境遇の者同士で町を建設し、分業して暮らしている。この協働性もアメリカの黒人にとっての願いだったかもしれない。

停滞期

その後、アフリカン・アメリカン児童文学は停滞期に入る。ボンタンの中篇『ババー天国へ行く』(一九九八年。未訳) はもともと一九三二年ごろに書かれた作品で、主人公のババーは親戚と一緒に食用のアライグマ狩りにいったときに木から落ち、昏睡状態になっている間に天国を訪れる。だが、天国は食べ物がふんだんで、翼が生えるという以上の場所ではなく、天使のシスター・エスターは冷ややかで、ババーは学習発表会でも暗記に苦労する。飛翔の試験に失敗して地上に戻ってくる最終場面には、愉快な天国を描ききれなかったボンタンの迷いが見え隠れする。尊厳をもてず、失望し、社会的困難に突き当たらざるをえないという現実的な認識と悲しげな子どものイメージが合体して、天国を描いたはずなのに天国が示せない。ババーは自己の内面を深めるような往還を経験したわけではなく、地上とそれほど変わらない天国に、脳震盪で寝込んでいる間のうたかたの夢のなかで行き来するだけである。また、実話をもとにした別の中篇『悲しい顔の少年』(一九三七年。未訳) にも明るさがみえない。楽器が得意なアラバマ州の三兄弟が叔父を訪ねてニューヨークのハーレム地区に行く話だが、滞在は必ずしもうまくいかない。音楽の才能によってかろうじて認められるものの、結局は強盗にあって新品の靴を奪われ、子どもたちは屈辱を味わいながら都会を去る。

ハッピーエンドだったとしても、個別的な階層上昇を散発的に書くにとどまる。ジェシー・ジャクソンの『チャーリーと呼んで』(一九四五年。未訳) は、父親が転職して黒人地区のボトムスから白人地区のハイツに転入し、文字どおり生活空間の位置も含めた上昇を経験する黒人少年チャーリーの物語である。「白人たちにはけっして口答えするものじゃないよ、たとえおまえが正しくて、白人たちが絶対に間違っているとしてもだよ」[15] と教え込まれるのが当たり前の時代にあって、チャーリーは自分のことを黒人の俗称の「サンボ」と呼んだ白人少年トムに臆することなく「ぼくの名前はチャールズ。チャールズ・モスだ」[16] といい、親しくなる。偏見がないトムの両親や、チャーリーの父親の雇い主である白人のカニンガム医師らがチャーリーを助け、まずは三カ月間の試みだが、白人だけの中学校に通えるという特権的な援助を与える。公民権運動の前史にあたる時期には軽々しい成功譚は示されず、白人の友達と一緒に公営プールに行っても彼だけが追い返される。むしろ理解がある白人に気に入られて一度幸運をつかんだなら、そこから滑り落ちまいとする努力の方に現実味があるだろう。チャーリーの階層上昇は例外的で、続くシリーズでその後の彼は陸上で頭角を現し、才能を示すことで認められるのだが、裏を返せば、人一倍の才能がなければ黒人は白人の世界で成功することはできないというメッセージを伝えるものにもなる。

公民権運動以降の興隆

公民権運動と連動し、アフリカン・アメリカン児童文学が質量ともに充実しはじめるのは、一九六〇年代末まで待たなければならない[17]。公民権獲得後、社会的な力を得た黒人作家や知識人は、自らの子ども時代を振り返って、同時代の子どもたちによりよいロール・モデルや自信を与えたいという願いをもつようになった。小さかった市場が少しずつ拡大し、ヒューズやボンタンの作品が引き続き読まれる一方、ヴァジニア・ハミルトン、ミルドレッド・テイラー、ジュリアス・レスター、ウォルター・ディーン・マイヤーズ、アリス・チルドレス、ローザ・ギーなどの新しい作家が台頭して厚みを増し、「何を書くか」から「どのように書くか」に主眼がシフトしていく。

一九七〇年には、アメリカ図書館協会の後押しを受けて、その年に活躍したアフリカン・アメリカン作家を表彰するコレッタ・スコット・キング賞[18]が創設された。初代受賞者には、リリー・パターソンの『マーティン・ルーサー・キング・ジュニア』（一九六九年。未訳）が選ばれ、七四年からは作家賞のほかに画家賞も設けられている。広範で大衆的な読者の獲得を目的とし、アーカンソー州出身の実業家ジョン・H・ジョンソンは四二年にジヨンソン出版社を起こしてアフリカン・アメリカンの関連書や雑誌を出版しはじめ、四五年創刊の総合誌「エボニー！」[19]の姉妹誌として、七三年に若者向けの「エボニー・ジュニア！」を創刊し、八五年まで刊行を続けた。[20]

一九八〇年代以後は、パトリシア・マキザック、アンジェラ・ジョンソン、ニッキ・グライムズらの第二世代の作家が現れ、アフリカン・アメリカンの状況をめぐって新しい切り口の作品を発表しはじめた。こうした作家たちは、国内闘争の記憶である公民権運動を遠い過去ではなく現在に続くものとして意識している。クリストファー・ポール・カーティスの『ワトソン一家に天使がやってくるとき』（一九九五年）は、ミシガン州に住む五人家族の物語で、語り手は十歳の知的な少年ケニーである。六三年の夏に、ケニーの兄でティーンエージャーのバイロンが火遊びやストレートパーマなどの不良行為を繰り返すため、心根を入れ替えさせるために車旅行でアラバマ州バーミンガムにある母親の実家に行き、厳しい祖母にバイロンを預けることになる。前半はバイロンやケニーの学校生活や妹のジョーイとの関わりが描かれるが、バイロンの素行の悪さはむしろほほ笑ましい背伸びにみえ、実際には互いに大切に思い合うきょうだいのつながりを感じさせる。一家は、三日間のドライブ旅行を経てバーミンガムに着くが、バプティスト教会で起きた爆破事件に遭遇し、特にケニーは「黒人がきらいってだけで、その子どもたちが学校に行くのをやめさせようとして殺しちまう」[21]ことに大きなショックを受ける。物語は「声高に差別反対とさけぶのではなく、こんな小さいけれどすてきな家族の幸福を打ちく

図8『ワトソン一家に天使がやってくるとき』の原書の表紙
(Christopher Paul Curtis, *The Watsons Go to Birmingham-1963,* Delacorte Press, 1995.)

だくものとして、人種差別に異を唱えようとし[22]」ている。家族像の背景には南部のアフリカン・アメリカンが置かれる緊張した状況、人種融和政策への反動的テロリズム、南部の黒人なまりへの差別、学校に通う子どもたちの貧しさなどがある。家族の幸福を打ち砕くテロはほかにも種類があるかもしれないが、公民権運動とその反動になるヘイトは実体をもつ恐怖だったことが、現代のアフリカン・アメリカン児童文学の作品のなかで再構築されている。同じカーティスによる『バクストンのエリヤ』(二〇〇七年。未訳)では奴隷制時代が扱われている。ミシガン州と国境を接するカナダに一八四九年に作られた逃亡奴隷のためのキャンプ地バクストンで生まれた自由黒人の十一歳の少年エリヤは、詐欺師を追って自由黒人のリロイ氏と一緒にひそかにアメリカに行き、奴隷制度の恐怖を理解して、託された奴隷の赤ちゃんを連れ帰る。

二〇一七年にメイ・ヒル・アーバスノット・レクチャー賞を受けたオハイオ州出身のジャクリーン・ウッドソンは最重要作家の一人である。『マーガレットとメイゾン』(一九九〇年)、『青い丘のメイゾン』(一九九二年)、『メイゾンともう一度』(一九九三年)の三部作は、アフリカン・アメリカンの少女マーガレットとメイゾンの親友同士の関係を描く。メイゾンは父親の死によってニューヨークからコネティカット州の寄宿学校に移り、白人ばかりの学校で居心地の悪さを覚える。それを乗り越えてブルックリンでマーガレットに再会するのだが、二人の関係は昔のようではない。少女の友情という普遍的な主題を描きながら、その背景には、黒人が多いブルックリン地区からの転出や、単なる転入生であるだけでなく少数者にならざるをえない苦労、さらに、ニューヨークに戻ってきたのちは白人の少女を交えた新しい友情が展開され、人種をめぐる環境が若者の自己形成に与える影響を多角的に掘り下げている。

『レーナ』(一九九四年)は、白人―黒人という枠を超えた関係にも踏み込んだ問題作である。裕福な家のアフリカン・アメリカンである十二歳のマリーと、貧乏白人《プア・ホワイト》の転校生で父から性的虐待を受けているレーナは、母がいないという状況が同じであることをきっかけに接近するが、妹も父の被害者になることを恐れたレーナが妹を連れてひそかに家出をしたために、苦い別離を経験する。白人のほうが恵まれているという先入観に揺さぶりをかける作品であり、『わたしは夢を見つづける』（二〇一四年）は、より小さな歴史に目を向け、作者のファミリー・ツリーをもとにしたルーツの探求や人との出会いなどの自伝的思い出が韻文で書かれている。

ジュリアス・レスターの戯曲『私が売られた日』（二〇〇五年）は、一八五九年にジョージア州で開催された史上最大規模の奴隷市を扱っている。家族と離れればなれにされて売られる十二歳の少女エマの視点を軸に、奴隷たちの涙によって土砂降りの雨になったという伝説の日に売られた奴隷たちの慟哭が描かれ彼らの運命が交錯する。奴隷であることに満足せざるをえない奴隷、奴隷になることが定められている子どもを産みたくないと考える奴隷、奴隷の逃亡を裏切りと感じる白人農園主夫人など、様々な感情やものの見方をあらわにしていく。隠された歴史を明るみに出し、暴力と欺瞞をもたらす奴隷制度に翻弄された先祖たちと、奴隷を使う側の理屈も含めた負の歴史が描かれ、それをどのようにアメリカが受容するかが問われているといえるだろう。

シャロン・ドレイパーの『赤銅の太陽』（二〇〇六年。未訳）も奴隷制時代を扱う。西アフリカで平和に暮らしていた少女アマリは奴隷になり、アメリカの農園主の息子への贈り物にされる。その境遇から逃亡するにあたり、契約労働で奴隷と同じような扱いを受けている白人少女ポリーと行動をともにし、二人でフロリダ州境のポート・モーゼに辿り着く。二カ月の逃避行のなかで白人を含む様々な救いの手が続く点にも、白人の少女と黒人の少女がともに逃げるところにも、抑圧されている者たちのつながりが感じられる。リタ・ウィリアムズ・ガルシアの『クレイジー・サマー』（二〇一〇年）は、一九六〇年代の公民権運動を背景に、白人の気に入るように振舞うことを教え込まれている三姉妹と、子どもが幼いころに家を出て現在はブラック・パンサー党の一員として詩を書いている母親が、久しぶりにひと夏を過ごすなかで距離を縮めていく。

現代に近づくと作品のモチーフもさらに変化する。ジェイソン・レノルズと白人のブレンダン・カイリー共作の『オール・アメリカン・ボーイズ』（二〇一五年）は、ブラック・ライブズ・マター運動のデモで暴力を受ける黒人少年と、暴力を振るった警官と親しく、その現場を目撃して苦しむ白人少年がそれぞれの立場から事件とその余波を語る。『ザ・ヘイト・ユー・ギヴ――あなたがくれた憎しみ』（二〇一七年）で不当に警官に射殺された友達のために声を上げることを決める少女を描いたアンジー・トーマス、クリエイティブ・ライティングの博士号をもつタニタ・S・デイヴィス、ヴァージン諸島出身のカセン・キャレンダーなど、作家の背景や書き方や素材は、アメリカの様々な地域の様々な現実と並行してさらに多様化している。

2　自伝や伝記の意義

コメモレイションとしての自伝

児童文学のもう一つの大きな領域であるノンフィクションでは、アフリカン・アメリカンがたどってきた歴史や事件、公民権運動などのエピソードを扱うものが多い。初期の通史は、ボンタンの『ニグロの物語』（一九四八年）が出色で、一九四九年のニューベリー賞佳作に選ばれた。ブッカー・T・ワシントンの『ニグロの物語』（一九〇九年。未訳）と構成が似ているが、ボンタンは「船」「湖の人々（アフリカ人）」「横断」「奴隷という身分」「新しい世界を作る」という章立てを採用し、多様なアフリカ人が奴隷貿易の商品になり、これまでのアフリカやヨーロッパの古代以来の奴隷の慣習とはまったく異なる形態で労働に従事させられたこと、産業の発展、ヨーロッパ各国での奴隷制の廃止、ハイチの独立、奴隷の抵抗や反乱と鎮圧、南北戦争、黒人の権利向上を求める同時代の運動や、歴史のなかで黒人の文化や音楽が果たしてきた役割などを、子どもに向けてわかりやすく語っている。四九年のニューベリー賞選定委員四人のうちの一人であるハールマエ・ヒル・ローリンズは、ハワード大学を出たシカゴ公共図書館の司書で、ヒューズの評伝やブックガイドの『私たちはともに打ち立てる――小中高等学校使用のためのニグロの生活に関するリーダーズ・ガイド』（一九四一年。未訳）を出版した。アメリカ児童文学の中心的な場所でアフリカン・アメリカンが「声」をもちはじめたことがボンタンの受賞につながったとも推測できるが、そうだったとしても、例えば奴隷制度初期に拉致されてきたアフリカ人について「覚えておかなくてはいけない大事なことは、アフリカの人たちはみんな同じだったわけではないということだ。肌の色や体つきも、みんなが同じだったわけではない。みんなが同じ言葉を話し、同じ物を食べて同じ服を着ていたわけではない。ヨーロッパよりももっと細かく分かれた国があり、人々がいて、たくさんの言葉があった」[23]と書き、白人の側が規定するステレオタイプな黒人表象に揺さぶりをかけて、公民権運動前夜のアメリカで評価されたことは特筆に値するだろう。

その後も、アフリカン・アメリカン児童文学のなかでたどられる歴史は、大まかに、奴隷制時代の辛苦、人種差別への抗議、公民権運動、二十世紀後半のアフリカン・アメリカンの活躍というフェイズに分かれ、各段階に応じて、逃亡奴隷、公民権運動の活動などにスポットライトが当たる。このなかで一里塚になるような出来事を成し遂げた人物像を語る伝記や自伝は、必然的にアフリカン・アメリカン児童文学のノンフィクションのなかで大きな部分を占め、自己実現と社会的成功の文脈からアフリカン・アメリカンとしての経験を再構成するテクストとして受容された。これらのテクストは伝記作家と編集者の手を経て、子どもにもわかりやすい語法を伴いながらコメモレイションの一形態として機能してきた。コメモレイションとは、公共の記憶をめぐる共同体的な作業を指し、制度が固定した事象を、複数の個人がそのときどきの現在のなかによみがえらせながら未来への時間軸の刻み目としても位置付けられる、記念ないしは顕彰の行為とされる[24]。

コメモレイションを中心に置いた選択と合意のなかで、二次的なテクストになる伝記はその思想を再強化する役割を担う。ある時代に、現代に続く価値観をもって先人として生きた人物の人生史を共同体の思想のなかに置き直す伝記によって、読者は過去のその人生の意義を現在の文脈で追体験できる。自伝や伝記はコメモレイションと直結し、人間が生きるために必要な自己規定のきっかけとなるテクストとして、子ども読者に手渡される。子どもの手本になる成功譚としての伝記を書く伝記作家は、個人的な限界と社会的な限界の双方に挑戦し、諦めなかった人々を物語化することで、自分ができうる範囲で階層移動していくことを子ども読者に促し、よりよい人生を真摯に追求するよう促している。

さかのぼれば、十八世紀末までのスレイブ・ナラティブ（奴隷体験記）は、社会的史料の収集の意味合いが強かったが、時代が下ると、奴隷制度廃止運動に役立てられるようになった。フレデリック・ダグラスの『数奇なる奴隷の半生——フレデリック・ダグラス自伝』（一八四五年）や、ケンタッキー州生まれの元奴隷のウィリアム・ブラウンによる『逃亡奴隷ウィリアム・W・ブラウンの本人による物語』（一八四七年。未訳）は、「アメリカの個人が自由と「生活、解放、幸福の追求」に基づく社会を目指す探求という国家的神話[25]」に昇華され、個人の人生史を超えて、ルーツを見据えたうえで集団が自己肯定をおこなえるような敷衍性を内包する。特に、一八三八年にメリーランド州から北部へ逃亡し、活動家になったダグラスの『自伝』は、発表当時から衝撃をもって受け止められ、奴隷解放運動に大きな影響を与えるとともに、二十世紀の公民権運動に至っても指針的な著作物のひとつであり続けた。

教養と読み書き能力を得た黒人が半生を振り返るテクストは、艱難辛苦を乗り越えた人生の総括としてその人自身の思想を伝達し、語るという再構築行為を通じてルーツを肯定できる。[26]『フレデリック・ダグラス自伝』によると、ダグラスは七歳で母親を亡くし、いくつかの農園や屋敷で奴隷として働いた。外見の特徴から父親は白人農園主だったと類推され、彼自身は混血であることを恥じ、自分の身体のなかで白人と黒人が引き裂かれ、暴力を振るう側と振るわれる側が同時に存在するような嫌悪感があった。母親とはほぼ没交渉のまま死に別れている。少年時代には、子守の最中に寝入ってしまったために殴り殺された少女や、隣の農園との境界を越えて釣りをしてしまったために射殺された少年の奴隷がいたエピソードが登場し、支給される生活用品の少なさから、彼自身も飢えや寒さに苦しんだことを回顧している。十六歳のとき、粗暴な農園労働監督者に抵抗して相手の喉をつかんで殴り返したエピソードは、「のちの彼自身の自伝につながる英雄的な転回点であり、アンテベラム期のアフリカン・アメリカン文学すべてのなかで最も祝福するべき場面のひとつ(27)」と見なされる。一度は逃亡に失敗したものの、一八三八年に偽造の身分証を持って汽車に乗り、二十四時間でニューヨーク州入りするという鮮やかな逃亡を成し遂げた。その後、偶然に参加した奴隷制度廃止論者の集会で、奴隷であることについて演説したことをきっかけに、白人社会改革家のウィリアム・ロイド・ギャリソンに見いだされて活動家になり、奴隷制度廃止主義の定期刊行物「ノース・スター」紙を発行し、南北戦争ではエイブラハム・リンカーン大統領に黒人部隊の編成を進言し、再建期にはアンドルー・ジョンソン大統領に黒人参政権を求めるほどの人物になった。

『フレデリック・ダグラス自伝』とそれに続く『わが隷属と自由』(一八五五年。未訳)、『わが生涯と時代』(一八八一年)は、正確で豊かな語彙を用いて書かれ、明快な論理的主張を展開する点で、十分な英語表現能力をもつことが許されなかった(元)奴隷からの聞き書きである多くのスレイブ・ナラティブとは一線を画していた。ダグラスは、自分の出自について正確に説明し、複数の奴隷所有者や賃貸し相手先での労働のなかで思考したことを語り、奴隷とはどのようなものであるか冷静に分析している。時系列にエピソードを並べるのではなく、それが現在の自分にどのような意味をもつ経験だったかという視点を保持しているので、読者が受容しやすい。心情の動きや思想の変化をつづり、神への信仰によって心を強く保つことができた半面、奴隷所有者たちが自宅に牧師を招き、宗教心のあつさを競っているにもかかわらず、どれほど無学で欺瞞に満ちているかを辛辣に描写し、信仰と奴隷制の矛盾について鋭く問いかけている。

読み書きがもつ力も称揚されている。ダグラスは二人目の所有者の妻からアルファベットの手ほどきを受けたが、ほどなくして、所有者から教育を禁じられた。しかし、そのことによって逆に読み書きが「奴隷制から自由にいたる小道(28)」であることを直感し、裏通りに住む貧乏白人《プア・ホワイト》の子どもたちからひそかに読み書きを習い始める。

「女主人は、私にアルファベットを教えることで「寸」を与えてしまったのであり、どんなに用心しても、私に「尺」を望ませないでおくことはできなかった[29]」という目覚めは、アメリカ社会が重視してきた識字活動とぴったり重なる。文学は移民に英語の重要性を伝え、アメリカ化する道具ともなってきた。識字教育から疎外されたアフリカン・アメリカンが自助努力で能力を身につけていく語りは、階層上昇のイデオロギーとも合致する。

ダグラスは本を読んで、自分が奴隷であることに強い疑念を感じ、一度目の逃亡では、仲間の通行証を書いて偽造する。アルファベットと英語を操ることは、逃亡だけでなく、その先の生活を切り開く力にも直結している。ダグラスの自伝は、奴隷制度の理不尽さのなかに封じ込められることによる感情的摩耗を正統に暴き立てるものであると同時に、彼が英語力と知恵をもって逃亡に成功した場所から語り下ろす点で、「自分自身の主人[30]」になるまでを描く教養小説の要素ももつ。

読み書きの力はアフリカン・アメリカン文学のモチーフとして大きな位置を占め、自由とリテラシーの「二重の探究が、ほとんどのアフリカ系アメリカ人の初期の著作に主題と構造を与え、後の文学形式にも影響を与え続けて[31]」いる。流暢な英語を話し、正しい読み書きができることがアメリカ人として立とうとするときの手形になることは、ダグラスの人生史そのものによって証明されたといっていい。バージニア州生まれの奴隷で、南北戦争後に解放され、現在のハンプトン大学に学んで黒人教師になり、のちにタスキギー大学の前身になる職業訓練校の校長になったブッカー・T・ワシントンの自伝『奴隷より立ち上がる』（一九〇一年）は、克己努力による人生の上昇をそのまま表す書名どおりの内容である。続く『手で働く』（一九〇四年。未訳）は職能訓練が自信につながり、「立ち上がった」その後を支える土台になったことを語る。

デュボイスも、晩年に出版した『W・E・B・デュボイス自伝』（一九六八年。未訳）で上昇志向が強かった半生を回顧し、抑圧された子ども時代がその後のステップアップのための踏み切り台として機能したことを述べている。「奴隷から自由民へ」の道筋や、人種差別のなかで道を開いていった人物の歩みはそれ自体が教養小説的な要素をもつ。「人格の歴史を主として強調する」[32]自伝は「思い出を秩序づけ、そこから作者の自我の歴史を構築しようと[33]」し、幼少期から現在までの時間軸のなかで、思い出を取捨選択しながら「生の深い統一性と意味[34]」を明らかにする。自伝の形式で過去を語り起こすことは、自分の人生への意味づけになると同時に、個人の生き方を集団に拡大する試みにもなる。

伝記への展開

児童文学では、これらの自伝をもとにした伝記が多く書かれている。ダグラスについては奴隷制度とその時代の簡単な解説から入り、奴隷であることを認識しなかった幼年時代から、制度の残酷さに気づき、逃亡から奴隷制度廃止論の運動に身を投じるまでを語るテクストが多い。エイプリル・プリンスの『フレデリック・ダグラスってどんな人？』（二〇一四年。未訳）では「言葉を武器とし、フレデリックはすべての人のための平等の権利を勝ち得るために闘う一生を送った。彼は公民権運動の父である[35]」と述べられ、ディヴィッド・アドラーの『フレデリック・ダグラスの絵本』（一九九五年。未訳）や『フレデリック・ダグラス——気高い人生』（二〇一〇年。未訳）、スザンヌ・スレイドの『フレデリック・ダグラス——作家、演説者、奴隷制度の反対者』（二〇〇七年。未訳）などのいずれも、ダグラスの卓越した自由への意志と才能と、ほとんどの黒人が法律で読み書きを禁じられていたときにひそかに文字を学んで、白人が閉ざしていた自由に至る道をこじ開けたことを、現代の視点から称賛している。独立心、神の前での平等、自分のために働く自由などのアメリカの価値観と合致している点が評価されているといえるだろう。

次の段階で、ダグラスやデュボイスに匹敵する「偉人」がさらに発掘され、一九四〇年代には社会運動と連携して子ども読者に対して実用的な意義をもつ。デュボイスの妻のシャーリー・グレアム・デュボイスは、四〇年代から五〇年代に、ダグラスやブッカー・Ｔ・ワシントンのほか、タスキギー研究所で南部の気候や土壌に合う農作物の研究に取り組んだ植物学者のジョージ・ワシントン・カーバーや、エンターテインメントにも才能をみせた公民権運動家のポール・ロブスンの伝記を精力的に執筆した。アーナ・ボンタンは、『有名なニグロのアスリート』（一九六四年。未訳）で運動選手を総説してパイオニアたちの功績を称えている。当時、有色人種のスポーツ参加の壁は厚く、選手や観客のカラーフォビアだけでなく、黒人は、当時の科学では知的にも身体的にも白人に劣ると考えられていたが、[36]伝記作家はそれを転覆しようとした。野球のプロのマイナーリーグで初めてプレーした黒人選手のモーゼス・フリート・ウォーカーや、野球のニグロ・リーグ（一九二〇―四八年）が存続している時代にメジャーリーグで初めてプレーしてその年の新人王になったジャッキー・ロビンソンの半生を語るのは、伝記という顕彰作業にふさわしい。

「奴隷制度という歴史的トラウマ[37]」を抱えながらその歴史を語るにあたって、一般のアフリカン・アメリカン文学は、葬り去られたものや目をそむけたくなる繰り返しの暴力や語ってはいけないタブーに踏み込んできた。一方で、子どもの精神を健全に生き延びさせるために、白人の語法にのっとって伝記を執筆することは集団からの切実な欲求であり、現代でも、アフリカン・アメリカン児童文学内のカテゴリーでは、伝記が大きな位置を占め、フィクションと同様に必要とされている。ジャッキー・ロビンソンの伝記を知る黒人の子どもに起きる変化はベーブ・ルースの伝記を知る白人の子どもよりも大きく、切実な渇望があると考えられる。伝記を書く作家たちは、肌の色や貧困による逆境を超えきれない子ども読者に対して、境界を跳べた先人がいたという事実をまず伝えてきた。成功した先人の物語は子ども読者を力づけ、ロール・モデルとしての役割を果たすので、偉人伝の系脈は途切れることがない。カディール・ネルソンの『私たちは船だ――ニグロ・リーグの物語』（二〇〇八年。未訳）はニグロ・リーグを扱い、アンドレア・デイヴィス・ピンクニーの『手と手を――アメリカを変えた黒人男性たち』（二〇一二年。未訳）は、奴隷制時代に自由黒人の息子として生まれ、独学で天文学や機械工学を学んだ科学者のベンジャミン・バネカー、黒人運動指導者のフレデリック・ダグラス、公民権運動指導者のフィリップ・ランドルフ、初のケニア系大統領のバラク・オバマらの人生をスケッチしている。

注

（1）"Amelia E. Johnson," "Oxford Reference"（https://www.oxfordreference.com/view/10.1093/oi/authority.20110803100022427）［二〇一三年一月十五日アクセス］

（2）Wendy Wagner, "Black Separatism in the Periodical Writing of Mrs. A. E. (Amelia) Johnson," in Todd Vogel ed., *The Black Press: New Literary and Historical Essays*, Rutgers University Press, 2001, p. 97.

（3）一方で、カリブ系移民やアフリカン・アメリカンが押し寄せることで白人がほかの地区へ移動し、街の美観や安全は相対的に低下した。ギルバート・オソフスキーによると、一九二〇年代に西インド諸島の黒人がハーレムに定住したことがこの共同体の人種問題に別の複雑な側面をもたらし（Gilbert Osofsky, *Harlem: The Making of a Ghetto: Negro New York, 1890-1930*, Ivan R. Dee,［1966］1996, p. 120）、大恐慌以降にはハーレムはゲットー化して、治安、美観、生活水準などの点で停滞し、九〇年代にルドルフ・ジュリアーノ市長が治安改善に乗り出すまで、低所得者層が占める危険な地区になった。

（4）ラングストン・ヒューズ『ある金曜日の朝――ヒューズ作品集』木島始訳、飯塚書店、一九五九年、五七ページ

（5）Jemie Onwuchekwa, *Langston Hughes: An Introduction to The Poetry*, Columbia University Press, 1976, p. 103.

（6）前掲『ある金曜日の朝』五八ページ

（7）Violet J. Harris, *op. cit.*, p. 540.

（8）Peter D. Sieruta, "Bontemps, Arna Wendell," in Jack Zipes and et all eds., *Oxford Encyclopedia of Children's Literature*, Oxford University Press, 2006, p. 182.

（9）"Books for Children," New York Times Online, Oct, 23, 1932.（http://www.nytimes.com/books/01/04/22/specials/

hughes-popo.html)［二〇二二年一月十五日アクセス］

（10）黒人の帝国を築いたエチオピアへの回帰やレゲエ音楽を特徴にするメシア運動で、ジャマイカとニューヨークを起点として一九一四年に設立された万国黒人地位改善協会とアフリカ共同体連盟は最盛期には六百万人の会員を数えた。

（11）千葉則夫「W・E・B・デュボイスの人種平等獲得に賭けた生涯（2）」、亜細亜大学国際関係研究所編「亜細亜大学国際関係紀要」第九号、亜細亜大学国際関係研究所、二〇〇〇年、四五五ページ

（12）Clare Corbould, "Haiti, A Steping-Stone to Africa," *Becoming African American: Black Public Life in Harlem 1919-1939*, Harvard University Press, 2009, Kindle.

（13）ロナルド・シーガル『ブラック・ディアスポラ——世界の黒人がつくる歴史・社会・文化』（明石ライブラリー）、富田虎男監訳、明石書店、一九九九年、七〇二ページ

（14）ジャン・ベルナベ／パトリック・シャモワゾー／ラファエル・コンフィアン『クレオール礼賛』恒川邦夫訳（新しい〈世界文学〉シリーズ）、平凡社、一九九七年、四二ページ

（15）ローザ・ガイ編『ハーレムの子どもたち』黄寅秀訳、晶文社、一九七三年、一五六ページ

（16）Jesse Jackson, *Call Me Charlie*, Harper, 1945, p. 7.

（17）"Introduction," *Free Within Ourselves*, Kindle.

（18）キング牧師の妻のコレッタ・スコット・キングの名前にちなんで創設された。その概要と教材としての用いられ方については、Clare Gatrell Stephens, *Coretta Scott King Award Books: Using Great Literature with Children and Young Adults*, Libraries Unlimited, 2000 に詳しい。この賞は、アフリカン・アメリカン児童文学の担い手がほかのエスニシティよりも充実していることを示すと同時に、アフリカン・アメリカン作家・画家に対象を限定することで、四半世紀の間に同じ人物が複数回受賞している。理念を前面に押し出すことが重要である半面、アフリカン・アメリカン児童文学や絵本というジャンルが硬直する危険性もあるかもしれない。

（19）大人向けの総合誌としてアフリカン・アメリカンの自己肯定や幸福追求に焦点を当て、著名人へのインタビューから社会問題まで様々な切り口の記事を掲載している。女優のドロシー・ダンドリッジ、歌手のマイケル・ジャクソン

やマライア・キャリーらのアフリカン・アメリカンを積極的に表紙に起用し、創刊時の五万部から、二〇一一年には百二十万部以上を売り上げている。
(20) 雑誌「エボニー ジュニア！」の功績については Laretta Henderson, *Ebony Jr!: The Rise, Fall and Return of a Black Children's Magazine.* Scarecrow, 2008 を参照。
(21) クリストファー・ポール・カーティス『ワトソン一家に天使がやってくるとき』唐沢則幸訳、くもん出版、一九九七年、二八二ページ
(22) 同書二九七ページ
(23) Arna Bontemps, *Story of the Negro,* Alfred A. Knopf, 1948, p. 12.
(24) 小関隆「コメモレイションの文化史のために」、阿部安成／小関隆／見市雅俊／光永雅明／森村敏己編『記憶のかたち――コメモレイションの文化史』所収、柏書房、一九九九年、五―二二ページ
(25) Williams L. Andrews, "North American Slave Narratives: An Introduction to the Slave Narratives," p. 8, Documenting the American South (http://docsouth.unc.edu/neh/intro.html) [二〇二二年一月十五日アクセス]
(26) 他方で、女性のスレイブ・ナラティブはこのパターンと相いれない。奴隷だったハリエット・アン・ジェイコブズの『ハリエット・ジェイコブズ自伝』(一八六一年)で、ジェイコブズは、所有者の性的搾取から逃れるために、理解ある白人男性との間に子どもをもうけ、その子どもに事実を隠して祖母の家の屋根裏に数年間も隠れたのちにニューヨーク州に逃げ、最終的には支援者の白人女性に買われることで自由になる。文字や言葉は、複雑なネットワークのなかで、ジェイコブズをおとしいれるために用いられる。彼女の特徴を詳細に記した懸賞広告を読むとき、ジェイコブズは自分が情報化され、印刷されてばらまかれる恐ろしさを実感する。その恐怖は、男性のスレイブ・ナラティブに逆流する反―リテラシーであり、北部で生まれ変わるダグラスと迷い続けるジェイコブズは正反対である。子どもを思うがゆえに自己実現に踏み切れなかったジェイコブズの選択は「「語られたこと」とともに「語られなかったこと」、あるいは書き言葉となって表に流出してきたものとその行間に留まり続けたもの、さらには語り手が言い淀んだり沈黙を守ったりしてきたもの、いわばそうしたものの総体がジェイコブズの『語り』の内実を形作って」(ハ

リエット・ジェイコブズ『ハリエット・ジェイコブズ自伝――女・奴隷制・アメリカ』小林憲二編訳、明石書店、二〇〇一年、五一ページ）いる。ためらいのなかにある独白と、ときおり我に返ったように読者宛てに許しを乞う彼女の文体からは、逃亡奴隷としての自己を誇らかに語る上昇志向は感じられない。さらに、奴隷から生まれた子どもは、動産としての奴隷になるというルールによって、奴隷の母性は子殺しと悲劇的に結び付き、子を産んだ奴隷の母親の苦悩はより複雑なものになる。殺すということが最上の愛になるような母の在り方は、それ自体が児童文学の許容範囲を超えている。一八五六年に、マーガレット・ガーナーという混血の奴隷が逃亡し、南部に連れ戻される際、連れていた二人の乳児を殺害した事件は社会に衝撃を与えた。トニ・モリスンの『ビラヴド』（一九八七年）はこの事件を下敷きにしていて、逃亡奴隷のセテのところに喪服の少女ビラヴドが現れる。ビラヴドは母であるセサの子殺しの過去と同時に、中間航路や農園で殺された奴隷の死も象徴し「人から人へ伝える物語ではなかった」「人から人へ伝える物語ではなかった」「人から人へ伝える物語ではないのだ」（トニ・モリスン『ビラヴド（愛されし者）』下、吉田廸子訳、集英社、一九九〇年、二六九、二七〇ページ）と三回繰り返されて、ラストは沈黙で結ばれる。子殺しをする女性の声に子どもの側から耳をすませることはできず、語り継ぐことを旗印にする児童文学と同じ立ち位置を取ることは困難である。同じ痛みをもつ奴隷の女性が沈黙のうちに欠落に共感しあうとき、言葉はむしろ力をもたなくなり、それぞれの痛みは語られざるもののなかに溶け出していく。直線的に語り直し、共有し、伝えていくことを本質にする児童文学の語りのうえで、あるいは、子を産み、育む力に光を当てることを是とする児童文学の性質のうえで、女性のスレイブ・ナラティブは子ども読者への接近が難しい。

（27）Henry Louis Gates Jr. and Nellie Y. McKay eds., *The Norton Anthology of African American Literature*, 2nd ed., Norton, [1997] 2004, p. 300.

（28）前掲『数奇なる奴隷の半生』五九ページ

（29）同書六四―六五ページ

（30）同書一五一ページ

（31）ジョゼフ・チルダーズ／ゲーリー・ヘンツィ編『コロンビア大学現代文学・文化批評用語辞典』杉野健太郎／中村

裕英／丸山修訳（松柏社叢書）、松柏社、一九九八年、三三七ページ
（32）フィリップ・ルジュンヌ『フランスの自伝——自伝文学の主題と構造』小倉孝誠訳（叢書・ウニベルシタス）、法政大学出版局、一九九五年、一〇ページ
（33）同書一六ページ
（34）同書一八ページ
（35）April Jones Prince, "Who Was Frederick Douglass?," *Who Was Frederick Douglass?*, Penguin, 2014, Kindle.
（36）川島浩平『人種とスポーツ——黒人は本当に「速く」「強い」のか』（中公新書）、中央公論新社、二〇一二年、二〇—二三ページ
（37）宮本敬子「トニ・モリスンと歴史的トラウマ表象」「ユリイカ」二〇一九年十月号、青土社、一八八ページ

第3章 「ブラウニーズ・ブック」の意義

1 W・E・B・デュボイスの教育観とハーレム・ルネサンス

デューイとデュボイス

ウィリアム・エドワード・バーグハード・デュボイスは、南北戦争後のマサチューセッツ州に生まれ、ベルリン大学とハーバード大学で学び、博士号を取得したのちにアトランタ大学で教鞭をとったエリート知識人である。一九〇八年にイリノイ州スプリングフィールドで死者を出した人種暴動を憂慮し、設立されたばかりのNAACPの創立メンバーに加わり、月刊機関誌「クライシス」の主筆を任され、人種平等や黒人へのリンチ反対を訴えるエッセーや書評や詩で誌面を構成した。一二年から年に一冊刊行していた子ども向けの別冊を二〇年から月刊誌として独立させたのが「ブラウニーズ・ブック」である。

デュボイスが学んだ時期のハーバード大学では、哲学者のチャールズ・サンダース・パースやウィリアム・ジエイムズらが、様々な背景をもった移民社会で必要とされる思想として、「最後のもの、結実、帰結、事実に向かおうとする態度[1]」を伴うプラグマティズムを追求していた。ジョン・デューイはこれを教育と結び付け、創造的知性や実験的知性を学校で教えることで、それを道具として環境に適応していけるようになるという教育論を提唱した。デュボイスもその思想を理解し、それをどのようにアフリカン・アメリカンの啓蒙に用いていけるかを模索していたように見受けられる。「ブラウニーズ・ブック」がメルクマール的な刊行物になりえたのは、アフリカン・アメリカンの権利獲得を目指しながら、こうしたアメリカの思想的背景に慎重にくみし、黒人だけを優位にするのではなく、アメリカの多様性に向けた啓発を目指したデュボイス個人の知性の力が大きいのではないだろうか。デュボイスは「⑴体系を排すること、⑵眼前の事実を重視すること、⑶物事の理由を権威にたよらずに独力で探究し、結果を目指して前進すること、⑷定式をとおして物事の本質をみぬくこと[2]」というプラグマティズムにのっとってアフリカン・アメリカンの子どもを見つめた。人種偏見は不快な事実だが、感情的に非難することは得策ではない。粗野なまま留め置かれている多くの黒人が持ち合わせているかもしれない野心や向上心を過小評価してはいけないと考えたうえで教育を重要事項に挙げ、黒人教育を阻害する圧力に反発して「奴隷化せず人間性を失わせもせず、すべての人間の労働をもっとも効果的に使えるようにする人間教育[3]」の実現のために、黒人の教員養成や高等教育推進をすることを目指した。彼にとって、教育はきわめて実践的な武器であり、その実践は、黒人の権利を擁護する白人知識人たちとの間で形成された合意に基づくものだったといえる。

「ブラウニーズ・ブック」の戦略

児童雑誌の出版を含め、デュボイスの戦略はアメリカのマジョリティの思想に添い、より恵まれた教育の輪のなかに黒人の子どもも足を踏み入れさせていこうとするものだった。結果的に、彼の見識はアフリカン・アメリカン児童文学の方向性を決定づけ、アメリカという国に受容される質を備えるものになるようにデザインされた。

アメリカの思想に現実的に依拠した「ブラウニーズ・ブック」とその後継者が、アフリカン・アメリカン児童文学として生き残ったと振り返ることもできるだろう。誌名からは、褐色の肌、子どもの好きな菓子、ボーイスカウトやガールスカウトの年少隊の名前、家付き妖精のブラウニー、カナダ生まれのパーマー・コックスがイギリスの小人妖精をモチーフに書いた「ブラウニーズ」シリーズなど、様々なイメージが喚起されるが、いずれも「褐色」だけでなく、「小さい」「愛らしい」「子どもに好まれる」といった児童文学の要素と結び付く。

創刊号の内容は、目次順に以下のとおりである。

- 表紙絵　バッティ撮影
- 中表紙　ザウディトウ女帝
- かぼちゃの国　お話　ペギー・ポー作　ヒルダ・ウィルキンソン挿絵
- 願いごとゲーム　詩　アネッテ・ブラウン作
- 白人の起源　詩　アニー・ヴァジニア・カルバートン作
- フィラデルフィアのボーイスカウト連隊　写真
- 波頭を越えて　地理の話　挿絵付き
- 子どもの義務のすべて　詩　ロバート・ルイス・スティーブンスンから再録
- 私たちの小さな友達　九枚の写真
- 判事
- ハワード大対フィスク大のフットボールの試合を待つ　写真
- 陪審
- タスキギーで赤ちゃん週間を祝う　写真

・ウイジャボード　お話　エドナ・メイ・ハロルド作
・遊び時間　「みみをすませ　みみをすませ」わらべ歌　キャリデル・B・コール振り付け　ファーウェル音楽
・アビシニアの女子校──ニューヨークのYWCAの少女たち　写真
・カラスが飛びながら
・大人たちのコーナー
・ニューヨーク市のサイレント・プロテスト・パレードに参加する子どもたち
・ケティ・ファーガソン　真実のお話
・今月の子どもたち
・放課後　詩　ジェシー・フォセット作　ローラ・ウィーラー絵
・ジップ　おとぎ話　A・T・キルパトリック作
・少年の答え　A・U・クレイグ作
・詩　挿絵付き　ジョージア・ダグラス・ジョンソン収集　ジェームズ・ウェルドン・ジョンソン「子猫の話」、ウィリアム・T・ワレス「幸せなウズラ」、ロバート・ルイス・スティーブンスンから「歌」、ジェシー・フォセット献辞(4)

誌面構成は二年間ほぼ変わらず、小話、詩、連載物語、黒人の子どもの写真とその解説、読者からの手紙、日常の話題や道徳を「先生」と三人の子どもが考える教育欄などから成り立っている。「カラスが飛びながら」は、カラスが人間の動向を見聞きして報告するというコーナーで、同時代の世界のニュースを並記している。一九二一年六月号では、ロシアからアメリカへの要求、イギリス・ロシア関係の強化とアメリカの孤立、日本のヤップ

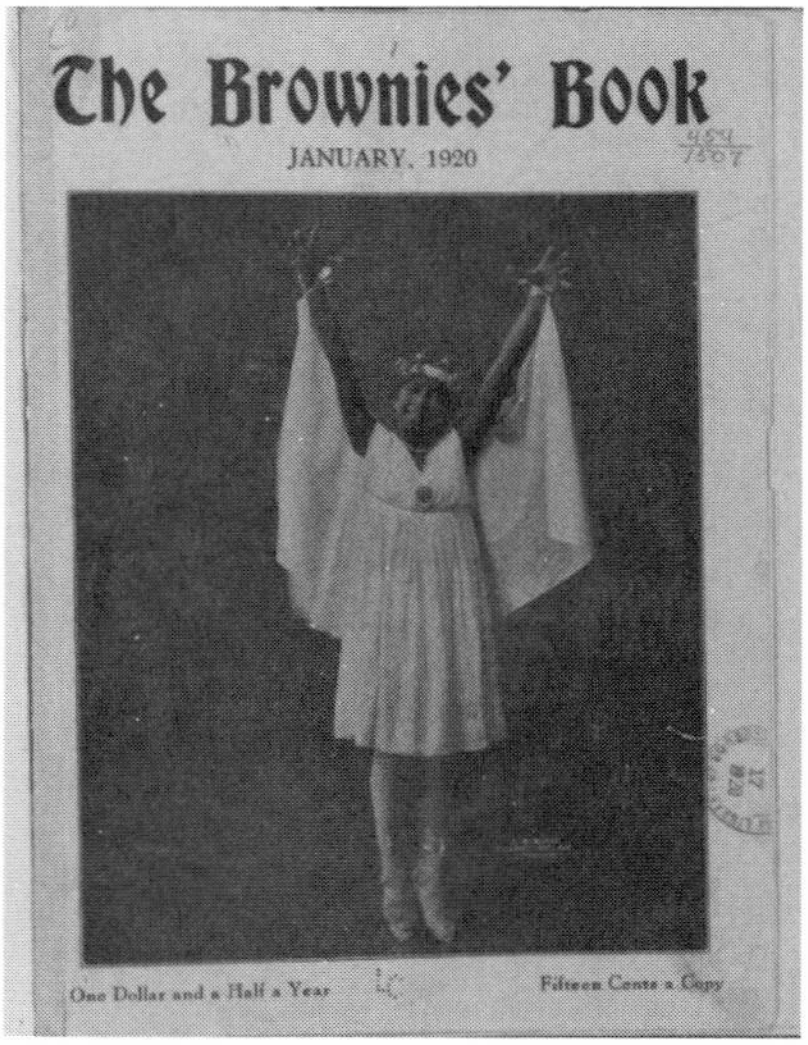

図9 「ブラウニーズ・ブック」創刊号（1920年1月号）の表紙

島進出、イギリス連邦に所属するカナダが独自大使をアメリカに派遣したこと、戦後補償を抱えたドイツの苦境と孤立、イギリスの炭鉱ストライキ、イギリスからアメリカへの借金返済、イタリアの過激派による内乱、カール一世のオーストリア帰還と王権の要求、ポーランドがロシアやウクライナとの条約と領地をめぐり戦争状態に入っていることを幅広く伝えている。ストライキについての記述では労働者側に立っている点も興味深い。

当時、大きな影響力があった児童雑誌の筆頭は、メアリー・メイプス・ドッジが一八七三年から一九四〇年まで編集長を務めた「セント・ニコラス」だが、この雑誌は読者として黒人の子どもをほとんど想定していなかった。二〇年代の「セント・ニコラス」の表紙絵は秩序立っていて形式や雰囲気が統一されたもので、理想の白人少年・少女を明示している。これに挑戦するかのように、「ブラウニーズ・ブック」の表紙絵は主張を具体的に伝え、斬新さと高揚感を前面に出している。創刊号、一九二〇年二月号、九月号、一九二一年四月号では写真が用いられ、特に創刊号ではアフリカン・アメリカンの少女が天使の衣装をまとい、羽ばたこうとしているかのように笑う斬新な構図である。内容でも視覚面でも「ブラウニーズ・ブック」は「モダン」の試み[5]であるハーレム・ルネサンスに歩調を合わせ、「クライシス」の表紙とも連動して「セント・ニコラス」の編集者には見えない子どもたちに向けて、「クライシス」と同じ主張をおこなっていた。

表紙絵の共振――「クライシス」と「ブラウニーズ・ブック」

表紙絵はローラ・ウィーラー・ワーリング、アルバート・アレクサンダー・スミス、ヒルダ・ウィルキンスンら数人の画家が担当し、しばしば「クライシス」と表紙絵の雰囲気が重なったり、同じ画家が描いていたりした。いずれの雑誌も表紙デザインは特に統一されず、誌名も絵の雰囲気も様々だが、技法や手段の多様性は、褐色の肌の色の子どものために新しい雑誌を作ろうとしていた雑誌の機運のなかで伸びやかで自在に見える。

ウィルキンスンはワシントンDC出身の美術教師で、「ブラウニーズ・ブック」にも「クライシス」にも挿絵を描いていた。ふっくらとした愛らしい子どもの造形を特徴とし、一九二一年二月号では幼い少年と少女の淡い恋心をバレンタイン・デーのイメージとし、二一年七月号では、夏休みが始まって喜び遊ぶ学童の様子を躍動的に描いている。

図10　「ブラウニーズ・ブック」1920年3月号の表紙
（アルバート・アレクサンダー・スミス）

スミスは黒人運動に深く関わった画家で、「クライシス」にも多数の風刺画を描いている。一九二〇年十一月号の「クライシス」に掲載の「彼らは耳をもっているが聞かない」[6]と題された痛烈な風刺絵では、法廷で訴える黒人の前で、南部の判事や陪審員たちがヘッドホンのような耳当てをして、文字どおり聞く耳をもたない。彼が描いた「ブラウニーズ・ブック」の一九二〇年三月号の表紙絵では、茶色のチョコレート菓子のブラウニーといたずらな妖精のブラウニーを掛けて「ブラ

図11　「ブラウニーズ・ブック」1921年5月号の表紙
（ローラ・ウィーラー・ワーリング）

ウニーの国」を描き、そこに少女を座らせている。アーサー・ラッカムの妖精画のようなオーセンティックな妖精がいる背後には、アフリカを思わせるジャングルらしき木があり、サルが枝からぶらさがっている。ヨーロッパとアフリカが融合した妖精の国のようである。一九二〇年七月号は独立記念日をモチーフにし、正面の人物が鎖を断ち切ってクリスパス・アタックスに花を捧げている。宗主国イギリスの横暴に対して自由と自治を求めて立ち上がったアメリカ国民という自画像に黒人を描き加えることで、アメリカ市民としての誇りを示している。一九二〇年十二月号では、つぎはぎの靴下に「サンタさんへ　この靴下をぼくたちのためにいっぱいにしてください」というメモを添えて、まだ手に入れていない市民としての自由や人権への願いをユーモラスに切実に表現している。

ワーリングは、コネティカット州で最初に設立された黒人教会の牧師の家に生まれ、ペンシルベニア美術学校で学び、卒業時に奨学金を得てパリに渡った画家である。肖像画に優れ、ハーモン財団に支援されて一九二七年にニューヨークで初めて開催された黒人美術展にも出展している。芸術家としての自己実現よりも教育に力を注ぎ、ペンシルベニア・チェイニー州立教育大学の教員として精力的に活動した。彼女が描いた一九二〇年五月号の楽しくメイポールダンスを踊る少女たちが手にするリボンの流れ、一九二〇年十一月号の機能的な大皿を思わせる八角形の枠、一九二一年五月号の遊ぶ子どもたちの白と黒の反転や水流のような布置、一九二一年八月号の一面の市松模様の升目のなかに子どもたちが遊ぶ様子を躍動的に配したデザインに、機能と装飾を併せ持つアール・デコ的な工夫がある。

この雑誌の表紙絵や挿絵のモダニティは、NAACPがニューヨークを拠点にしていたことにも関連しているかもしれない。当時、芸術の中心はフランス・パリやイタリア・ミラノで、アメリカは広大な辺境にすぎなかったが、ニューヨークだけはヨーロッパの先端的芸術とアメリカのナショナリズムが混交する貴重な場所だった。写真家のアルフレッド・スティーグリッツが一九〇四年に開いた小画廊291やイマジズムの詩人ウォルター・アレンズバーグのアパートはヨーロッパの文化とアメリカの文化人の交流の場所になり、マン・レイやジェラルド・マーフィーらの芸術家が出入りした。「クライシス」や「ブラウニーズ・ブック」の画家たちは、比較的恵まれた立場にいたアフリカン・アメリカンで、ニューヨークを経由してヨーロッパとつながることができた。人種差別が少ない自由な空気にふれながら美術を学び、アメリカと往復しながら活動を続けたいずれの画家たちも、子どもと社会をつなぐインターフェイスとして絵を捉え、その自由な挑戦は、大西洋の行き来という特権的ともいえる移動の成果である。画家たちはヨーロッパの白人と出会い、俯瞰性と自由な精神、最先端の技法を手に入れ、黒人の子どもに向けて描くという定点的な作業を通じてアメリカという国全体の子どものイラストレーションも活性化させた。結果的に「ブラウニーズ・ブック」の絵は「それ自体が絵本だったわけではないが、絵本の発展のなかで重要な転換点として残っている。黒人の子どものための最初の雑誌だったという歴史的重要性があったからだけでなく、この計画——大きく実を結ぶのはやっと一九七〇年代以降だったが——を構想するクリエーターたちの明確な表現力もその理由である」(7)。

短い発行期間のなかで、「ブラウニーズ・ブック」の画家たちはアフリカン・アメリカンの子どもに誇りと自信を与えようというハーレム・ルネサンスの機運を背負って活動し、その成果は、その後長い間地中で眠ることになるアフリカン・アメリカンの画家による絵本の種子になった。画家たちはユニークな絵を生み出し、大西洋を越境して最先端の絵画文化と接続したあとに再びアメリカのほうを向いた。バレンタインやイースターを楽しむ黒人の子ども像を描いた表紙絵は、確かに黒人の子どもが自分を投影して読むことができる絵本の正史の始まりを示すものである。

デュボイスは、白人の目に入らない子どもを可視化し、アフリカン・アメリカンの子ども読者に初めて等身大の娯楽を与え、ハーレム・ルネサンスと子どもを出合わせた。「ラングストン・ヒューズやネラ・ラーセンのエッセーを読み、自分の人種のヒーローやヒロインが成し遂げたことへのクイズに答え、耐え忍んだ人たちの人物紹介を読み、自分と同じような子どもたちを写真や絵のなかにみることは、強い解毒剤になった(8)」のと同時に、この雑誌は、白人排除や黒人優先を訴えるものではなく、アメリカの子どもがどれほど豊饒で多彩であるかを示そうとした点に先進的な戦略が感じられる。創刊号の冒頭で「あらゆる子ども――黒、褐色、黄色、白――のために普遍的な愛と兄弟愛を教えることを目指すだろう(9)」と宣言し、黒さが象徴するのは「白ではないこと」ではなく多様性／混血性であり、それを前提に革新的な編集をおこなった。黒人の子どもを見つめる一方で、アメリカの社会に対しても、様々な出自と肌の色をもつ子どもがいて、どの子にも幸福に育つ権利があるということに寛容になるようはたらきかけていたといえる。

2 アメリカの子ども像の多様化に向けて

黒人の子どもの笑顔

一九二〇年代にニューヨークで流行していたブルース音楽は、子どもが登場する場合でも陰鬱な内容だった。そもそもブルースは、救いがない人生のやるせなさを歌詞に乗せたもので、「捨てられた者のすすり泣きであり、自立の叫びであり、はりきり屋の情熱であり、欲求不満に悩むものの怒りであり、運命論者の洪笑《(ママ)》である。優柔不断の苦悩であり、失業者の絶望であり、近親に先立たれたものの苦悶であり、冷笑家の乾いたユーモア」[10]だといわれる。詩のなかでも多くの子どもは希望をもてず、カウンティ・カレンは、わらべ歌の「月曜日の子ども」[11]の一節「土曜日生まれの子どもはあくせく働く」を土台に「土曜日の子ども」の詩を書き、「だってぼくは土曜日生まれだから／「種まきには時期が悪い」／としか父さんはいわなかった／あと、「養い口がまたひとつ」と」[12]と哀調を帯びた内容にしている。「母から子へ」の詩では、母親が子どもに「私の人生はクリスタルの階段ではなかった」「振り返ってはいけないよ」「落ちてはいけないよ」[13]と語り、苦い現実への無力感を示している。黒人の大人も子どもも同様に抑圧され、大人になったらましになるかもしれない、という希望さえ砕く。

　デュボイスは、こうした現実を理解したうえで、読者が子どもであるがゆえに、あえて明るい側に目を向けさせた。「ブラウニーズ・ブック」が目指したのは、生き生きした黒人の子どもを登場させ、それまでの自己イメージを転覆することである。創刊号には、正装のエチオピアの女王の写真や堂々としたアフリカン・アメリカンのボーイスカウト団の写真を掲載し、プライドをもつことを大きく打ち出している。白人が白人の子どものために目指してきた啓蒙と同じ手法で黒人の子どもを目覚めさせるため、自己肯定感や誇りにつながるイメージを明示し、「今月の小さな子どもたち」のコーナーでは、黒人のＹＭＣＡ活動、演劇クラブ、バレエ、スポーツ、グループ研究などのレポートを掲載している。一九二一年五月号では、演劇活動の報告のなかでそれぞれの役柄の子どもたちがいかに熱心に役柄づくりに励んでいるかを伝えたり、高校入学や大学入学直前の子どもたちがどれほど進学を待ちわびているかを伝えたりしている。

「ブラウニーズ・ブック」の子ども読者は社会的には恵まれた家庭に育ち、本当に路上で絶望していた子どもにはなかなか届かなかったかもしれない。しかし、「見捨てられた者のすすり泣き」を脇に置き、苦しい生活を強いられる「土曜日の子ども」にも届くように祈って、肌の色をハンディとせずに夢に向かおうとする黒人の子どもを描き、そのメッセージが人種を超えてアメリカの多くの子どもに届いてほしいという夢をもって、雑誌は発行されていた。

黒人の生きづらさを冷静にみていた作家のラングストン・ヒューズも「ブラウニーズ・ブック」では明るさを前面に出している。一九二一年七月号に掲載の「金貨」は、パブロとローザという若夫婦を描いた一幕物の戯曲である。十匹のブタを売って五十セント金貨を手に入れた二人は、時計やショールなど様々な買い物をしようと喜んでいる。しかし、家の戸口に目が見えない老婆が来て休憩を乞うので話を聞くと、幼いころから十八年間目が見えない息子がいて、探し当てた医者には五十セントの治療費がかかるといわれ諦めて帰宅する途中だという。二人は自分たちのほしいものを諦め、「息子さんへちょっとしたものを」[14]と金貨を老婆のカバンに入れる。老婆は目が見えないので何をもらったか知らずに帰り、二人は満足する。挿絵では夫婦の肌は褐色ではなく、金貨もローレンという架空の通貨を用いているが、アフリカン・アメリカンの子どもが自己投影して、夫婦の善意を疑似体験できる小品である。また、一九二一年四月号に寄せた紀行文「メキシコの町にて」[15]では、メキシコのトルカ地方の習俗や人々を紹介しているが、ヒューズ自身の旅の経験と重なるものでもあり、スペイン語表記の店の看板や、広場を中心にした街並み、買い物のときには必ず値切り交渉をする習慣、帽子をたくさん重ねてかぶっている男性、十一月二日の死者の日の風習など、彼自身の目で見てきたことや感じたことが生き生きと記され、アメリカの外の世界に子ども読者の目を向けさせる。ルーツの受容に関わる詩としては、一九二一年一月号の「冬の甘やかさ」で、雪が積もった家のなかをそっと覗くと「カエデ糖の子ども」[16]がいるという表現があり、さりげなく肌の色に言及している。

多様性に向けて

「ブラウニーズ・ブック」は、アメリカの子ども像にドラスティックな多様性を与えることを目指した。創刊号の一九二〇年一月号と同時期に発行された「セント・ニコラス」には、背景に描かれた人々も含めて白人以外の人は一人も登場していない。この号には「アメリカの未来の民主主義」（ノックス&ルッケンハウス）という戯曲が掲載され、擬人化された「さえない過去」や「輝かしい未来」と白人の子どもが対話し、「アメリカ人という言葉に血は関係ない。君たちは、純粋なアイルランド人、ドイツ人、ロシア人、ユダヤ人、イタリア人、フランス人、オーストラリア人、あるいは、ポーランド人かもしれないが、それでもなお、君たちの先祖がかつてこの国に来て、ワシントンとともに闘ってこの共和国をつくり、リンカーンとともに闘ってこれを維持したのと同じように、本物のアメリカ人である」[17]と石鹸箱に乗って演説しているのだが、アフリカン・アメリカンは当たり前のように存在をかき消され、十八万人に近い自由黒人と解放奴隷が連隊をつくって南北戦争に参戦したことは一顧だにされない。

「ブラウニーズ・ブック」は、白人の目に見えていないアメリカ人の多様性を主張する。一九二〇年四月号の「幼稚園の歌」では、様々な国を出身地にする様々な肌の色の子どもを並立させ、

図12 「セント・ニコラス」1920年1月号の表紙
（ノーマン・プライス）

小さな赤ちゃんたちが一列だ
小さな着物は雪のように白い
髪の毛なし、縮れ毛、まっすぐの毛、カール
かわいい小さな男の子と女の子

小さな子どもが輪になって
楽しく歌うのを聞きましょう
赤い子、黄色い子、黒い子、白
みんながいると輪がすてき

若者と娘、青年と若い女性
日向に生まれた　日陰に生まれた
ズールー族、エスキモー、サクソン、ユダヤ人
連帯してこの世界を実現させよう

神の大きな子どもたちが働いている
誰も怠けたりはしない
「すべてはそれぞれのために　それぞれはすべてのために」
白い人、赤い人、黒い人、背が高い(18)

と、様々な肌の色や出自の子どもをパラレルに並べ、赤ちゃんから成人するまでの道のりをたどる。

ただし、「アメリカ人」としての立ち位置を感じさせるのは、皮肉にも先住民の扱いである。この詩のネイティブ・アメリカンは服をほとんど身に着けず、羽飾りが目立つイラストで描かれ、彼らを滅ぼしたアメリカの理想のために笑顔で働き、ほかのアメリカ人と手をつないでいる。創刊号に掲載された「ジップ」の話では、外に出て絵の具で遊んでいた子どもたちが眠っている間にいたずらな妖精が来て、彼らがそれぞれに好んだ赤と茶色に子どもたちの顔を塗る。「家にいた子どもたちは白いままだったけれど、赤い肌の小さな子どもたちはいまだに森や平原で騒ぎ回るのが大好き。茶色い肌の小さな子どもたちはあらゆる場所にいて、見える人たちすべてに幸せと日の光を届けた(19)」という文章からは、アフリカン・アメリカンが白人と同じ目線でネイティブ・アメリカンを野育ちと見なしていることがわかる。前出の「幼稚園の歌」では、白人、黒人に加え、羽飾りを着けたステ

レオタイプな先住民が土地を耕していて、この扱い方は、この雑誌が実に同時代的に「正しく」アメリカ的な態度を身につけてしまっていることを示す。

伝記の重視

「ブラウニーズ・ブック」の記事では、伝記も重要な部分を占めていた。創刊号では、ニューヨークで初めて日曜学校を開いた元奴隷のケティ・ファーガソンを扱い、日曜学校ではケティに感謝するようにと促して「これで気高い黒人女性のお話がわかりましたね。だけど、自分の民族のためにすばらしいことをなした黒人女性は彼女だけではありません。すばらしい黒人男性たちもいます。これからまだまだすばらしい人たちの話を聞けることをお楽しみに！」[20]と結ぶ。一九二〇年五月号には、ハイチ革命を成功させたトゥーサン＝ルーヴェルチュールの伝記を掲載して、書き手は「私が好きなのは、貧しかったり無名だったりする少年少女、男性女性が苦心してどんどん身を起こし、ついにはお金持ちや有名人、有用な人物、人々のリーダー、祖国の救世主になるところです」[21]と述べ、抑圧された奴隷が権力に打ち勝ち、建国するドラマに、大人であっても共感を寄せていることを伝えている。

二十三号しか出版されなかった雑誌に掲載された人物伝は十五編にのぼり、一九二〇年の一年間は、ほぼ毎月偉人伝が掲載された。三月号の「かつて奴隷だった少年の話」は、白人農園主の父と奴隷の母の間に生まれ、自由と教育を与えられて政治家になって一八七五年から八一年にミシシッピ州代表として共和党の上院議員を務めたブランチ・ブルース、四月号の「女性参政権運動家のパイオニア――ソジャーナ・トゥルース」は元逃亡奴隷で運動家のソジャーナ・トゥルース、六月号の「ベンジャミン・バンカー」は暦や時計作りに貢献したアフリカン・アメリカン初の科学者、七月号の「アメリカの最初の愛国的殉教者――真実の話」は植民地時代にイギリス軍兵士によって殺害された初の民間人のクリスパス・アタックス、八月号の「フィリス・ホイートリーの話――

真実の話」は植民地時代に奴隷としてアフリカから連れてこられ、文字を習い覚えて詩集を出版したフィリス・ホイートリー、九月号の「フレデリック・ダグラスの話――真実の話」は逃亡奴隷で運動家のフレデリック・ダグラス、十一月号の「勇敢な者たちのなかで最も勇敢だった者――真実の話」は「地下鉄道」の力を借りてノースカロライナ州からカナダまで逃亡した市井の少女エリザベス・ブレイクスリー、十二月号の「サミュエル・コールリッジ＝テイラー――真実の話」は「黒いマーラー」[22]と呼ばれた混血のイギリス人作曲家、一九二一年一月号の「偉大な戯曲家アレクサンダー・デュマ――真実の話」は『三銃士』(一八四四年)や『モンテ・クリスト伯』(一八四四―四六年)を書いたフランス系クレオールの劇作家アレクサンドル・デュマ、三月号の「ハリエット・タブマンの話」は逃亡奴隷で何度も北部から南部に戻ってほかの奴隷の逃亡も助けたハリエット・タブマン、六月号の「黒いロシア人――真実の話」は母親の祖父が元黒人奴隷だったロシア人文豪のアレクサンドル・プーシキン、八月号と九月号の「ラファイエットと黒人種」は、フランス革命とアメリカの独立革命に功績があったフランスの侯爵で軍人のマルキ・ド・ラファイエットを紹介している。

同時期の「セント・ニコラス」には伝記や個人史はほとんど掲載されず、作家のナサニエル・ホーソン、詩人のヘンリー・ワズワース・ロングフェロウ、登山家のジョン・ミュール、赤十字社のクララ・バートン、ジョージ・ワシントン大統領、エイブラハム・リンカーン大統領、フランクリン・ルーズベルト大統領らの人生の一断片が抽出されているだけである。[23]それと比較すると、「ブラウニーズ・ブック」では作家や編集者が伝記を重視している傾向が明白に読み取れ、また、ここで選択された人物は、その後のアフリカン・アメリカン児童文学史でも主要人物として伝記の素材に選ばれ続けている。こうしたテクストは書き手自身を鼓舞する役割ももち、読み手と書き手は、偉人の人生の前に同列だった。伝記に描かれる先人の歩みは、いま置かれている状況のなかで立ちすくんでしまうかもしれない現在のアフリカン・アメリカンの子ども読者を動かし、前進する力を与えると同時に、その編者にも力を与える。苦難を超克してきたアフリカン・アメリカンのエネルギーの総体が子ども読者を力づけ、主体性をもつことを促し、自立への希望をもたせ、前に向かうように励まし、ポジティブなアイデンティティ形成と自己受容に寄与している。

3　アフリカへの親近感――「中間航路」の逆走

昔話のつながり

「ブラウニーズ・ブック」は、アフリカン・アメリカンの子どものルーツに新鮮な光を当て、受容させることを目指した。雑誌の冒頭では毎号「太陽の子どもたち(24)」に呼びかけ、彼らに「声とプラットフォームを与え、新しい声、イメージ、対話を起こすための扉を開けた(25)」。雑誌のなかでは、暑い国、日焼け、明るさといったイメージと、混血ゆえの様々な肌の色が可視化され、そのルーツに太陽の国アフリカが意識化された。ほかの移民と異なり、アメリカに受容されず、拒絶され、ののしられ、暴力を受けるとき、黒人のルーツをどのように構築するべきか。編集者は子どもたちがルーツやつながりを感じられる場所として、大人が考える現実を脇によけてアフリカやカリブ海諸国の像を構築した。

一九二〇年三月号には、黒人英語で書かれた「アナンシとトラが乗った馬」の話が掲載されている。西インド諸島で有名なアナンシの話だと注記しているが、アナンシは本来はアフリカの民話のトリックスターで、クモをはじめとする多様な形態をしている。この話でのアナンシはとがり帽をかぶった小人のような姿で描かれ、ある娘をめぐってトラとライバル関係にある。アナンシは娘に、あのトラはただの乗用馬にすぎないと嘘をつき、怒ったトラがやってくると、病気のふりをし、背中に乗せて医者へ連れていってほしいと頼む。アナンシはそのままトラに鞍を付け、器用に操って娘の家に乗りつけ、「言ったでしょう、お嬢さん。あの老いぼれトラはおいらの父さんの老いぼれの耳の垂れた乗用のロバ《まぬけ》だって[26]」と黒人英語で叫ぶ。

同じ号には、メアリー・クックという女子学生が「一八八六年にマドリッドで出版されたスペイン語の『人気があるスペインの伝統的なお話の図書館』［*La Biblioteoa de las Tradiciones Populares Españolas*］(Machado y Alvarez, 1886.) 所収の『ジャルマ王子』［“El Principe Jalma”］を翻訳した[27]」という注を付けて「ジャルマ王子の話」を掲載している。誤って精霊が住む木を切ってしまった父親の命を救うかわりに、娘は不思議な老人と結婚する。生活には満足していたものの、あるとき魔女にそそのかされ、見てはいけないと言われていた夫の姿を見てしまう。夫は、姿を変えられたジャルマ王子だったが、禁忌が破られたため飛び去ってしまう。娘は鉄の靴を履いて世界中を探し回り、南風、北風、東風、西風のところを訪れて援助を受け、最後に辿り着いた魔女の館で彼を見つけるが、王子は四日後に魔女の娘と結婚しなくてはならない。娘は最終的に魔法を解き、あらためて二人は結ばれる。ガブリエル＝シュザンヌ・ド・ヴィルヌーヴの一七四〇年版を改訂したジャンヌ＝マリー・ルプランス・ド・ボーモンの一七五七年版の『美女と野獣』や、ペテル・クリスティン・アスビョルンセンとヨルゲン・モオが編纂したノルウェー民話の『太陽の東 月の西』（一八四一年以降）を想起させる婚姻譚だが、チリのお話として分類される場合もあり[28]、クックが関心を示したのが南アメリカのものかスペイン由来のものかは不明だが、「ブラウニーズ・ブック」では、南アメリカの話として掲載している。

文化や風土のつながり

一九二〇年八月号の「セントヘレナ島の古風さ」は、ガラ地域に焦点を当てている。ガラとはサウスカロライナ州チャールストンからジョージア州サバンナまで続く沿岸部を指し、アフリカの言葉や文化が保存されている特異な文化圏である。ニューオーリンズやカリブ地域につながっていることでクレオール的な風土をもち、海岸近くに並んだ大小の島々では奴隷制時代にプランテーション経営がおこなわれていた。ジュリア・プライス・バレルは、それらの一つであるセントヘレナ島を取材し、暮らしの貧しさやなまりが強い言葉、独特の服装などを描写しながら、人々の気持ちの温かさや海の景色の美しさを好ましく伝えている。

アフリカに由来する音楽を肯定的に紹介する記事もいくつか掲載されている。一九二〇年四月号で、ジェシー・フォセットは、イースターの詩に寄せて、キリストのまわりに黒人の子どもたちがたくさんいるイラストや黒人の子どもの聖歌隊のイラストと、手書きのテクストが融合したページを構成している。[29] 一九二〇年五月号の「遊び時間」では「雷の女神が身につけるもので、地上に落ちたものは何？　答え—虹の端っこ[30]」というアフリカのなぞなぞや、「ゾウは自分の鼻が重いことがわからない[31]」などのことわざを掲載している。こうしたなぞなぞやことわざ、動物物語や神話がアフリカの文学を構成していることを伝えたうえで、「詩は歌われたり詠唱されたりするもので、歌詞がない声楽曲はめったにない。民話の語りは人々とともにあり、ほとんど情熱といっていいところまで達している。アフリカ人はいつでも即興ができ、子どもでさえ、まったく苦もなくいつでも即興曲を生み出せる[32]」と説明し、アフリカの言語文化が音声や音楽とともにあることを評価している。一九二〇年九月号の同じ「遊び時間」では、セントヘレナ島の遊び歌がこのように紹介されている。

リーダー—メアリー？
全員—奥様？
リーダー—私の七面鳥を見た？
全員—はい、奥様。
リーダー—どっちのほうへ行った？
全員（南を指さしながら）—そちら！
リーダー—見つけるのを手伝ってくれる？

全員—はい、奥様。
リーダー—位置について。出発。[33]

奴隷制時代の主従関係が想起されるところには問題があるかもしれないが、通常の遊び歌のやりとり以上に交唱的であり、「コール・アンド・リスポンス」にみられる同調性を保持している点に、アフリカとのつながりが感じられる。

「ブラウニーズ・ブック」は創刊当初から財政難に苦しみ、一九二〇年十二月号では、一万二千部を売らないと発行が難しいにもかかわらず実売数が五千部以下にとどまっているという窮状を訴えて、五年分前払いをした読者には一年分を無料にする、という広告を出している。財政逼迫を裏付けるように、一九二一年一月号から表紙が単色刷りになり、最終的にはそれから一年間ももたずに廃刊することになった。しかし、「黒人の子ども時代に対する社会的で政治的な投資に取り組んだ雑誌として、「ブラウニーズ・ブック」はまさに画期的だった。さらにいえば、黒人の子どもを真面目に扱い、人種の偏見や文化の独自性について述べた最初の雑誌だった」[34]。その歴史的意義はきわめて大きく、痛苦の記憶である中間航路を逆走させて、概念としてのアフリカとアフリカン・アメリカンとしてのアイデンティティ構築を模索したことは、洗練された戦略だったといえるだろう。一九二一年四月号のお便りコーナー「審査員」には、キューバのクラリス・スカボローという少女がスペイン語を交えた手紙を投稿し、最終号の一九二一年十二月号では毎号約四千人の購読者がいたと記されている。人数の多寡にかかわらず、その影響は広範囲に及び、アメリカ国内だけでなく広くカリブ海諸国の子どもも巻き込んでいた点に開放性を感じさせる。

注

（1）W・ジェイムズ『プラグマティズム』桝田啓三郎訳（岩波文庫）、岩波書店、一九五七年、六二ページ

（2）魚津郁夫『プラグマティズムの思想』（ちくま学芸文庫）、筑摩書房、二〇〇六年、一一―一二ページ

（3）前掲『黒人のたましい』一三〇ページ

（4）W. E. B. DuBois, ed., *The Brownies Book*, Du Bois and Dill, 1920-21, p. 1, "The Rare Book and Special Collections Division," The Library of Congress（http://hdl.loc.gov/loc.rbc/ser.01351）［二〇二二年一月十五日アクセス］

（5）ヒューストン・A・ベイカー・ジュニア『モダニズムとハーレム・ルネッサンス――黒人文化とアメリカ』小林憲二訳、未来社、二〇〇六年、三三ページ

（6）Albert Alexander Smith, "They Have Ears but They Hear Not," Yale Macmillan Center（https://glc.yale.edu/they-have-ears-they-hear-not）［二〇二二年一月十五日アクセス］

（7）Michelle Martin, *Brown Gold: Milestones of African-American Children's Picture Books, 1845-2002*, Routledge, 2004, p. 39.

（8）Dianne Johnson-Feeling, ed., *The Best of the Brownies' Book*, Oxford University Press, 1996, p. 10.

（9）W. E. B. DuBois ed., *op. cit.*, p. 2.

（10）ポール・オリヴァー『ブルースの歴史』米口胡＝増田悦佐訳、土曜社、二〇二〇年、六ページ

（11）"Monday's Child," All Nursery Rhymes（https://allnurseryrhymes.com/mondays-child/）［二〇二二年一月十五日アクセス］

（12）Gates Jr. and McKay, eds., *op. cit.*, p. 1342.

（13）*Ibid.*, p. 1292.

（14）W. E. B. DuBois ed., *op. cit.*, p. 193.

（15）Dianne Johnson-Feeling ed., op. cit., pp. 306-309.

(16) W. E. B. DuBois ed., *op. cit.*, p. 27.

(17) Knox, Margaret and Anna M. Lutkenhaus, "The Future Democracy of America as our Young Folk See it," *St. Nicholas Magazine for Boys and Girls*, Jan, 1920, p. 263, University of Michigan (http://hdl.handle.net/2027/mdp.39015068521726)［二〇二二年一月十五日アクセス］

(18) W. E. B. DuBois ed., *op. cit.*, p. 124.

(19) *Ibid.*, p. 31.

(20) *Ibid.*, p. 27.

(21) *Ibid.*, p. 149.

(22) Charles Elford, *Black Mahler*, Grosvenor House Publishing, 2008.

(23) 島式子「ノンフィクション――「セント・ニコラス」が映しだした時代と社会」、「セント・ニコラス」研究会編『アメリカの児童雑誌「セント・ニコラス」の研究』所収、「セント・ニコラス」研究会、一九八七年、一一八―一一九ページ

(24) W. E. B. DuBois ed, *op. cit.*, p. 2.

(25) Ebony Joy Wilkins, "Using African American Children's Literature as a Model for 'Writing Back' Racial Works," in Kenneth J. Fasching-Varner, Rema E. Reynolds and Katrice A. Albert eds., *Trayvon Martin, Race, and American Justice*, Sense Publishers, 2014, p. 68.

(26) W. E. B. DuBois ed., *op. cit.*, p. 79.

(27) *Ibid.*, pp. 67-70.

(28) Heidi Anne Heiner, *Beauty and the Beast Tales From Around the World*, Createspace Independent Publishing, 2013, pp. 771-774.

(29) W. E. B. DuBois ed., *op. cit.*, pp. 112-113.

(30) *Ibid.*, p. 154.

（31）*Ibid.*, p. 154.

（32）*Ibid.*, p. 155.

（33）*Ibid.*, p. 283.

（34）Katharine Capshaw Smith, "The Brownies' Book and the Roots of African American Children's Literature," The Tar Baby and The Tomahawk: Race and Images in American Children's Literature（http://childlit.unl.edu/topics/edi.harlem.html）［二〇一二年一月十五日アクセス］

第4章　「わたしには夢がある」への応答

1　人種隔離の手枷と人種差別の足枷――『とどろく雷よ、私の叫びをきけ』

「わたしには夢がある」

公民権運動前夜、ラルフ・エリスンは『見えない人間』（一九五二年）で、黒人男性のアイデンティティ・クライシスを描いた。演説の才能がある若い黒人男性の「ぼく」は、奨学金を得て黒人大学に進学するものの、白人の視察で旧奴隷地区を案内するという失態を犯して放校になる。ニューヨークに行き、白いペンキを作る工場で働くが爆発事故にあい、それをきっかけに人種差別撤廃を訴える政治団体に加入する。だが、団体の欺瞞に気づいて迷うなかで人種暴動に巻き込まれ、マンホールに落ちてそのまま地下で暮らしながら「見えない人間」として自己を捉え、その将来について逡巡する。一見、白人社会になじみ、受け入れられていると錯覚していた「ぼく」は、気づかないところで白人社会に劣位の存在として組み込まれ、値踏みされ、「「白い」アメリカ社会の

「黒い」部分を背負わされることによって、地下に追いやられていくアメリカ黒人の悪夢的な体験[1]」をしていた。ペンキ工場で最上級の白いペンキを作るためにほんのわずかの黒を混ぜる描写は、白人社会に利用される黒人の隠喩になっている。

制度的に抑圧される黒人の思いがくすぶるなか、NAACPのメンバーで公民権運動指導者のキング牧師は、一九五五年にアラバマ州モンゴメリーでローザ・パークスがバスの白人専用席を譲らずに逮捕されたとき、事件に団体として法的に対処するためのモンゴメリー改良協会結成の場で初代会長に抜擢され、一年以上にわたって地域の黒人に対して市営バスのボイコット運動を呼びかけ、バス内での人種差別を撤廃させた。非暴力主義での抵抗は、マハトマ・ガンジーが導いたインド独立運動などの当時の世界の動きとも関連付けられるものだ。彼のカリスマ性は、アーサー・フィリップ・ランドルフの呼びかけで、リンカーン奴隷解放宣言百周年に合わせて六三年八月二十八日に二十万人の参加者を集めたワシントン大行進での即興的な演説「私には夢がある」で頂点に達したといっていいだろう。

公民権運動の闘いの相手は、白人ではなく差別主義であり、アメリカの理念を理解したうえで黒人の市民権の拡大を求め、人種差別の法律や商習慣に地道に抵抗するものだった。キング牧師は大衆にもわかりやすい経済の用語を用い、アメリカ人の信仰心に訴えかけ、アメリカに根差す資本主義と自由への意識を参加者の心にかき立てた。

ある意味でわれわれは、この国の首都に小切手を現金化するためにきたと言える。
わが共和国の創設者たちが壮大な言葉で憲法と独立宣言を書いた時（「そうだ！」）、彼らはその中に、全てのアメリカ人が享受すべき約束手形に署名したのである。その約束手形とは、すべての人々、つまり白人たちと同様に黒人たちにも生命、自由、幸福追求の譲渡すべからざる権利を保証するものであった。

しかし、黒人市民に関する限り、アメリカがこの約束手形の責務を履行しなかったのは今日明白である。この神聖な責務を尊重する代わりにアメリカは、黒人に対して不渡り小切手を切ったのだ。それは「資金不足」と書かれて返ってきた小切手である（鳴りやまない拍手）。われわれはこの国の「機会」という大金庫室に、かような資金不足があると信じることを拒否する。

だからわれわれは、この小切手を現金化するためにやって来たのだ（「そうだ」）。すなわち、要求に応じて自由の富と（「そうだ」）正義の保証を与える小切手を現金化するためにである（拍手[2]）。

と、二級市民にカテゴライズされている黒人に、もって当然の市民の自由と権利を与えるよう訴えている。労働と納税をし、国民の義務を果たしているにもかかわらず、黒人は合法的にも非合法的にも抑圧された状況に置かれ続けている。その不当性を起点に、キングは、白人も加えたアメリカ全体の平等社会の樹立を大きな夢として掲げ、穏健派の白人に訴えかけて運動を成功させた。キングの演説は一義的には黒人の権利を求めながら、きわめて直截にアメリカの夢を語り、黒人を含むアメリカ全体の新たな市民像を目指している。

人種差別の告発

一九六〇年代を代表する児童文学作家の一人であるミルドレッド・テイラーはミシシッピ州に生まれた。両親が南部での子育てを避けたため生後三週間のときにオハイオ州に引っ越したが、子ども時代は親戚付き合いでしばしばミシシッピ州を訪れ、一族の物語や歴史を聞くのを楽しみ、南部への愛着と黒人であることの誇りを育んだ。その一方で、オハイオ州ではクラスで唯一の黒人であり、級友や教師がもつ先入観と自分が知る親族や友人たちの実像との乖離に悩まされた。トレド大学に学び、愛情と自尊心をもつ当たり前の人間としてのアフリカン・アメリカンを描きたいという欲求から文学を志し、差別主義の告発を目指したことが執筆のきっかけになっている。

差別が当然であるという環境が「個々の黒人と白人の双方の意識（および無意識）に深い影響を及ぼし、人間相互の認識を破壊的なまでに歪めている」[3]とき、児童文学は、共同体のなかで市民として「見られない」子どもの苦悩と状況への抵抗を同様に示しながら、アメリカに多様な子どもがいることを児童文学にできるものとして示そうとしてきた。一九七五年から二〇二〇年にかけて出版されたテイラーの十冊の「ローガン・サーガ」は、ミシシッピ州に住むアフリカン・アメリカンのローガン家の人々の歴史と人間模様を、近隣の住民たちとの関係も交えながら一世紀以上にわたるドラマとして描くもので、「文化的に気づきがあるフィクション」[4]であり、「すべての子ども、特にアフロ－アメリカンの子どもに向けられ」[5]ている。テイラーは、一連のこの作品を、キング牧師の「私には夢がある」への長大な応答として書いているように見受けられる。

一作目の『木々の歌』（一九七五年。未訳）はインターレイシャル児童書評議会のコンテストで一位を獲得し、テイラーの作家としての第一歩になった。この作品が描く一九三〇年代の南部を生きるローガン家は、おばあちゃんのキャロライン、ルイジアナ州に出稼ぎに出ている父親のデイヴィッド、教師をしている母親のメアリー、語り手で八歳のキャシー、十二歳の兄ステイシー、七歳の弟クリストファ・ジョンと、リトル・マンことクレイトン・チェスターの四人きょうだいで構成されている。『木々の歌』は、デイヴィッドが不在の間に自分たちの土地に植えられた木を白人たちが不当に伐採するのを子どもたちが目撃する話である。二作目の『とどろく雷よ、私の叫びをきけ』（一九七六年。以下、『とどろく雷』と略記）でニューベリー賞を受賞し、以後、『輪を守れ』（一九八一年。未訳）、『金色のキャデラック』（一九八七年。未訳）、『友情』（一九八七年。未訳）、『ミシシッピの橋』（一九九〇年。未訳）『メンフィスへの道』（一九九〇年。未訳）、『井戸』（一九九五年。未訳）、『土地』（二〇〇〇年。未訳）、『過ぎ去った日々、これから来る日々』（二〇二〇年。未訳）と続き、これらすべての作品で「ローガン・サーガ」は形成されている。いずれも人種差別を背景にしたローガン家の家族史とその周辺の人々のドラマを描き、最新の『過ぎ去った日々、これから来る日々』では、大人になったキャシーが法律を勉強し、公民権運動に参加する。

公民権運動後の社会で黒人の子どもに向けて書こうとするときに掘り起こした題材が、公民権を獲得してもなお続く人種差別の現状をさかのぼる歴史だったのは興味深い。テイラーは「現代社会を形作る社会的かつ歴史的な力に向かってより広い水路を開け(6)」、黒人の子どもに向けて自分たちの経験を書きながらも、アメリカ社会の複数性についての啓発を広くおこなっていた。その姿勢は公民権運動そのものと、その後に展開した、さらなる社会変化を促す運動の両方に結び付く。

「正当な支払い」の要求

『とどろく雷』はキャシーを語り手に、一九三〇年代に一家の成員それぞれが経験する人種差別を描く。ローガン家が住む土地は、十九世紀には白人地主のハーラン・グレンジャーが所有していた。南北戦争後に現金が必要になったグレンジャーはチャールズ・ジャミソンという別の白人に土地を売り、紳士のジャミソンは人種差別せずにキャロラインとポール＝エドワードの夫婦に一八八七年に二百エーカー（約八十万九千平方メートル）を売り、チャールズの息子のウェイドの代になった一九一八年にさらに二百エーカーを売った。このことでグレンジャー家はローガン家を目の敵にし、売却された四百エーカーを取り戻そうとしている。現在のローガン家は新しく買った二百エーカーの代金を返済中だが、グレンジャーは人種差別をし、公然と仕事をじゃましようとしている。近隣の黒人の大半はグレンジャー家の地所で小作人として働いているため、立場が弱い。

『とどろく雷』では、『木々の歌』にもまして人種差別に由来する暴力が克明に描かれる。デイヴィッドは出稼ぎ先で、白人に逆らって解雇されたモリソンという男性に出会い、畑仕事の男手としてミシシッピ州に連れ帰る。モリソンは幼いときに「ナイト・メン」（クー・クラックス・クランを思わせる架空の過激な人種差別集団）に襲われて両親を殺された過去をもち、そのトラウマを抱えながら、デイヴィッド不在の家にナイト・メンが来たときには散弾銃を構えて決死の守りにつく。ナイト・メンは黒人たちにとって身体への苦痛の恐怖と直結していて、そのメンバーであるという噂の白人のワレスの商店に子どもたちが出入りしたがったときには、デイヴィッドは以前にナイト・メンに襲われた黒人男性の見舞いに連れていき、襲撃の惨劇の結果を見せる。油をかけて焼かれた男性が動くことも話すこともできない様子を見て、子どもたちはショックを受ける。

　このあと、デイヴィッドはワレス商店の不買運動を起こし、遠くのヴィックスバーグの町で買い物を始めたことで目をつけられ、あるとき何者かに足を撃たれて働けなくなる。教師である母親も、奴隷制度について生徒に議論させたことで解雇される。白人の貧しい小作人であるシムズ家のR・Wとメルヴィンはステイシーにいやがらせを仕掛け、その妹のリリアン・ジーンはキャシーを見下す。ある店で、キャシーが自分よりもあとから来たリリアンが先に接客されたことがおかしいと主張すると、リリアンの父親のシムズ氏が現れ、キャシーの腕をねじ上げて歩道に転がし、「〝お許しください。リリアン・ジーンさま〟こういうんだ[7]」と脅す。

　精神的な暴力も子どもたちの気持ちをくじく。黒人の子どもたちは、学校生活を通じて差別される弱者であることを叩き込まれる。遠くの黒人学校まで埃だらけの道を歩く子どもたちを、白人学校の子どもたちを乗せたスクールバスが追い立てる。新入生には、白人が使い古して

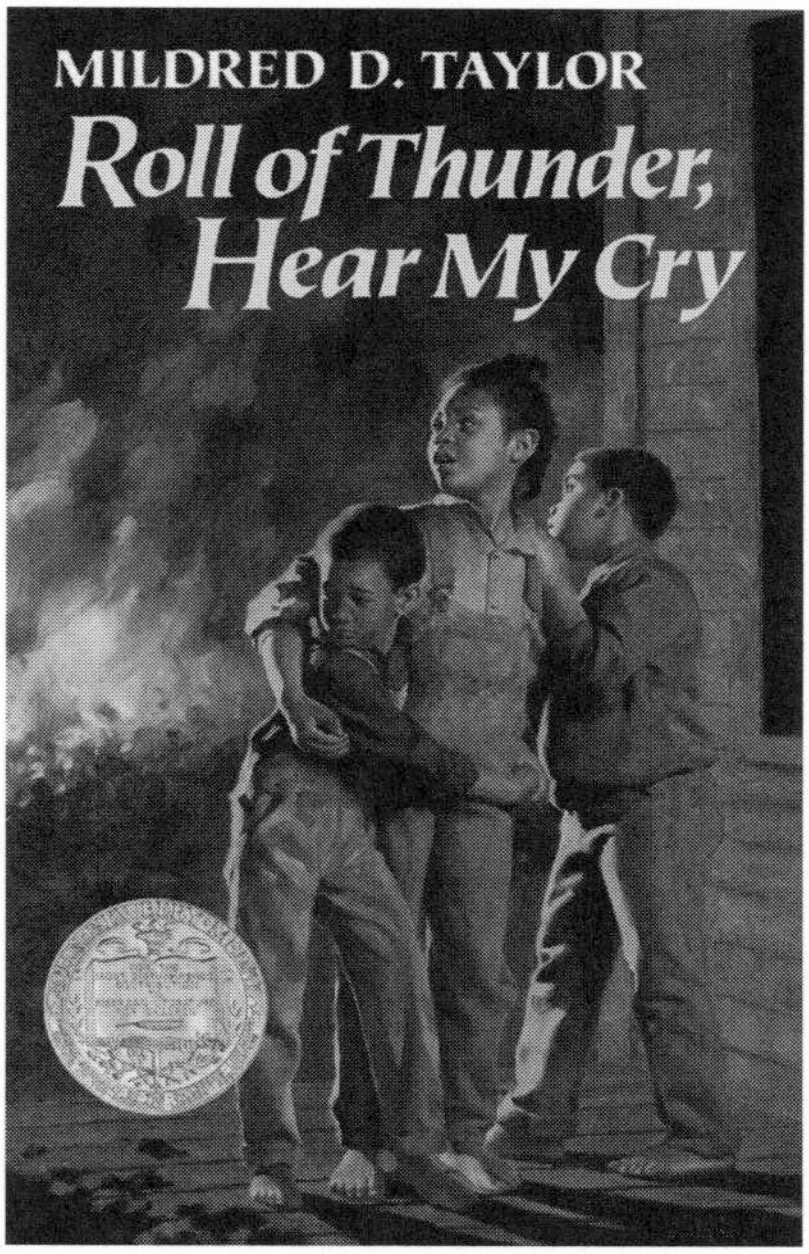

図13　『とどろく雷よ、私の叫びをきけ』の原書の表紙
(Mildred Taylor, *Roll of Thunder, Hear My Cry*, Puffin, [1977] 1991.)

使用不可になった二十年前のぼろぼろのお下がりの教科書が配られ、抵抗したリトル・マンは先生に叱責される。黒人が一九三〇年代の深南部で置かれていた不公正で収奪的な状況に関する痛みを伴う告発は、時代が下った六〇年代になってもなお状況に大きな変化がないために現在進行形で痛みが続いていることを示唆する。

公民権運動から十年後のテイラーはこれに呼応し、公民権を得てなお不公平な状況に置かれ続けているアフリカン・アメリカン、すなわち正しく義務を果たしている「わたしたち」に正当な支払いをしてほしいと叫んでいる。「人種隔離の手枷と人種差別の足枷によって惨めなまま(8)」の日常と、白人への暴力や反抗ではなく「尊厳と紀律の高み(9)」で闘うことを、一九三〇年代を舞台に書きながら、六〇年代当時の同時代に接続させている。

望ましくない子ども――T・J

ローガン家の人々が経験する受け入れがたい差別や暴力の描写と並行し、テイラーは、T・Jという問題児の造形を通じて差別の構造を周到に指摘する。T・Jは小作人の息子で、意地悪くひねくれていて、ステイシーにカンニングの濡れ衣を着せたり、ワレス商店に出入りしたことを親に告げ口したりしてローガン家の子どもたちにいやがらせをする。その半面で、白人のシムズ家のR・Wとメルヴィンに近づいて、自分が白人になったかのように振る舞い始める。だが、シムズ兄弟はT・Jを利用したいだけであり、手引きをさせて雑貨店に強盗に入り、店主夫婦ともみ合いになったところで主人を殺すと、T・Jを口封じに暴行する。T・Jはローガン家に助けを求めにくるが、店主殺しはT・Jであるという噂が早々に流れ、ナイト・メンがリンチにくるといわれて緊張が走る。切羽詰まった状況のなか、ステイシーから話を聞いたデイヴィッドとモリソンは、暴行を避けるために、ひそかに綿花畑に火をつける。延焼しないように近隣全員が消火にあたる間に襲撃の計画は立ち消え、リンチは避けられるが、T・Jは収監され、黒人に不利な裁判で死刑になることが予見される。

テイラーは、正直で清廉な黒人ならば一定の理解を得られるという白人のご都合主義に対して異議を唱える。

これまでの児童文学が「やましいことがない、正直な子どもであるにもかかわらず」黒人であるゆえに暴力を振るわれることの痛みを描いたとすれば、『とどろく雷』は「怠け者の悪い黒人はリンチされてもいい」という圧力に反発し、暴力を受けるＴ・Ｊをあえて狡猾な小心者として描く。その人が善良でも卑屈でも、人種を理由に差別を受けることは許されない、いい黒人なら人として権利を認めるという論理は、白人の優位性を再強化する、ずるくても、不誠実でも、それは人種差別を受ける理由にはならない、という主張である。

私はティ・ジェーが好きじゃなかった。けれど、彼はいつも私たちのそばにいました。私の一部として、いつもそこにいました。泥や雨とおなじように、私の生活の中に住みついていました。これからも、ずっとそうなんだと思っていました。でも、雨はやがて晴れ、泥はやがておち、ほこりはやがて消えます。私はそれを知っていたし、理解することもできました。

けれどもあの夜、ティ・ジェーを襲った出来事を、私は理解できません。ただ、それはもうけっして消えないものであることを私は知っています。私の心にきざみこまれたあの夜の出来事。私はこの事実のために叫びます。ティ・ジェーのために！　大地のために！[10]

善良で寛容で誠実な黒人でなければ自分たちの仲間として受け入れないという重い前提に反発し、キャシーの父はＴ・Ｊと彼をかくまった自分の家族を白人たちのリンチから守るために大切な綿花畑に火をつけて気をそらせる。Ｔ・Ｊは、ローガン家の子どもたちの影であり黒い羊であると同時に、黒い羊であっても、正当な扱いを受けるべき人間であり、シムズ兄弟という白人強者の共謀関係に巻き込まれて利用されていることと、Ｔ・Ｊの不良性は個人の資質だけに帰すことをテイラーは批判している。Ｔ・Ｊは、ともに痛みを分かち合うべき共同体から切断され、黒人を利用しようとする白人の共謀関係のなかで社会への憎悪を増幅させる。多様性を拒絶する淀んだ空気と閉鎖性へ、キャシーの怒りは激しく向けられる。綿花畑を焼く火を消した激しい嵐ととどろく雷鳴に向かって「私の叫ぶ声をきけ」という書名は、社会のなかで守られるべき存在として見られていない子どもの存在を際立たせ、怒りと嘆きの声を響かせる。その声を聞け、その姿を見よ、というダイレクトなメッセージはアフリカン・アメリカン児童文学としての強い主張になり、「人種隔離の手枷と人種差別の足枷」から子どもたちを解き放つよう求めるものになっている。

2 われらの白人の兄弟――『ミシシッピの橋』

「変わった少年」

「ローガン・サーガ」は、基本的には因習にとらわれる白人と権利を求める黒人の対立構造になっているが、『ミシシッピの橋』(一九九〇年。未訳)は、「見えない子ども」に接近した「見える子ども」のジェルミー・シムズの話である点でやや趣を異にする。

シムズ家の末子であるジェルミーは、R・W、メルヴィン、リリアン・ジーンの弟で、兄姉とは異なり黒人に対する偏見や優越感をもたない。

彼はかわっています。彼は毎朝つぎの曲がり角の道まで私たちといっしょに歩いてきます。私が学校にはいってからずっとそうしています。そして午後になって、学校がおわると、彼はまた私たちを待っていて、いっしょに帰るのでした。彼の学校の友だちは、いつも彼をひやかしていました。黒人とつき合っているというので、馬鹿にされいじめられて、腕には赤いあざがたえたことがありません。彼の姉のリリアン・ジーンも、そのことで彼をひどくののしりました。けれども、ジェルミーは私たちと通学するのをやめないのです[11]。

彼は黒人の子どもと付き合うのを好み、黒人の客に冷たく、白人客にはお世辞を使う雑貨屋の店主の態度に疑問をもち、現金仕事に出かけることをうっかりほのめかした黒人のジョサイアスに白人客が因縁をつけることに憤る。他方で、黒人と親しく話したことで人種差別主義者の父親には平手打ちされ、きょうだいから軽蔑される。一方で、白人であるという理由で黒人の子どもたちとも真に心を許し合う関係にはなれず、いずれの側からもアウトサイダーである。

週に一度だけ町にくる循環バスは、人種隔離政策によって白人用と黒人用の席が決められている。あるとき、バスに乗ったローガン家のおばあさんは足が悪いにもかかわらず立たざるをえず、キャシーが空いている席に座らせようとすると、そこは白人用である、とおばあさん自身がキャシーを叱責する。白人客が乗り込んで席が足りなくなると、運転手は黒人客をすべて降ろし、仕事のためにそのバスに乗らなければならないと懇願したジョサイアスを文字どおり蹴り出す。しかし、その後、白人客だけを乗せて満席のバスが老朽化した橋にさしかかると、その橋が壊れてバスは転落し、長雨で増水した川で水没する。それを目撃したジョサイアスは動揺するジェルミーを落ち着かせ、助けを呼びにいかせる。ジェルミーは、さっきまで雑貨店で談笑していた幼い少女が溺死体になってジョサイアスに引

図14　『ミシシッピの橋』の原書の表紙
(Mildred Taylor, Mississippi Bridge, A Bantam Skylark Book, [1990] 1992.)

き揚げられているのを目撃し、泣きながら父親たちを呼びにいき、さらに、教会の鐘を鳴らして事件を知らせる。「もし、神様が罰をお与えになっているとしたら、なぜそれがグレイス・アンやミズ・ハティに？　誰のことも傷つけていないのに[12]」というジェルミーの叫びは、『とどろく雷』のキャシーの叫びとも呼応する。

公民権運動への白人の参与

キング牧師は、「私には夢がある」の演説で、「白人全てを信頼しなくなるようなことになってはならない。なぜなら、今日、ここに参集している白人は大勢いるが、彼らは、白人の運命もまた黒人の運命と共にあることを知っているからである[13]」と述べた。それに呼応するように、『ミシシッピの橋』は、アメリカ人の多様性を重んじる側に立ち、黒人たちと運命をともにしようとする白人が経験する困難を描く。そもそもバスは、車を持てない者や運転できない弱者を運ぶ公共交通機関の象徴であり、公民権運動とも関係が深い。ローザ・パークスの逮捕から始まったバスボイコット運動も、黒人差別をするバス運営に打撃を与えるために黒人たちが連帯して自家用車での乗り合いを続けたことで成果を出したものである。

二十世紀初頭にＮＡＡＣＰが結成されたとき、その大半が実際に社会的な力をもちうる白人だったように、一九六〇年代の公民権運動のなかの実力活動には白人も大きく関わっていた。シット・インの運動では、黒人の店内飲食やランチカウンターの利用を認めない店で座り込みをおこない、ルールの撤廃を求める。フリーダム・ライドという運動では、四六年に州間バスでの人種差別を禁止する最高裁判決が出ていたにもかかわらず実際には権利を行使できず、実効性がなかったことに抵抗し、座席が人種隔離されているグレーハウンド社やトレールウェーズ社の長距離バスに黒人と白人が並び席で乗って北部から南部まで移動していく。最初の試みは六一年に七人の黒人と六人の白人のグループでおこなわれ、ワシントンＤＣからニューオーリンズを目指したが、南部の各停留所でこん棒や鉄パイプを持った人種差別主義者に襲われ、特にアラバマ州アニストンでは、バスのドアを押さえたうえで火炎瓶が投げ込まれ、白人も含めて全員が焼死寸前のところを州兵が救助した。その後のフリーダム・ライドでも、現地の警察が白人優位主義者たちの暴行を見過ごし、治安を混乱させた罪でフリーダム・ライドの参加者たちを逮捕したり、暴徒に襲われて障害が残った参加者が出たりした。投票者登録運動を指導するためにミシシッピ州に入った連合組織協議会の白人と黒人の三人の活動家たちが副保安官からクー・クラックス・クランに引き渡され、死体で発見された暴行致死事件は、アラン・パーカー監督の映画『ミシシッピー・バーニング』（一九八八年）の題材にもなった。多様性を求めるアメリカ人と求めないアメリカ人とのぶつかりあいが公民権運動であり、フリーダム・ライダーの勇気と彼らの闘いの正しさを称賛する人々のなかには、白人の参加者や協力者が大勢いた。ブラウン判決以降に公民権運動に理解を示すようになった白人の福音派伝道師のビリー・グラハムは、フリーダム・ライダーを襲撃した者を起訴するよう求め、「いかなる社会においても特定の人々が二級市民として扱われるのは嘆かわしいこと」であると断じ、ユダヤ教のラビであるバーナード・J・バムバーガーは、白人の人種差別主義者による暴力を「道徳的にも法律的にも全く弁護の余地のない」ものとして糾弾し、公民権運動活動家に「急がず慎重にやることを要求する白人たちを批判した」[14]が、過激な白人至上主義者による反動的な暴力は絶えなかった。

「われらの白人の兄弟」

運動家を襲ったのは白人の人種差別主義者だが、その暴力に非暴力で抵抗しようとしたのもまた白人であり、この運動が黒人だけの声ではなく、混交を求める複数の者たちの声で成り立っていることが、黒人の側に立つ白人のジェルミーの登場でしるしづけられている。ジェルミーの父親は、黒人と話すジェルミーを叱責し、差別用語を使って黒人をおとしめる。白人のバス運転手は、白人乗客のために容赦なく黒人客をバスの外に蹴り出す。しかし、叱責され蹴り出されるジョサイアスに同情するジェルミーが白人であることで、ここにある分断が白人対黒人ではなく、人種差別を自明にする町の空気に疑問をもてるか否かにあることが浮かび上がる。白人のジェルミーと黒人のキャシーは、肌の色ではなく美徳によって相手を評価するという同じ公正性をもち、彼らと同じ精神的自由をもつ「すべての」子どもを巻き込んでいく可能性を包含する。

ジェルミーを創造したことで、キング牧師がいう「白人の兄弟[15]」の立体化がおこなわれ、「肌の色ではなく、内なる人格で評価される国[16]」の形成につながることが示される。「かつての奴隷の子孫と、かつての奴隷主の子孫が、兄弟愛のテーブルに仲良く座る[17]」という有名なキング牧師の「夢」は、白人の側に黒人が招き入れられるという図式ではなく、白人も黒人もそれぞれの境界線内から出て、第三の場で仲間になることを示す。ジェルミーとジョサイアスやキャシーが混交して新たな友好の場をつくりはじめようとするとき、それをかなえない分断への罰のように、白人だけを満載にしたバスは転覆する。T・Jの悲劇が個人の問題ではなく、黒人全体が背負う重荷の問題だったように、差別的な運転手によって白人客しかいなくなったバスが転落するのも集団的な悲劇である。ジェルミーは社会が強いる人種の区別を乗り越えて混交に歩み寄るが、因習の犠牲になった同じ白人を彼が弔わざるをえないことで、これが個人ではなく集合的な試練であることを示す。

3　アメリカの夢に深く根差した夢――『土地』

始まりの物語

「ローガン・サーガ」で、ローガン家がまれな幸運で土地を手に入れ、それを守りたいという強い意識をもつことは、キング牧師が追求する「全てのアメリカ人が享受すべき約束手形[18]」の要求と合致するのだが、そもそもの始まりに、より複雑な状況があったことが『土地』(二〇〇一年。未訳)で明らかになる。主人公はキャシーの祖父ポール＝エドワード・ローガン（ポール）で、舞台は南北戦争後の深南部である。ポールは元奴隷のデボラと白人農園主のエドワード・ローガンの間に生まれ、キャシーという姉がいる。デボラの父カナティは、白人が入植してきたために立ち退かざるをえなかったネイティブ・アメリカンで、父と母方の祖父の形質が現れたポールは色白で直毛のため、見た目だけでは白人と区別がつかず、「パッシング」（なりすまし）が可能である。

家族は一見すると人種差別とは無縁で、当時の状況と地域性を考えれば、恵まれているといえるほどである。エドワードの正妻（死去）の子である三人の異母兄ハモンド、ジョージ、ロバートは、ポールと対等の兄弟精神を発揮し、ポールがいじめられると兄三人が仕返しにいったり、四人で率直に将来の希望や土地への愛着について話し合ったりする。父のエドワードは三人とポールに分け隔てなく接し、デボラとも心から愛し合っている。ポールが愛されているのは、兄たちにではなくポールだけがミドルネームに父の名前を受け継ぐ名誉を与えられていることからもわかる。

図15 『土地』の原書の表紙
(Mildred Taylor, *The Land*, Puffin, [2001] 2002.)

第一部は、父側の家族と母側の家族との複雑な愛憎を中心としたポールの少年時代のエピソードをはじめ、馬の調教の才能と、同じ地所に住む黒人少年ミッチェルとの人間関係が語られる。元奴隷の子どもであるポールは、いくら見た目が白人に近くても白人社会に受け入れられることはない。その肌の白さは、むしろ父母がどのような政治的関係にあったかを示す刻印でもある。ローガン家には複雑な力学がはたらいており、父と三人の息子たちは母屋に、デボラとキャシーとポールは離れに住み、デボラは女手がない母屋に通って、家事全般を担当している。近隣の白人が客にくるとき、デボラが同じ席につくことはない。四人の白人と三人の黒人の「家族」関係は、大人になれば人種差別がある社会に出なければいけないという認識を前提としている。父は、ポールは兄たちと別の道を歩んだほうがいいと考え、ロバートは上級の学校に進学させ、ポールを家具職人の徒弟に出す。ポールを嫌う白人の客がきてトラブルがあったとき、父は彼らの前で鞭を振るい、ポールに屈辱を与える。肉親の善意の情と、人種という堅牢な壁に跳ね返され、ポールは、父の土地は自分がいるべき場所ではないという思いを強めていく。

同時に、白い肌のポールは黒人の輪からも疎外される。第二部は、窃盗事件を起こしたミッチェルとともに列車でミシシッピ州に逃げたポールが家具職人や馬の調教師として働き、父の遺産ではなく「自分だけのもの」として美しい土地を手に入れるまでを描く。困難な道のりをたどって夢を実現する過程で、かつて反目しあったミッチェルとポールは無二の親友になっていく。子ども時代のミッチェルは、彼を「白いニガーめ[19]」と最大限の侮蔑の言葉でののしる。ポールは、肉体労働の現場では意図的に黒人の仲間から距離を置き、一人で木工をしたり本を読んだりする。成人してからも、孤独を好み、馬の調教、家具製作、材木切り出しなど様々な仕事をかけもちし、稼いだお金を堅実に貯金する。空いた時間は弟子の少年（のちに妻になるキャロラインの弟のネイサン）に仕事を教えたり、本を読んだりして過ごしている。生来の勤勉さに加え、酒場にいけば不審と好奇の目で見られ、からまれるのを避けるためでもある。肌の色の濃淡で暗黙の階層化がなされている社会で、肌の色の薄さが役に立つときもあるが、誤解を受けた場合、彼はすぐに「わたしは有色の男性です[20]」と、ペナルティーを受けるのを避ける自己紹介をしている。彼は、白人でもあり黒人でもあるのではなく、白人でも黒人でもないことを自覚し、そのなかで自分の生きる道、自分の願いをかなえるための方法を模索する。

ミッチェルは、ポールと対になる青年として、どこにでもいるような粗野な黒人男性像を引き受けている。小作人の息子であるためにポール以上に抑圧され、父親に虐待されている。短気で怒りやすい性質、陽気で女好きな性格、力仕事で生計を立てる生き方など、ポールと何もかもが正反対である。だが、ミッチェルは黒人としての憎悪を昇華させたのちはポールに接近し、一目置いて彼を助ける。ポールはそれによって自分の信念に従い、実直で冷静に折り目正しく生きることができる。ポールの描写には、黒人であるミッチェルらの世界への接近、証人や契約書といった白人の手続きを周到に踏むという二重性があり、はざまを生き延びながら望むものを獲得する。教養小説《ビルドゥングスロマン》風のポールの克己努力の半生は実在の人物の伝記と同様の重みをもち、障壁を乗り越えて土地を獲得したアメリカの成功者として像を結ぶ。

「小さな家」シリーズとの比較

『土地』は、白人によるアメリカ児童文学の正典《キャノン》であるローラ・インガルス・ワイルダーの「小さな家」シリーズ(21)(一九三二―七一年)と相対させることができるかもしれない。十九世紀半ばの開拓時代の中西部を舞台にしたこのシリーズは、自助努力で丸太小屋を作る開拓民の力強さや自然の脅威や困難に立ち向かっていく家族像を特徴としているが、『土地』はその像をポールとキャロラインの夫婦によって多様性を志向する方向へ拡大することを目指している。

ワイルダーのシリーズでは、作者の家族が実際にたどった道のりに大きな脚色が加えられ、執筆と編集はローラと娘のローズとの共同作業だった。一見史実であってもあくまでフィクションである。作中のインガルス一家は、『大きな森の小さな家』(一九三二年)で暮らしたウィスコンシン州の森のなかの丸太小屋から二作目の『大草原の小さな家』(一九三五年)の冒頭で幌馬車で旅立つ。ネイティブ・アメリカンの土地に不法侵入的に小屋を建てて豊かな土地の恵みを得るが、最終的には政府によって立ち退きを求められる。放浪ののち『シルバー・レイクの岸辺で』(一九三九年)ではデスメットという町の近くで測量師たちのかわりに湖畔の小屋を守って一冬を過ごし、その間に理想の土地を見つけて払い下げを申請する。申し込みをするときには、古い友人のエドワーズに助けられる。このプロセスのなかで父親のチャールズは一貫して理想的な開拓民として描かれている。銃の手入れをし、弾を自作して猟をし、ブタを解体してベーコンやソーセージにする。畑を耕して小麦や野菜を手に入れる。丸太小屋も家具もすべて手作りで、生活必需品だけでなく、妻のために優雅な飾り棚を作る余裕もある。メアリー、ローラ、キャリー、グレイスの姉妹にとってはよき父であり、雪に閉じ込められ、狩猟も農業もできない時期にはフィドルを弾き、子どもに話を聞かせる。

『土地』のポール・ローガンの道のりは、チャールズ・インガルスのそれと重ね合わせることができる。人種隔離が自明の南部で黒人がいかに生きうるかを問いながら、ポールは、チャールズと同様の誠実なアメリカ市民であることを静かに主張する。二人の放浪の道のりは、最終的に納得がいく土地を得るまでの長いプロセスであるということもでき、高潔な人格、勤勉、賢い妻、良い土地へのこだわりという点でチャールズと同様にポールも真のアメリカ人である。『土地』は、白人と同じ働きをする黒人の開拓者像を想像することで「アメリカ人」の像に複数性をもたらす。差別を自明にする社会で黒人が生き延び、自分の土地を得ようと願うとき、ポールは、劣位であることを前提にしながらも、あえて白人と同じ価値観でものを見る。経済性と高潔な人格を武器に、白人と黒人の二つの世界を渡り、アメリカ人として開拓の権利と土地を手に入れる点でポールはチャールズと並び立ち、アメリカの開拓者の自画像に黒人を付け加えている。

開拓地の妻の像はどうだろうか。チャールズの妻のキャロラインは、東部の出身で教養があり、結婚前には学校の先生をしていた。夫について開拓地を転々とする生活のなかでも暮らしを整えようという意識を保ち、娘たちにしつけと教育をほどこす。菜園で野菜を育て、家畜の世話をし、バターを作り、日々の料理をし、洋服を縫い、はぎれでキルトを作る。勇気があり、チャールズが狩りや買い物で留守にするときには、賢く家を守る。見た目も美しく整え、親戚の家でのダンスパーティーではコルセットが入った美しいドレスで踊る、アメリカの良妻賢母である。一九三〇年代の不景気なアメリカで光明を示す家族像として受け入れられた理想のインガルス一家の中心にキャロラインがいる。

『土地』でポールが結婚するのも、キャロラインという女性である。ポールとミッチェルはともにキャロラインを愛したのだが、ミッチェルの好意を知ったポールは慎ましく身を引き、友人夫婦を祝福する。そして、土地を手に入れるための材木切り出しの仕事を続けるために三人の同居生活を続け、キャロラインは男二人とポールに弟子入りした自分の弟の世話と家事とを引き受ける。しかし一年もしないうちに、ミッチェルは、人種差別主義者の白人に撃たれて死に、そのまぎわにポールにキャロラインと結婚するよう遺言する。キャロラインは身ごもっていたが、その子を産み、ミッチェルのやりかけた仕事を完成させたいという強い意志を示し、実家へ帰ったらどうかというポールの忠告はきかない。手に入れた土地でポールはキャロラインと結婚し、生まれた男児にミッチェルと名づける。

二人のキャロラインの像は置かれた状況や場所の違いを超え、アメリカの根幹である開拓を支える女性たちの像として重なり合うとともに、アメリカの開拓の風景に多様性をもたらす。人種分離は労働と生活の最先端に立つ女性の姿で無効化され、彼女たちはともにキリスト教をよりどころとして教会に通い、祈りをささげる。惜しみなく働き、アメリカが理想としてきた主婦像を示す。黒人の開拓者とその妻が、豊かで美しい自分の土地に生きられることを描く点で、『土地』は「アメリカの夢に深く根差した夢」を具現化し、誠実な開拓者夫婦像の造形を通じたアメリカ人の自己証明の物語になる。[22]

注

（1）斎藤忠利「アメリカ黒人の不可視性をめぐって――ラルフ・エリソン論のための覚え書き」、一橋大学一橋学会一

橋論叢編集所編「一橋論叢」第六十九巻第一号、日本評論社、一九七三年、二七ページ

（2）前掲『私には夢がある』一〇〇ページ

（3）寺沢みづほ「何故、Ralph Ellison は生涯に一作しか完成させなかったのか？ *Invisible Man* 考」「学術研究（人文科学・社会科学編）」第六十二号、早稲田大学教育・総合科学学術院、二〇一四年、一九九ページ

（4）Rudine Sims, *Shadows and Substances: Afro-American Experience in Contemporary Children's Fiction*, National Council of Teachers, 1982, p. 49.

（5）Mary Turner Harper, "Merger and Metamorphosis in the Fiction of Mildred D. Taylor," *Children's Literature Association Quarterly*, 13, 1988, p. 75.

（6）Robert Con Davis-Undiano, "Mildred D. Taylor and the Art of Making a Difference," *World Literature Today*, 78(2), May-Aug. 2004, p.13.

（7）ミルドレッド・D・テーラー『とどろく雷よ、私の叫びをきけ』小野和子訳（児童図書館・文学の部屋）、評論社、一九八一年、一三八ページ

（8）前掲『私には夢がある』九九ページ

（9）同書一〇一ページ

（10）前掲『とどろく雷よ、私の叫びをきけ』三二一ページ

（11）同書二四ページ

（12）Mildred D. Taylor, *Mississippi Bridge*, A Bantam Skylark Book,［1990］1992, p. 61.

（13）前掲『私には夢がある』一〇一―一〇二ページ

（14）前掲『ついに自由を我らに』三九ページ

（15）Martin Luther King Jr., *I Have a Dream: Writings and Speeches that Changed the World*, James M. Washington ed., Harper Collins, 1992, p.103. 邦訳では注（9）と同じ箇所だが、「白人」と訳された箇所は原文では "white brothers" になっている。

（16）前掲『私には夢がある』一〇三―四ページ
（17）同書一〇三ページ
（18）同書一〇〇ページ
（19）Mildred D. Taylor, *The Land*, Puffin,［2001］2002, p. 10.
（20）*Ibid.*, p. 170.
（21）ローラ・インガルス・ワイルダーの「小さな家」シリーズは、自分の子ども時代の思い出を掘り起こし、開拓時代の明るく理想的な家族の姿を描いて大好評で受け入れられた。執筆に際しては、編集者だった娘のローズからの多くの助言があった。開拓小屋での暮らしの細部に温かみがあり、団結した理想的な家族は事実そうであったと錯覚するほどだが、実際のインガルス一家の道のりや人間関係、歴史的事実には大きな脚色がほどこされている。アメリカ児童文学のなかで長く正典とされていたが、二作目の『大草原の小さな家』で一家がオーセージ族のテリトリーに入り込み、実際に部族の人間と会う場面などに差別的な表現があることが二十世紀後半から問題視されるようになった。ＡＬＡ（アメリカ図書館協会）のＡＬＳＣ（児童図書館サービス部会）が一九五四年に創設し、児童文学に長年の貢献があった作家や画家に授与してきたローラ・インガルス・ワイルダー賞は、二〇一八年から児童文学遺産賞に改称されている。ＡＬＡは、「人種や思想を超えた包摂性や統合、互いへの敬意や配慮といったＡＬＳＣの根幹をなす価値観に鑑み、改称に至った」と説明しているが、ＡＬＳＣは今回の改称について、「個人や団体がワイルダーの作品にふれることを制限したり、過去のローラ・インガルス・ワイルダー賞受賞者とその業績について否定したりする意図はない」と付け加えている（「ローラ・インガルス・ワイルダー賞の名称変更」「国立国会図書館 国際子ども図書館」［https://www.kodomo.go.jp/info/child/2018/2018-080.html］［二〇二二年一月十五日アクセス］）。
（22）先住民との距離という点では、二十一世紀に書かれた分、『土地』のポールのほうが先進的である。現在、インガルス一家がインディアン・テリトリーに入り込んで開拓を進め、キャロラインがオーセージ族を野蛮人と断定することが批判されているのに対し、この問題を注意深く扱った『土地』では、先住民は「ザ・ネイション」と呼ばれ、デボラの父のカナティは先住民とされる。南北戦争で連邦軍が攻めてきたとき、祖父が戦わずにアラバマ州かミシシッピ州に去ったと聞いたポールは見知らぬ祖父のことを懐かしく考え、土地が「最初はカナティの種族のものだった」(Mildred D. Taylor, *The Land*, p. 42.) と先住民を重んじている。

第５章　歴史の受容

1　墓石による防御——『偉大なるＭ・Ｃ』

オハイオ州とのつながり

ヴァジニア・ハミルトンはアフリカン・アメリカンとネイティブ・アメリカンのチェロキー族の血を引くインターレイシャルな作家である。一九三六年にオハイオ州に生まれ、学生時代から卒業後もしばらくニューヨークで過ごした以外は、結婚後に故郷に戻って生涯暮らし続けた。奴隷制時代のオハイオ州は奴隷州と隣り合っていて、自由州の入り口にもなった土地である。同じオハイオ州出身のトニ・モリスンは、

オハイオ州の北部には地下鉄の駅があって、黒人たちがカナダへ逃げ出す歴史があり、南部はケンタッキーそのままで、十字架を燃やすことまでケンタッキーと似ています。オハイオでは、この国で理想とされてい

たものと、基本的にあったものとが奇妙に並列しています。黒人にとってはメッカでもありました。いくつかの厳しい障害もあったとはいえ、オハイオにはよい生活の可能性と自由の可能性がありましたから、黒人たちは工場を目指してやってきました。オハイオはまた、黒人にとって型通りの生活からにげださせてくれるところでもあります。農園でもなければ、特殊地区でもありません。(1)

と述べ、ひとつの転換地点としての特殊性があることを意識している。ハミルトンの曾祖父は「地下鉄道」で自由になった逃亡奴隷で、ハミルトンはオハイオ州ならではの風土や人間関係に愛着を感じ、曾祖父の思い出やふるさと《ホーム》との力についていくつかのエッセーで繰り返し語っている。

ハミルトンは、アンティオーク大学とオハイオ州立大学を卒業したあと、ニューヨークのニュー・スクール・フォー・ソーシャル・リサーチで創作を学んだ。この教育機関は、第一次世界大戦下の一九一八年に、検閲や外国人排斥の動きが高まっていたことに憂慮した白人哲学者のジョン・デューイらが設立したもので、学士号をもたない社会人を受け入れた。四八年からデュボイスが教鞭をとり、他に先駆けて女性学の講義を設けるなどの革新性があり、第二次世界大戦時にはユダヤ系をはじめとする多くの亡命知識人を迎え入れた。六〇年代に、抵抗と自由の姿勢を理念とする大学で学んだことで、左翼的な実験性と文学での社会民主主義への見識を深めることができたのではないだろうか。ハミルトンがアフリカン・アメリカン作家のなかでも比較的早い時期から白人中心のアメリカ児童文学界で歓迎されたのは、政治的な中立性と白人も含めた人間そのものへの共感を土台にした多様なアメリカ人像を提示できるような穏健な構想が児童文学という形式に合っていたからかもしれない。

当初は小説を書いていたが、友人の勧めで児童文学に転向し、一作目の『わたしは女王を見たのか』(一九六七年)で児童文学界に認められる。この作品は、ジーダーという少女がひと夏の経験として「エリザベス」と名前を変え、弟と一緒に親戚の家で過ごす間に、地元の美しい豚飼いの女性ジーリーを見かけ、雑誌で見たアフリカのワッチ族の女王を重ね合わせて大きな心的成長を遂げる中篇である。身長百八十センチを超す堂々たる美女のジーリーには時代思潮に合う「黒の美」が体現されていて、彼女の美しさを心に焼き付けることでジーダー（エリザベス）はひとつの理想像を得る。以後、ハミルトンはフィクション以外にも、ノンフィクションや伝記、再話など幅広く活躍した。独特の簡潔で力強い文体によって「現代のアメリカ児童文学の質の向上に最も貢献してきた[2]」と言われ、オハイオ州のケント州立大学では、多文化を主題にした児童文学についてのヴァジニア・ハミルトン・カンファレンスを毎年開催している。

M・Cの変化

『偉大なるＭ・Ｃ』（一九七四年）は、オハイオ川を臨むセアラ山に暮らす十三歳のＭ・Ｃ（メイヨー＝コーネリアス）の気づきの物語である。彼は、五歳のときにオハイオ川を泳ぎ渡り、名誉のしるしに、父ジョーンズから十二メートルの鋼鉄製のポールをもらい、それに自転車のサドルを付けて裏庭に突き立て、よじ登っては山を見下ろし、弟妹の様子を見守っている。物語はポールにまたがるＭ・Ｃの強烈な描写から始まり、「おれは偉大なるエム・シー・ヒギンズと呼ばれてる者なんだよ[3]」と初対面の女の子に自己紹介するほどのたぐいまれな身体能力の持ち主であることを示す。ただ、ヒギンズ家は貧困層に属し、ジョーンズは日雇いの鉄工所労働者で、仕事がもらえない日も多く、

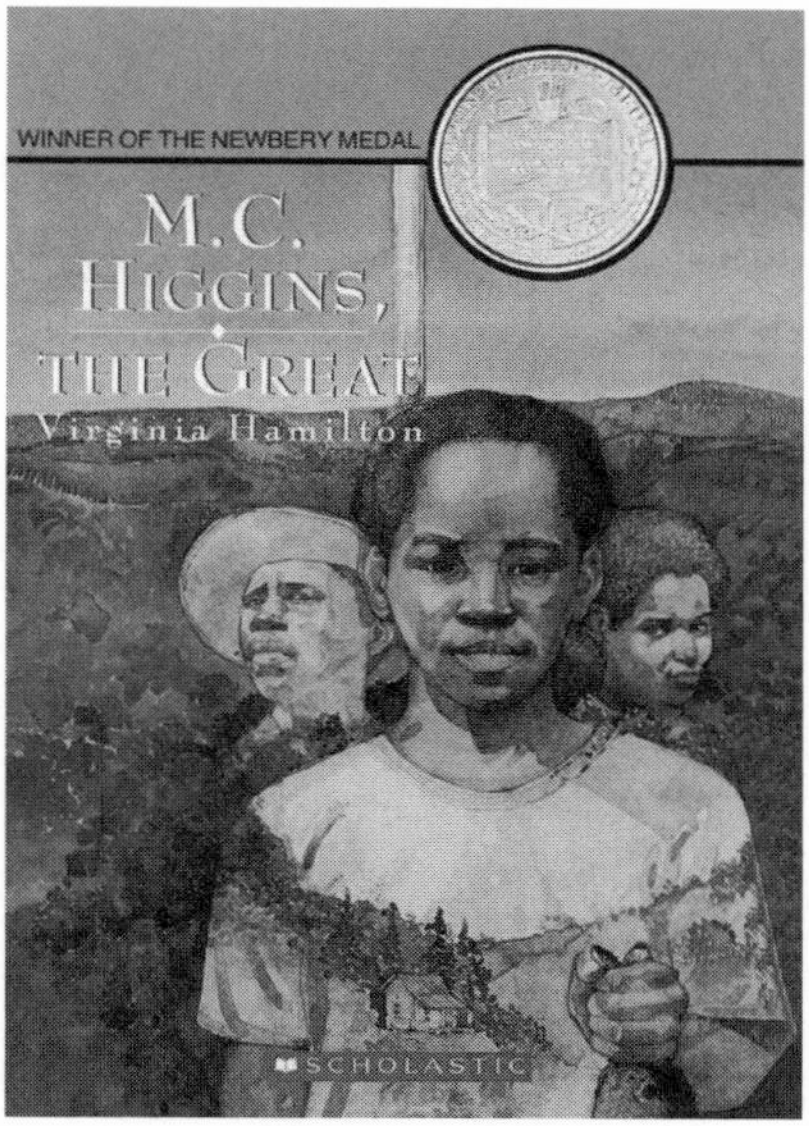

図16　『偉大なるＭ・Ｃ』の原書の表紙
(Virginia Hamilton, *M. C. Higgins, the Great*, Macmillan, 1974, Collier Books, 1987.)

母バニナが町で家政婦の仕事をかけもちしたり、子どもは罠で捕らえたウサギを食べたりしている。バニナは歌がうまく、町への行き帰りで歌うヨーデルは山にこだまして子どもたちを喜ばせるが、金銭を得ることには結び付かない。

かつて逃亡奴隷としてこの山に来たM・Cの曾祖母にその名をちなんだセアラ山は、現在は鉱山採掘で荒らされ、汚染された土は雨が降ればいまにもヒギンズ家の小屋を土砂崩れに巻き込みそうである。M・Cは家が崩壊する悪夢にうなされることもあり、家族で引っ越すことを夢想しているが、ジョーンズにとっては、先祖代々の歴史が重ねられてきたセアラ山を去ることは考えられない。一方、M・Cには山のなかに暮らすベン・キルバーンという友人がいるのだが、キルバーン一族はコミューンを思わせる共同体を築き、多指症であるうえ、「山を癒す」ためのまじないや不可思議なおこないをするために穢れた者あるいは魔法使いと見なされ、黒人からも差別されているという複雑な階層関係にある。二人は友達であることを大人に隠し、人前では決してお互いにふれない。

物語は、歌の収集家の紳士ジェイムズ・ルイスと、キャンプを張って気ままに車の旅をしている少女ラーヘッタ・アウトローがセアラ山に来てから去るまでの数日間を描く。M・Cは、ルイスがバニナをスカウトして有名人になることを空想したり、女の子であるラーヘッタに興味をもって近づいたりするのだが、その両方とも彼の予想と違う方向に進む。ルイスは単なる音楽愛好家であり、ヒギンズ家の小屋の危険さを指摘するだけで山を下りる。ラーヘッタはM・Cの思いどおりにはならず、泳げないことを隠して一緒に素潜りをするほど大胆な性格である。彼女の発案で、M・Cは幼いころ以来久しぶりにキルバーンの谷を訪問する。そこは、偏見に反して調和がとれた豊かな場所で、野菜畑と収納庫があり、自給自足によってヒギンズ家よりもはるかにいい生活を営み、自在に張り巡らされた巨大なロープのネットで子どもたちが楽しそうに遊んでいる。M・Cは驚愕し、ベンを見る目も変わる。

その次の日、ラーヘッタはナイフだけを地面に突き立て、何も言わずにテントを引き払っていなくなる。M・Cは茫然としながら心の中のラーヘッタと会話する。

あんたが山の中で暮すにはあれが必要だわ。
そのことではありがとう。だが、立ち去ったことではお礼を言う気にはなれないぞ。[4]

M・Cは自問自答し、ラーヘッタが残したナイフを手に「ただ山の中で暮してるだけじゃない。このおれが山で暮してゆくんだ。暮してゆくんだ……どんな所ででも。お前も、暮してゆくんだぞ」[5]と心に決める。そして、これまでは近くにいても姿を見せなかったベンに呼びかけ、キルバーン家を忌み嫌う両親に「友達」として紹介して、これから助け合っていくことを堂々と宣言し、廃土の崩落を防ぐための壁をそのナイフで一緒に作り始める。すると、ジョーンズは、かつて困難を乗り越えた先祖の墓石を運び込んできて、文字どおりM・Cを守る防御壁として与える。

ポールから大地へ

この物語は、「真の自由は、遺産から逃げることではなく、それを受け入れることで得られる」[6]ことをM・Cの変化を通じて描き、そのプロセスを通じて、M・Cが父を乗り越えることが予見される。M・Cにとってジョーンズは厳しい父で、オハイオ川を泳ぎ渡ったときには、ポールをもらうのと同時に危険なことをしたという理由で殴られている。ジョーンズはM・Cにとって導き手や目標になるべき唯一の人物であり、力の正しい使い方を教え、先祖のセアラの物語を語り聞かせる。その半面、社会的には恵まれておらず、必ずしも自己実現できているとはいえない。日雇い労働者には組合がないために雇用が不安定で、M・Cに自分と同じ仕事はするなと言う。M・Cにとっての父は「過去と同時にある意味で未来も表して[7]」いて、若者の人生の岐路の選択というテーマに大きく関わりながら、完全なロール・モデルにはなりえていない。

M・Cは親を介さずに外の世界の人たちと接することで熟考の機会を得る。そして、ジョーンズのようになりたくないからジョーンズが言うとおりに山を出ていき何か違うことをする、という漠然とした空想を捨て、ジョーンズの意向に反していたとしてもこの山にとどまり、キルバーン一族も含めて山全体で生き延びていくことを模索するという結論を出す。

セアラ山という舞台に目を向けると、この選択は、M・Cがヒギンズ家の歴史全体を受容するか否かを示すものにもなっている。山の名前の由来になっているセアラは、亡くなっていてもなお存在感があり、ポールの上のM・Cは、「しじゅうしろをちらちらとふりかえりながら、背に何かをおぶって、道を急いでい[8]」るセアラの幻をしばしば見る。ジョーンズは、いまはもう意味を知る者もいないアフリカ語風の古い子守歌を「オボラ／チョオ、パ、ヤユ／シ、ナーマーガマ／オ、デー、カー、ノ[9]」と暗記で歌える。このように、先祖の記憶は、山に地層のように集積しているが、それが何なのかを理解できないうちは不気味なだけで、ヒギンズ家に取り憑いた怨念にさえみえる。このままでは、やはりM・Cは山から出ていくしかない。

しかし、M・Cが廃土で荒らされた山を手入れし、山を見守りながら生きることを決めると、ジョーンズはセアラの重い墓石を引きずってくる。

> 「一つだけだぞ」とジョーンズは、苦しそうな息づかいをしながら、言った。「きょうお前にやれる物はこれだけなんだ」彼は向き直り、子供たちのあいだを通り抜け、ポールをまわり、そのままセアラ山の山腹を降りていった。
> 子供たちが近寄ってきた。エム・シーがその厚い石板を手でなでているあいだ、誰も口を出さなかった。

その石板には文字が彫りつけてあった。

「墓石なのか？」とベンがきいた。

「そうなんだ。おやじはこんなことをしてくれなくてもよかったんだが、それにしても、おれは嬉しいよ」

とエム・シーは聞きとれないほどのかすかな声で言った。[10]

父と息子の気持ちがつながるのと同じとき、M・Cがまたがっていたポール自体の意味も変わる。もともと、先祖の遺骨がポールのまわりにがらくたと一緒に埋められていることはM・Cも知っていたが、あまり気分がいいものではなかった。ポールは、M・Cにとって誇りと強さの証しであり、屹立する孤高の象徴だった。しかし、墓石を得てセアラ山を違ったまなざしで見られるようになると、ポールはそこにあった人の営みを悼む墓標として、水平方向に広がる輪の中心に変容し、墓石は「過去による現在の補強」[11]になる。自分が周囲に秩序を与えているという幻想が打ち壊されたのち、M・Cはきわめて象徴的にポールの上から降り、「さようなら、偉大なる、エム・シー」[12]とつぶやく。最も弱く、無力で、奪われる存在だった女性の逃亡奴隷セアラが実は強く意志のある人であることがジョーンズやM・Cに接続され、生き延びたことによって家族を守った記憶としてその行為が再構成される。自由になろうとするM・Cを、実際に自由になったセアラの霊が見守る。それに気づいたとき、彷徨するセアラは恐怖の対象ではなくなり、山を彷徨する不気味な亡霊に感じられていたその気配は、山と一体化して登り続ける自由への力強い足取りへと見え方が変わる。M・Cの前進には、逃亡奴隷の子孫としてのヒギンズ家の家族史のポジティブな受容が必須だが、それがかなったとき、彼自身の成長だけでなく、キルバーンの谷も含め複雑な関係にあるセアラ山の住人が共存していく新たな将来像も引き出せる。

2　虐待と病の受容——『マイゴーストアンクル』

閉塞空間の兄妹

ハミルトンは、「すべての人たちが自分自身と過去についての情報を自由に得ること」[13]が人権であると述べ、過去と現在の連接を様々な作品で検討しようとした。『偉大なるＭ・Ｃ』は少年が歴史をポジティブに受け入れ、そこから自己変革していくプロセスを扱う作品だが、『マイゴーストアンクル』（一九八二年）では、十五歳の少女ツリー（スイート・テレサ）を主人公に、幽霊である叔父との出会いを通じて、家族史とアフリカン・アメリカン史のネガティブな側面を理解して次のステップに進んでいく様子を描いている。

ツリーと十七歳の兄のダブ（ダブニー）の兄妹は、母のマヴィ（ヴィオラ）が住み込み仕事で家計を支えているため、普段は二人で暮らしている。週に一度通ってくる六十七歳の家政婦プリチャードは家事がおざなりで、ダブにも不親切にみえるので、ツリーとは気が合わない。ダブはちょっとした刺激で全身が痛んだり高熱を出したり食べたものを吐いたりしてしまう謎の病気を患っているが、知的障害があるため状況をうまく伝えられず、病院にもかかっていない。ツリーはダブの世話や家事をしなければならず、年齢にそぐわない肉体的・精神的な負担をかけられている。その半面、ダブの世話をすることで母の不在の寂しさを埋めている側面もあり、状況は複雑である。アパートは一種の隔絶された場であり、マヴィは週に一日の帰宅時にはお金と食料を渡し、ツリーを抱き締めるが、娘の深い不安感には寄り添わず、息子の病気と向き合うことも避けている。その母を求めながら繭にこもるような暮らしをしているツリーは、いずれ外の世界へ出ていかなくてはならない。知力はすぐれていて、教師からは大学を目指してアチーブメントテストを受けるように言われている。

ある日、ツリーの前に、十八歳で亡くなったマヴィの弟のラッシュの幽霊が現れる。最初は路上で、次には家のなかで。濃い色の縦縞のスーツを着こなし、ワイン色のネクタイを締めているハンサムなラッシュに、ツリーは「背の高さやスマートさや見たこともないスーツ、とあまりのかっこよさに圧倒され」(14)、寒気はするものの恐怖は感じない。無言のラッシュは光に包まれていて、右手に持つ鏡の世界にツリーを引き込む。そこでは、ダブとツリーが幼かったころの家族の風景が見える。ラッシュの車でドライブするのが好きな兄妹のほほ笑ましい関係、ラッシュの腕にある無数の傷やあざ、若く美しいマヴィや死んだと思っていた父ケンの様子や会話、そこであらわになる彼らの感情から、ツリーは、ラッシュもダブと同じ病気に苦しんでいたこと、その苦しみに耐えられなかったかのように事故を起こす寸前の自動車から飛び降りて死んだこと、ケンは死んだのではなく家族を捨てて出奔したこと、知的障害があるダブをマヴィが虐待していたことを知っていく。

ひるがえって、いま、ダブの命は、ラッシュが若くして亡くなったのと同様に尽きようとしている。ダブは人知れず麻薬で苦しみをごまかして症状を悪化させていた。ラッシュは、虐待を含む家族とマヴィの過去や、父親が生きているという事実をツリーに知らせ、ダブを静かに天国に案内するために現れたのだった。マヴィは「あの子の中にもうちつづいた線が流れている。だから血も病も！」(15)と、ラッシュからダブへの血のつながりを考える。

ある夜、夢の中でツリーがダブと一緒に吊り橋を歩いていると、綱が切れ、ツリーは落ちる

図17　『マイゴーストアンクル』の原書の表紙（Virginia Hamilton, *Sweet Whispers, Brother Rush*, Philomel Books, 1982.）

がダブは上っていく。不思議な予言のような夢だったが、そのあとに訪れた過去の世界で、ラッシュの車の後部座席にいるツリーは振り向いたラッシュの顔が白骨化しているのを見て、もとの世界に戻りたいと強く願う。ツリーはラッシュの車のトランクルームを抜けて落ち、アパートの部屋に帰る。そしてそれがラッシュと会った最後の日になる。ツリーは「私は落ちたけれど生きつづけ、ダブは神さまのところにつづく橋を昇っていっている」[16]と気づき、「連れもどしてくださってありがとう」[17]とそこにいないラッシュにささやく。まもなく、ダブは大きな発作を起こして緊急入院し、その場でマヴィは、彼が苦しんでいるのがポルフィリン症（ポーフィリア）[18]で、一族の多くの男たちが同じ病気で苦しんで亡くなってきたことを告白する。ダブは集中治療室で治療を受けるが、やがて臨終を迎える。

ダブの死で感情をかき乱され、母を許せずに家出をしようとしたツリーだが、マヴィの提案で同居することになったプリチャードが、かつて路上で経験した惨めな暮らしを静かに語り、家にとどめる。マヴィとツリーは初めて病気と正面から向き合って検査を受け、ポルフィリン症の遺伝はあるが刺激物や鎮痛剤を使わなければ発症しないという診断を受ける。また、ダブの病状が悪化したのは麻薬をこっそり使っていたためだということもわかる。ダブの葬式にあたり、ツリーはマヴィのパートナーのシルヴァースミスとその息子のドンと落ち着いた時間を過ごし、プリチャードも含めて新たな家族を作っていくことが予感される。

ポルフィリン症のフィクション化

ラッシュはもともと天国にいる死者であり、かつ一家に近しい親族として、かわいい甥のダブを迎えにくる。また、ツリーのほうは生きるべき世界に引き返させて完璧なエスコートをおこなうのだが、そのとき彼が明らかにする過去は、ポルフィリン症と虐待という、家族にとって不都合で呪わしい事実である。まず、作中のポルフィリン症は遺伝的で、アフリカの黒人の病気が奴隷制度を通じてアメリカに運ばれてきたという設定になっている。ラッシュもダブも正しい知識がなく、アルコールや麻薬が病気を悪化させることを知らずに使用し、結果として増悪した激痛に耐えている。

血液のポルフィリン代謝異常のひとつであるポルフィリン症は、本来なら排泄されるはずの光毒性のポルフィリンが体内に蓄積されることで、「光線過敏（日焼け、熱傷様症状）、消化器症状（激烈な腹痛、下痢、便秘、嘔吐、肝不全）、神経症状（痙攣、麻痺、意識障害）」[19]を起こすものだが、同じポルフィリン症でも光線過敏症を引き起こす晩発性皮膚ポルフィリン症と肝機能障害や神経損傷を起こす急性間欠性ポルフィリン症（マヴィがいう周期性ポーフィリア）は別の病気である。[20]また、遺伝子変異の関与は確かに明らかであるとされているが、病気そのものがアフリカン・アメリカンに特有であるというマヴィの言説は誤りである。アフリカン・アメリカンに多いことで有名な血液の病気には、赤血球が鎌状にゆがむ鎌状赤血球症があり、重度の貧血をもたらし、脾臓や腎臓にもダメージを与え、足に潰瘍ができる場合もある。アメリカではほぼアフリカン・アメリカンにしかみられない病気とされ、アフリカン・アメリカンの約一〇パーセントが鎌状赤血球遺伝子を一つもち（ホモ型）、この遺伝子が二つになると（ヘテロ型）発症する。[21]

ハミルトンは、二種類のポルフィリン症の症状を組み合わせたうえに、鎌状赤血球症的な「遺伝」「アフリカン・アメリカン」という要素を付け加えることで、病気自体をフィクション化した。架空のポルフィリン症は、アフリカン・アメリカンであることによって与えられたネガティブな要素をどのように引き受けるかを物語るための装置になる。ラッシュだけでなくマヴィの兄弟のチン、チャーリー、ウィリーもすべてポルフィリン症で死亡していて、まさに全員が「血」でつながっている。だが、病名と症状についての真実を知ることで、麻薬や鎮痛剤や刺激物を摂取して発症することがないよう知識が共有され、ツリーが病気を発症しないという点でも解放が目指されていく。

母による虐待

もう一つの負の遺産は、母が兄を虐待していた事実である。ツリーは若いマヴィが車のなかでふざけるダブに対し、「屈みこんで棒を取ると、男の子の足を前からも後ろからも何度も何度もたたいた。泣き叫ぶ声がひびいた。女の子〔ツリー：引用者注〕にも男の子の細い足が震え、すり合わされているのが見えた。なぐられるたびに親指がぎゅっと丸まるのがいやでも目に入る」[22]のを鏡の世界で目撃する。また発育が思いどおりにならないダブをベッドに縛り付けたり折檻したりすることもあったのを知る。現在に戻ってきたあとのツリーにそれを指摘されたとき、マヴィは秘密を暴かれて動揺し、熱湯が入ったポットを取り落とす。

精神的にどこか遅れがみえた。そのことを真面目に考えると変になりそうだった。我慢できなかったのだ。考えれば考えるほどどうしようもない思いにとらわれた。息子の遅れをなじるようになった。自分が悪いことは承知の上だ。母親がわが子にたいして、そうした思いを抱くことがあるものだろうか。ただヴィの場合はそうだったのだ。[23]

過去に幼い子どもに振るった暴力は許されるものではない。しかし、それに向き合うことによって、一生軛《くびき》につながれ償いながら、マヴィはあらためて子どもたちに向き合い、いま必要なものは何なのかを考える。ラッシュは、幽霊である自分のことが見えない姉のことも完璧にエスコートしている。

マヴィは、発作を起こしたダブを病院に運ぶ。ラッシュがくる前のツリーは、ダブの世話の責任を負い、誰にも感情をぶつけることができなかった。ツリーを解放し、新たな場を与えるにあたり、ラッシュはポルフィリン症の苦しみと虐待の両方を静かに伝える。大好きな親に隠されていた過去は負の記憶になる。ラッシュが明かす過去はそこで断ち切られるべき病気の連鎖と暴力だが、それを超えなければ家族は次の段階にいくことができない。過去を知る前のツリーのダブとの暮らしは、そのままそこにいたら窒息する可能性もあった。過去との対話を経て、ツリーは傷つきやすく無垢な自分に別れを告げ、ダブは死ぬ。これからツリーが大人の女性になっていくために、ダブはここで「弱々しい傷ついた体を抜け出[24]」すことが運命づけられている。それをラッシュは鮮やかすぎるほど見事にやってのけた。

その後、ツリーに用意されるのは、血縁に依らずに助け合える拡大家族である。ツリーはマヴィを許したのち、自分とマヴィ、プリチャード、シルヴァースミスとドンという不思議な共同体に居場所を見つけていく。ツリーは、自分一人が努力して営んできたダブとの二人暮らしがあっけなく崩れたことや、愛する兄の突然の死など様々な理不尽に混乱を覚えてマヴィに反抗し、怒りを爆発させる。だが、その半面で、どこかで新たな秩序が生まれ始めていることも感じ、警戒していたシルヴァースミスの落ち着いた振る舞いに安堵し、食事をごちそうしてもらって、思いがけず幸福な気持ちにさえなる。

ラッシュは、過去の世界で血縁を通してつながっている家族を襲ったポルフィリン症の悲劇を示し、そのうえで、血のつながらない家族がツリーをこれから回復させていくことを示す。マヴィ、ツリー、プリチャード、シルヴァースミスとドンは、孤独を知っている個人がそれぞれ葛藤と能動的な意志をもって集合して形成しつつある共同体である。ツリーはダブを失い、マヴィは育児やダブの病気と向き合わなかったことを後悔している。プリチャードはホームレス時代に人生の辛苦を味わい、シルヴァースミスは妻を病気で失っている。彼らは、それぞれ自分の足で立ちながらも、そのうえでより高みによりどころを求めて家族をつくろうとしている。

『マイゴーストアンクル』での家族史の受容は、アフリカン・アメリカンに特有のものとして翻案されたポルフィリン症を用い、病気や虐待という負の遺産をめぐって展開する。部分的でありながらも具体的な風景を見せながらラッシュによって明かされる過去は、逃亡奴隷の足跡のように力強く語り継がれるものではなく、断ち切られるべき病であり、虐待という汚点である。だが、ツリーは生きる側へと押し戻され、輝かしくない家族の歴史を受容した。外に向かって一歩を踏み出す人々を、かつて傷ついた死者たちが応援している。

3 神話の創造——『プリティ・パールのふしぎな冒険』

文化的アイコンの宝庫

ハミルトンの作品には、アフリカン・アメリカンの子どもがアフリカン・アメリカンの歴史に影響を受けて成長するというテーマをもつものが多い。過去との関わりは、ハミルトンが「再記憶《リメモリー》」と呼ぶ作業を通じて語られ、奴隷制時代の過去の記憶と現代を生きる子どものサバイバルが結び付く場合もある。「再記憶」とは、単に過去を追憶するのではなく、「実際に起こったことも想像上のことも、これ以外には表現しようがないすばらしいものとしてテクスト化した記憶」[25]を意味する。ネガティブな過去の記憶をポジティブな形で補完できるように、コンテクストを変えて受容させ直す作業ともいえるだろう。

『プリティ・パールのふしぎな冒険』（一九八三年）は、家族の物語を超えて広くアフリカン・アメリカンの子どもに向けて自分たちのルーツを再想像し、肯定的に受容する道筋を示す神話的ファンタジーである。主人公のプリティ・パールはアフリカのケニア山に住む神の子で、長兄はトール・テールの英雄で鉄道の杭打ちのジョン・ヘンリー・ラスタバウト[26]、次兄はハイ・ジョン・デ・コンケアという設定である。デ・コンケアは民話に登場するアフリカの王子で、その名にちなむいい香りの植物の「ジョン・デ・コンケアの根」は薬効があり、実際に民間治療に用いられている。デ・コンケアは、ジョン・ヘンリーが出かけたアメリカに行きたいというパールを連れ、アホウドリに姿を変えて奴隷船に乗り、新世界にやってくる。二人は大地に身を隠しながら二百年間の黒人の歴史を見つめ、パールは神が人間の営みに手出しをしてはいけないことを理解する。

やがてデ・コンケアがお守りと四体の精霊を渡してケニア山に帰ると、パールは黒人少女の姿になって南部を旅しはじめ、青年の姿の精霊ドゥワーロが彼女のお供になる。二人は旅の途中で人種差別主義者の白人三人組に襲われるが、魔術めいた絵をエプロンに描くことで混乱させて難を逃れる。このあとパールは少女のプリティ・パールと中年のマザー・パールに分裂し、ジョージア州の森にある「やくそく村」に入り込む。そこはマルーンを想起させる逃亡奴隷の共同体で、自分たちのことを「内の人間《インサイド・フォークス》」と呼び、外界に暮らす先住民のチェロキー族（純粋人間《リアル・ピープル》）の助けを借りながら自給自足の生活を営んでいる。高く売れる高麗ニンジンを栽培して現金収入を得ているが、外の世界に通じる道は一つだけで、「出ていくのは勝手だ。だれも止めない。だが出ていく前に、誓約せねばならない。永久にここから出ていく者は、やくそく村について決してだれにもしゃべらない、という聖なる誓い。村がどこにあるか、どんなようすか、絶対に話してはいけない」[27]というルールがある。

図18　『プリティ・パールのふしぎな冒険』の原書の表紙
(Virginia Hamilton, *The Magical Adventures of Pretty Pearl*, Harper Trophy, 1983.)

マザー・パールはマーマー・ウーマンとして働き始める。「マーマー」は、奴隷居住区で母親が奴隷労働をしている間に乳幼児を世話していた「モーマス」と同義で、幼い子どもが危険な目にあわないように見張り、食事を与えたり、乳を飲ませに母親のところに連れていったりする[28]役割をもつ。マザー・パールの仕事はもう少し幅広く、年長の子どもたちに手伝わせながら大量の食事を作り、家事を担う。やくそく村には心のこもった食を含む平等で調和的な生活が仮想され、住民たちがつつましくも満ち足りた時間を過ごしている。奴隷の強制労働の疲れや無力感ではなく、自分や家族のために労働する喜びを共有することができ、全員で語り、聞くことができる。本来は貧相ななりをしていて通常の労働に就けないモーマスや、余った野菜や配給の食材を濃い味で煮込んだ節約料理のガンボスープは、『プリティ・パールのふしぎな冒険』のなかでポジティブに移し替えられ、満ち足りたイメージを喚起するものになっている。

黒人霊歌的なやりとり

やくそく村のなかに集団的に構築されている安息とコミュニケーションの土台には、黒人霊歌があるようにみえる。黒人霊歌は、源流としての奴隷の痛苦と独自の宗教が合致し、黒人ならではのモチーフや歌い方と白人のコードが混交しながら展開してきた音楽である。南北戦争後にテネシー州で設立されたフィスク黒人学校（のちのフィスク大学）の白人音楽教師ジョージ・L・ホワイトは黒人合唱団のフィスク・ジュビリー・シンガーズを指導し、資金集めのために全米やヨーロッパで開催したコンサートツアーで「奴隷歌」のレパートリーを増やし、大衆に訴求して[29]アメリカの音楽場面のなかに融解していった。黒人霊歌は白人に見いだされながらも「アメリカの特異条件のもとでアフリカの人びとが生み出した宗教歌[30]」であり、複数の土地の文化と、死という休息を得て天国に行きたいと願う黒人奴隷のキリスト教信仰が相まって生み出され、発展したものといえるだろう。

アフリカでの歌は、

第一に生活に直結した機能を持っていた。一族を召集するため、儀式を営むため、仕事をはかどらせるため、仕事の疲れをいやすため、等々。（略）おおよそのアフリカ人の「歌」は、集団を前提とした存在であったことを忘れてはならない。機能や記録の歌が集団の所有であるのは勿論の話だが、製作過程においても、誰かが即興で歌い始めれば、仕事をしながらでも居合わせたものが次々にかけ合いやリフレインによってこれに加わる習慣があった[31]。

という。やくそく村でも、歌はメッセージを共同体全体に伝えるための振幅装置の役割を果たしながら、自由や救済を希求する宗教性も加わり、アメリカに移植されてきてからの黒人霊歌のありようを示す。パールたちの歓迎の場で、リーダーのブラック・ソールトが歌い始める。

別の老人が、ブラック・ソールトの演説に姿勢をただして、歌をうたって応えている。

もうだめだ、と思うたび
牢の壁が崩れ、鎖がとける。

きみたちには権利がある。

ブラック・ソールトは静かに歌う。

わたしには権利がある。
われわれはみな、命の木の権利がある[32]。

「命の木の権利」というフレーズは『聖書』からの引用である。「創世記」によると、命の木はエデンの園の中央に善悪を知る木とともに植えられている。アダムとイブが蛇にそそのかされて善悪を知る木の実を食べて追放されたあと、神は、命の木への道を守るためにケルビムと剣を置く。楽園の中心にあって、永遠の命を得られるという命の木に到達する権利は、『新約聖書』の「ヨハネの黙示録」で「命の木に対する権利を与えられ、門を通って都に入れるように、自分の衣を洗い清める者は幸いである」(33)と記され、黒人霊歌の「あなたには権利がある」(34)の歌では「リーダー—神よ　コーラス—権利はありませんか　全員—命の木の権利はありませんか」と交唱する。演説から始まる宗教的な言葉のやりとりが歌になり、メロディーが交わされていく状態そのものが黒人霊歌的であり、共同体の意志がかけあいによって共有されているといえるだろう。

生活に密着した場でも、マザー・パールと子どもたちはコーラスで会話する。

「ようくおききよ、子どもたち、おばあちゃんにおじいちゃん。それに耳があるなら眠っている赤ちゃんも！」

「はあい！　マザー！」子どもたちは、声をあわせて返事をした。（略）

「ごった煮スープは大好き、こぼれるスープは濃くてなめらか。スープのにおいは食欲そそるわ」と、マザーが歌う。

「じっさい、食べてもおいしいよ」と、子どもたちがやさしく歌う。

「でも、あなたたち、わたしがだれだか知ってるの。何をするか知ってるの」と、マザーは、どすのきいた声を出す。

「忘れたことなど一度もないよ。マー・ウーマンだよ」と、子どもたちは、やさしく歌う。(35)

人間の世界に来て間もないアフリカの神マザー・パールと、奴隷を父母や祖父母とする子どもたちは、自然に交唱し、深いところでつながりあいながらコミュニケーションをとっていて、アフリカに由来する共同性を感じさせる。

神の子から人間へ、精霊から人間へ

プリティ・パールはリーダーのブラック・ソールトの息子のジョサイアスと親しくなり、一緒に高麗ニンジン収穫の仕事をするようになる。だが、あるとき、自分を子ども扱いするジョサイアスに腹を立て、精霊の一つである馬のハイド・ビハインドでほかの子どもたちを驚かせたあと、その霊を野放しにしてしまうという失敗を犯し、自責の念でやつれ果ててしまう。寝込んでものも食べず、目もうつろになってしまったパールを助けるため、デ・コンケアやジョン・ヘンリーがやくそく村を訪れる。ジョン・ヘンリーは「もはやプリティではない[36]」パールを抱き締めていたわり、デ・コンケアは、パールを「プリティ」に戻したのち、命に限りある人間に変えてそのままやくそく村にとどめ、マザー・パールだけを連れてケニア山に帰る。

実は、付近では鉄道建設が進み、やくそく村にも危険が忍び寄り始めている。ブラック・ソールトは、先住民からの情報や、北部には大勢の自由黒人がいるというジョン・ヘンリーの話を聞いてジョージア州の森を去ることを決め、グループに分かれてチェロキー族の助けを受けながら移動する。パール、ドゥワーロ、ブラック・ソールト、ジョサイアスらのグループは、無事に川を渡ってオハイオ州のエイムズタウンに辿り着き、国道沿いの町に定住する。途中まで付き添ったジョン・ヘンリーはパールらと別れ、トール・テールが語るとおりに、大規模な工事現場があるウェストバージニア州のビッグ・ベンドに向かい、神ではなく一人の陽気な鉄道工夫として生きて死ぬことを選ぶ。プリティ・パールもジョン・ヘンリーも、ケニア山から下りてきた神であり、神としてのステータスを捨ててでも、アメリカの黒人としてこの地に生きるという選択から、ハミルトンが肯定と「励まし」の神話を構想したことがわかる。

さらに、パールと並行してドゥワーロに注目するなら、アフリカ出身の精霊がアメリカで人間としての核を手に入れ、青年として自立するというもう一つの物語を見いだせるかもしれない。彼は神より下位に置かれた霊で、たまたま人間の姿になってパールのお供をしているが、何かあればすぐに首飾りのなかにしまわれかねない。霊であるために神＝人間よりも動物や妖精に近い野生性を保ち、パールには感じられない気配や血の匂いや森のなかの生命を感じ取ることができる。彼は心の奥底で、神からの縛りを解いて自由の身になりたいと願っている。プリティ・パールと歩き始めたばかりのころ、ドゥワーロは「いつでも人間になれる自由な霊になりたかった。神になりたいと、一度たりとも思わなかった。ドゥワーロは自由ではない。パールに結びつけられた。汚くて、あわれな歩くドゥワーロではいたくない」[37]と思い、パールの首飾りと自分とを結び付けた紐を切ろうとして、ムチ蛇の罰を受ける。だが、「おれは自由になりたい！　人間になりたいんだ！」[38]という強い思いは、やくそく村で暮らすうちに薄れ始める。親切に子どもたちと遊び、「奴隷の踊りも教えてやった。子どもたちが喜ぶような、ゲームや歌を教えてやった。運の悪い若者はやさしいものだが、ドゥワーロは、そんなふうにやさしかった。罠にかかって、つかまって、短い紐に結ばれている。ドゥワーロは、このうえなくやさしかった。自分の悩みは、すっかり忘れていた」[39]。それを知ったジョン・デ・コンケアは、プリティ・パールを人間にするのと同時にドゥワーロの苦労もねぎらい、彼が寝ている間に人間に変える。ドゥワーロは、独り立ちにふさわしい分別や利他心をいつのまにか身につけていて、いわば、若者として気づかないうちに成長を遂げていたことで試験に合格する。彼は自由を手に入れ、なりたいと切望した「人間」になる。

涙があった。本物の涙で手が濡れた。ドゥワーロは悟った！　深く息をする。ありがとう、デ・コンケア！　そして人間のように息をする。そのとき、すでにもう長いあいだ、人間のふりではなくて、実際に、呼吸をし、眠っていることに気づいたのだった。ドゥワーロは、胸がいっぱいだった。立ったまま、謙虚な気持ちになって頭を下げた。その瞬間、人間の感情が洪水のようにあふれでるのを感じた。[40]

精霊であることを隠し、人間の「ふり」をしていたドゥワーロは、やくそく村で働き、仲間のために力を発揮し、得意の歌や踊りで楽しませるうちに、本物の人間に近い意識をもつようになっていく。この物語は、神の自伝がアフリカン・アメリカンの祝福された歴史として示されるが、アフリカン・アメリカンの少女になったケニアの神の子と同様、首飾りに縛られた奴隷の精霊が立派なアフリカン・アメリカンの若者になるというサブストーリーもまた、もう一つの神話として読むことができる。アフリカン・アメリカン児童文学の形式で新しいルーツ神話を構築し、アフリカン・アメリカンの子どもたちが自画像を形成するために文化表象をふんだんに用い、ポジティブな意味をもたせて、奴隷制度から解放に至るまでの時空を見直して、祝福される物語として光を当て直そうとしている。

4　南部の鎮魂――『犂を打ち鳴らす』

死の受容

ハミルトンは奴隷制時代の記憶を昇華して作品を生み出したが、彼女が書かなかった南部での深刻な人種差別は、アフリカン・アメリカン児童文学のなかでどのように受容できるだろうか。アンジェラ・ジョンソンは、アラバマ州タスキギーに生まれ、オハイオ州のケント州立大学を中退してベビーシッターや教育産業での仕事を経て執筆を始めた作家で、『犂を打ち鳴らす』（一九九三年。未訳）、『天使のすむ町』（一九九九年）、『朝のひかりを待てるから』（二〇〇四年）の各作品でコレッタ・スコット・キング賞を受賞している。『朝のひかりを待てるから』は都会に住む少年が、出産時の事故で亡くなった恋人の分も愛情を注いでシングルファーザーとして赤ちゃんのマーリンを育てる物語で、出版がより早い『天使のすむ町』はその後日譚である。ヘヴンという名前の町に

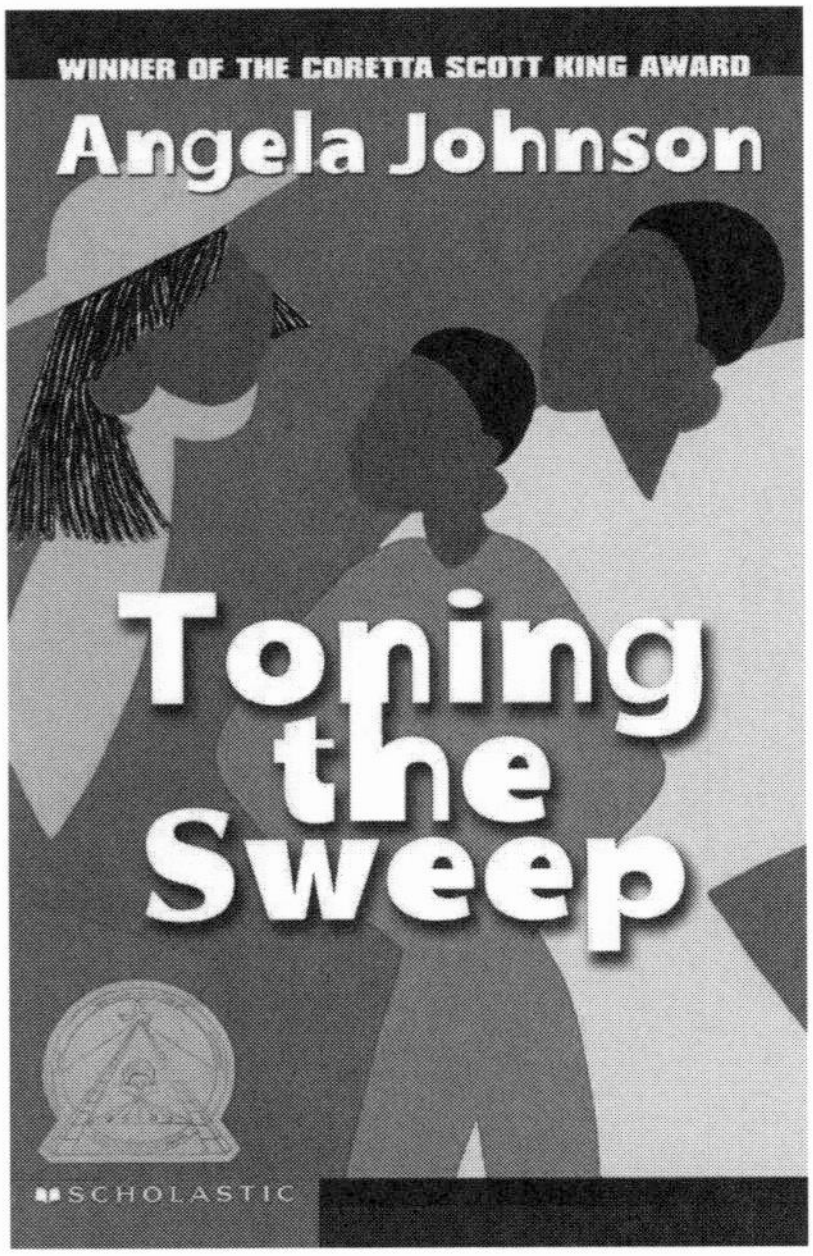

図19　『犂を打ち鳴らす』の原書の表紙
（Angela Johnson, *Toning the Sweep,* Scholastic, 1993.）

住むマーリンは、自分を育てていたのが実の父親ではないこと、本当の父親がよく手紙をくれるおじさんだったこと、お母さんも亡くなっていたことと、血のつながりに関係なく温かく育ててくれる環境そのものが一種の「天国（ヘヴン）」であることに気づく。

　ジョンソンの出世作になった『犂を打ち鳴らす』は、深刻な差別がはびこり、奴隷制度の残滓とともにアメリカのなかでも異国情緒がある南部から目を背けずに、アフリカン・アメリカンの歴史の一部が刻み込まれたトポスとして捉え直すことを試みる作品である。

　オハイオ州のクリーブランドで暮らす十四歳のエミリーは、母のダイアンと父と一緒に、カリフォルニア州の砂漠地帯で一人暮らしをしている母方の祖母のオラの家に行く。オラはがんに侵されていることがわかり、娘家族と住むために、住み慣れた家を引き払うことを決めていて、一家はオラが家を整理する手伝いをしたのちに連れ帰ることになっている。エミリーは、幼いころに何度もオラの家を訪れ、帰るときには離れがたくて泣くほど好きだったが、成長してからは足が遠のいている。

　数日間の滞在の間に、エミリーはオラに頼まれ、オラの親友のマーサからビデオカメラを借りて、オラの日常、なじみがある景色や、近所の親しい人たちへのインタビューを撮影し、テープに収めて映画にしようとする。「自分を主体位置へと導いてくれるカメラを手に入れたエミリーは、祖母の思い出を撮影するという行為をとおして、これまで彼女が意識の外に追いやってきた、死にまつわるさまざまな問題に向きあって」[41]いき、知っているようであまり知らなかったオラを少しずつ理解し、家のなかにあった祖父チャールズの遺品である手紙や塗り絵を見て、遠い昔に亡くなった祖父を身近に感じるようになる。

オラへのインタビューのなかで、一九六四年にアリゾナ州に住んでいたダイアンは十四歳で父のチャールズを亡くし、母のオラは葬儀がすむとすぐにダイアンを連れてカリフォルニア州に引っ越したことがわかる。慌ただしさで父親にきちんとお別れができなかったダイアンは、オラを許しきれていなかった。エミリーは、それまで、母親からの話や他の人々からの伝聞によって、オラやチャールズのイメージを組み立て、家族史を限られた形でしか理解していなかったが、そうしたコミュニケーションを通じて物事には多面性があることを理解する。

さらに、ビデオ撮影や引っ越しの手伝いにきてくれた近所の人たちとのおしゃべりを通じて、チャールズが実は、買ったばかりの車に「生意気なニガー」[42]という落書きをされて銃殺され、その第一発見者がダイアンだったこともわかる。オラは、ダイアンを人種差別や暴力の醜悪さから守りたい一心ですぐにアリゾナ州を離れたのだが、それは、ダイアンに弔いの猶予を与えない振る舞いだった。よかれと思った母の決断によってダイアンは苦しみ続け、チャールズもまた、浮かばれない魂として家のまわりをさまようことになり、オラは、その気配を感じている。

エミリーは、クリーブランドの友達から、死者がまるで生きているかのように話すのは、その人が実際にまだ周辺にいるからであり、誰かが死んだら、まわりの人は犂を鳴らして魂を天国に送るものだという話と、実際にサウスカロライナ州で、人が亡くなると親戚が犂をハンマーで叩いてみんなに知らせたという話を聞いたことも思い出す。また、ダイアンからは、ダイアンが三歳のときに祖母（エミリーの曾祖母）が亡くなったときに祖父が犂を鳴らしたのを覚えていると聞く。こうした語らいのなかで、弔いの儀式をどうすればいいのかが明らかになる。オラを連れて家を去る前のクライマックスの場面で、ダイアンとエミリーは、この世に心を残し、いまだにオラの家の木々にいるかのようだったチャールズの魂を鎮め、天国に送り出すために、二人で砂漠の給水塔をハンマーで叩き、心情のうえで「犂を打ち鳴らす」。

私はママと一緒にハンマーを握り、ママと同じ背丈になるようにちょっとの間背伸びする。ハンマーは明るい日差しのなかで輝く。それから、私たちは金属を打ち合わせる。何度も何度も、その音が自然に、風の一部のように聞こえるまで。風はやみ、犂を打ち鳴らす私とママだけになる。
最後の音が打ち鳴らされると、風がまた吹き始め、砂漠に砂を寄せる。(43)

その行為は、死を受容しきれていなかったダイアンとチャールズを救い、エミリーを成長させる。

人種差別の悲劇の受容

『犂を打ち鳴らす』は、一つには死の受容の物語である。がんを患い、鎮痛剤を飲むオラ、家族との平凡な暮らしを愛していたのに差別主義者によって無残に殺されたチャールズ、チャールズの死を受容できなかったダイアン。まだ十四歳で死は遠いものだったエミリー。数日間の滞在で、様々な死のありようと弔いのプロセスを経てもたらされる平安と新しい出発をそれぞれが経験する。死が遠くない未来に訪れる祖母の生きている像をビデオに収めて昇華し、母に寄り添って犂を打ち鳴らし、無念の死を遂げた祖父が遺したものを引き継いで、再び命を与える。したがってこの作品は、家族にとっての普遍的な生と死をめぐる物語といえる。

他方で、作中にある個人の死の受容には、アフリカン・アメリカンの経験と南部の悲劇の受容が重ねられている。アラバマ州とサウスカロライナ州でおこなわれているとされる「犂を打ち鳴らす」行為は、「ある人が亡くなったときに、彼（女）が一つの形態から別のものへ移行するのに力を与えるために共同体の人が集まって金切り声を上げる西アフリカの儀式を思い起こさせ」[44]、原初的だが力強い儀式性があり、土地の記憶と深く結び付く。また、エミリーは、オラがはだしであるのを見て、その姿をそのままビデオに収めようと心を決める。クリーブランドに暮らすエミリーもはだしを好み、先生に諦められながらも学校でもはだしで過ごしている。靴を履いていると爪先が呼吸できない、というオラの言葉にエミリーは心から同調できる。ダイアンも、クリーブランドでは決してはだしにならなかったのに、オラの家では靴を脱いで歩き回るようになる。はだしという状態は「野性的で自由」[45]な南部を感じさせ、自分を縛る慣習から自由になると同時に、大地を踏み締めて歩いていたアフリカの記憶、あるいは、大農園の記憶とも結び付きうる。オラの精神性がダイアンを超えてエミリーに受け継がれ、また、はだしへの志向が、犂を打ち鳴らすという原初的な行為に接近するものだとするならば、靴を脱ぐことも、犂を打ち鳴らすのと同様に、自分を抑えていたダイアンを救済する行為だといえるだろう。南部はつらい人種差別が根付く場所だが、それでもなお家族の故郷として記憶される。リンチがあっても暴行死があっても、そこは家族三人の思い出の場所なのである。

植物のクズも、南部に続く証しになる。一八七六年のフィラデルフィア万国博覧会をきっかけに日本から庭園用に輸入されたクズは、土壌流出防止や緑化の効果を期待されて、特に南部で植えることが推進された。しかし、雑草に近い繁殖力と成長の早さから爆発的に繁茂し、脅威といわれるようになるほど南部に浸透した[46]。植物を育てるのが上手なオラは、カリフォルニア州の砂漠地帯でも根付くように前庭には三本のジョシュア・ツリーを、ほかの場所にはクズを植えた。ジョシュア・ツリーは近隣の人たちとの様々な会話や出会いのきっかけになり、考えごとやインタビューする際の助けになる。クズは蔓を這わせ、花を咲かせながら水平方向に増殖していく植物で生命力が強い。エミリーは、マーサやオラと一緒に砂漠地帯に訪ねたオラの友人のジェイク・ローランドのコテージを見て、クズのツタで覆われ、葉をくぐり抜けないとなかに入れないことに驚くが、そのせいで暑い日でも床の上はひんやりと涼しい。芸術家のローランドの雰囲気もそのコテージも気に入ったエミリーが植物について尋ねると、オラがアラバマ州から持ち込み、自分の温室で育てているものを分けてくれたのだと教えてくれる。

南部では厄介者扱いされ、駆除の対象であるクズを、オラは「私はあちらにいたときいつもクズが嫌いなふりをしていたけれど、大好きなの。誰にも止められなかった[47]」といい、南部と直接につながるクズを近くに植えておきたい心情を吐露する。嫌われ者の植物は、オラにとって南部との絆であり、チャールズを失った悲しみの場所であると同時に、チャールズと出会い、ダイアンを授かったルーツの土地の代表的な植物でもある。カリフォルニア州の砂漠はアラバマ州と同様の気候なのでよく育つクズがほかの植物を侵食しないように注意深く温室で育てながら、オラは南部を夢想している。

ジークムント・フロイトが「悲哀の仕事（mourning work）」と呼ぶ、愛する対象を喪失したときの心理的受容のプロセスは、「内面的な悲哀に耐え、失った対象と自分とのかかわりを整理するという課題は、苦痛ではあるが、どうしても達成せねばならぬ心の営みである[48]」。『犂を打ち鳴らす』の数日間は、ダイアンの「悲哀の仕事」を完成させるだけではなく、アラバマ州という南部につながりながらカリフォルニア州で生きてきたオラの軌跡をたどる時間でもある。エミリーは、これからを生きるためにインタビューをおこない、記録をとどめ、オラの言葉を深く受け止める。引き受けた家族の過去は、公民権運動や人種差別というアフリカン・アメリカンの過去と不可分に結び付いている。エミリーが生きていくのは、自由州の入り口として知られるオハイオ州である。だが、そこを起点に、エミリーの思考はまっすぐにアラバマ州に向かい、無残に殺された祖父の屈辱と、彼を弔う甲高い金属の音も引き受ける。南部は、オラがダイアンを守るために背を向けて逃げ出す場所ではなく、自分たちの歴史として受容すべき土地として回帰され、エミリーの自画像を構築するのに不可欠の場所になっている。

南部のさらに先にはアフリカがある。小さいころ、エミリーはオラの服や帽子を引っ張り出して「アフリカの女王[49]」になるのを好んでいた。作中の色彩の重要性についていえば、例えばオラが大好きな黄色には「愛する人を失った悲しみと、迫りくる自らの死の不安から彼女を守る、救済者の役割」[50]があると指摘される。給水塔をハンマーで叩く場面では、実際にエミリーはオラの帽子とスカーフをまとっている。鮮やかな黄色や赤や紫は、アフリカ的な色と結び付き、人々と土地がつながりあってエミリーのなかに統合され、さらにそれが映画撮影によってより鮮やかに記録され、受け継がれていく。

過去を知る語り手の話に耳を傾け、自らも過去を知っていくことによって、子どもの登場人物が現在を生きやすくなるというプロットは児童文学にしばしばみられる。だが、エミリーにとって母や祖母の語りは、祖父を知り、母をさらに知るだけでなく、人種差別の犠牲になった悲哀の歴史を知り、犂を打ち鳴らし、はだしになり、クズを植え、より大きなアフリカ的なコンテクストを受容するためのものでもあった。家族史は民族集団の歴史につながり、人種差別の悲劇があったならそれも弔い、記憶してこそ前に進んでいく。

注

(1) クローディア・テイト編『黒人として女として作家として』高橋茅香子訳（晶文社アルヒーフ）、晶文社、一九八六年、一五八ページ
(2) 清水真砂子「ハミルトン」、前掲『児童文学事典』所収、六〇五ページ
(3) V・ハミルトン『偉大なるM・C』橋本福夫訳（あたらしい文学）、岩波書店、一九八〇年、一五四ページ
(4) 同書二八五ページ
(5) 同書二九一ページ
(6) David L. Russell, “Cultural Identity and Individual Triumph in Virginia Hamilton's *M. C. Higgins, the Great*,” *Children's Literature in Education*, 21, 1990, p. 256.
(7) David Rees, *Painted Desert, Green Shade: Essays on Contemporary Writers of Fiction for Children and Young*

Adults, Horn Book, 1984, p. 176.

（8）前掲『偉大なるM・C』三一ページ

（9）同書八九ページ

（10）同書二九六ページ

（11）John Rowe Townsend, *A Sounding of Storytellers: New and Revised Essays on Contemporary Writers for Children*, J. B. Lippincott, 1979, p. 105.

（12）前掲『偉大なるM・C』二九七ページ

（13）Virginia Hamilton, *Virginia Hamilton: Speeches, Essays and Conversations*, Arnold Adoff and Kacy Cook eds, Blue Sky Press, 2010, p.138.

（14）ヴァジニア・ハミルトン『マイゴーストアンクル』島式子訳、原生林、一九九二年、一〇ページ

（15）同書一六七ページ

（16）同書二三三ページ

（17）同書二三四―二三五ページ

（18）邦訳では「ポーフィリア」とされているが、本書では一般的な病名に従って「ポルフィリン症」にする。

（19）「ポルフィリン症（指定難病254）」「難病情報センター」(https://www.nanbyou.or.jp/entry/5546)［二〇二二年一月十五日アクセス］

（20）「先天性光線過敏症」「皮膚科Q&A」(https://www.dermatol.or.jp/qa/qa36/index.html)［二〇二二年一月十五日アクセス］

（21）「鎌状赤血球症」「遺伝性疾患プラス」二〇二一年四月九日（https://genetics.qlife.jp/diseases/sickle-cell）［二〇二二年一月十五日アクセス］

（22）前掲『マイゴーストアンクル』八五ページ

（23）同書一五三ページ

（24）同書二六三ページ
（25）Virginia Hamilton, Arnold Adoff and Kacy Cook eds., *op. cit.*, p. 94.
（26）アメリカの大衆民話のトール・テール（ほら話）の登場人物として白人のポール・バニヤンやデイヴィ・クロケットと並ぶ有名なキャラクターがジョン・ヘンリーである。十九世紀の鉄道敷設現場で働いていた頑健な鉄道工夫で、そもそも労働歌で歌われていたものに様々な細部が付け加えられてトール・テールに発展した。ほとんどの版で、ジョン・ヘンリーは怪力の大男で、大陸横断鉄道建設現場のビッグ・ベンドで岩山のトンネル工事に携わっている。監督者の命令で、セールスマンが持ち込んだ蒸気ドリルと掘削対決し、機械には勝つが心臓が破れ、妻のポリー・アンに看取られて死ぬ。ジョン・ヘンリーを素材とした大衆歌のバラッドでは、素朴な力自慢が抑圧される労働者の闘争のフォークロアに変容した一方、黒人音楽のブルースでは奴隷解放後に小作人《シェアクロッパー》か肉体労働にしかなれなかった黒人が、ジョン・ヘンリーのように死ぬのではなく逃げて人間として生きようとする姿勢に共感を寄せている。ジュリアス・レスターなどによる子ども向けの再話はブルース寄りで、ジョン・ヘンリーの誇りやフォーク・ヒーローの多様性に注目した語りになっている。
（27）ヴァジニア・ハミルトン『プリティ・パールのふしぎな冒険』荒このみ訳、岩波書店、一九九六年、一六二ページ
（28）トーマス・L・ウェッバー『奴隷文化の誕生――もうひとつのアメリカ社会史』西川進監訳、新評論、一九八八年、三〇―四二ページ
（29）前掲『アメリカ黒人の歴史』一一五―一一七ページ
（30）風呂本惇子『アメリカ黒人文学とフォークロア』山口書店、一九八六年、三ページ
（31）同書三―四ページ
（32）前掲『プリティ・パールのふしぎな冒険』一五八ページ
（33）「ヨハネの黙示録」二十二章十四節、『聖書　新共同訳――旧約聖書続編つき』所収、日本聖書協会、一九八八年、新四八〇ページ
（34）“Ain’t You Got A Right To The Tree Of Life? “You Got a Right,” 1900’s, Bluegrass Messengers (http://www.

bluegrassmessengers.com/ain't-you-got-a-right-to-the-tree-of-life--versions.aspx)［二〇二二年一月十五日アクセス］

（35）前掲『プリティ・パールのふしぎな冒険』一三五—一三六ページ

（36）同書二五六ページ

（37）同書七二ページ

（38）同書一二二ページ

（39）同書二二一ページ

（40）同書三三九ページ

（41）大喜多香枝「視覚がもたらす死の受容——アンジェラ・ジョンソンの『犂を打ち鳴らす』」、吉田純子／鈴木宏枝／大喜多香枝『マイノリティは苦しみをのりこえて——アメリカ思春期文学をよむ』所収、冬弓舎、二〇一二年、一一八—一一九ページ

（42）Angela Johnson, *Toning the Sweep*, Scholastic, 1993, p. 35.

（43）*Ibid.*, p. 99.

（44）Kaa Vonia Hinton, *Angela Johnson: Poetic Prose*, Scarecrow Press, 2006, p. 46.

（45）Angela Johnson, *op. cit.*, p. 41.

（46）日本が輸出したクズが南部で繁殖して国土を覆いつくすことになるという脅しにも似た言説は、「アトランタ・コンスティテューション」紙の記者が生み出し、「クズではなくブドウを実らせよう」という宗教的なコンテクストを背景に流布したものだが、実際は多くのクズは二十世紀半ばまでには道路や鉄道建設に伴って伐採され、南部でも多様な植栽がおこなわれたという。しかし、クズに侵食される南部のイメージが残り続けたことが Bill Finch, "The True Story of Kudzu, the Vine That Never Truly Ate the South," Smithsonian Magazine（[https://www.smithsonianmag.com/science-nature/true-story-kudzu-vine-ate-south-180956325/]［二〇二二年一月十五日アクセス］）で指摘されている。

（47）Angela Johnson, *op. cit.*, p. 73.

(48) 小此木啓吾『対象喪失——悲しむということ』(中公新書)、中央公論社、一九七九年、五〇ページ
(49) Angela Johnson, *op. cit.*, p. 45.
(50) 前掲「視覚がもたらす死の受容」一二七ページ

第6章　ネットワークの形成

1　奴隷逃亡のネットワーク――『ハリエット・タブマン――地下鉄道の車掌』

逃亡奴隷ハリエット・タブマン

奴隷制度時代の奴隷が自由になるにはいくつかの方法が可能だった。まず、忠実な召使として信用を得て、遺言や奴隷本人に対する贈り物として解放されることである。もう一つは、主人からほかの農園主や商工業者に貸し出される許可を主人から受け、労賃から貸し賃を引いた金額を自分の取り分にするか、忠実な召使に与えられる制限付きの自由のなかで副業をして現金を手に入れ、その貯金で自由を買い取るという方法である。これらのほかに、危険を伴う逃亡もまた多くの奴隷が試みた。同じ奴隷州でもフィラデルフィア州やメリーランド州は比較的北部に近かった一方で、ミシシッピ州やアラバマ州などの深南部は、境界線まで距離が長いという点で、逃亡はきわめて危険な賭けだった。道中では犬に追われ、捕まれば暴行を受ける。一八五〇年の改正逃亡奴隷法は、自由州でももとの持ち主がくれば引き渡されて奴隷に戻されることを定めたため、北部に至っても、支援者を得てもとの主人から買い取ってもらったうえで自由を与えられるか、アメリカ国外まで逃げなくてはならなくなった。しかしそれでも逃亡は後を絶たず、逃亡奴隷の情報を求める広告が懸賞金付きで新聞に数多く掲載された。

ハリエット・タブマンは十九世紀の実在の逃亡奴隷で、一八二〇年ごろにメリーランド州で生まれたとされる。奴隷主が死に、遺産整理で売られるのを恐れて気が進まなかった夫を置いて何度かの逃亡を試み、最終的には「地下鉄道」に助けられて四九年にフィラデルフィア州に辿り着き、自由黒人になった。その後も懸賞金をかけられながら十九回にわたって北部と南部を往復し、地下鉄道の「車掌」として何百人もの奴隷を北部へ導き、南北戦争には看護師や情報係として参加して、戦後は女性参政権運動にも関わっている。モニカ・カリングの『北へ逃げろ！――ハリエット・タブマンの物語』（二〇〇〇年。未訳）やロビン・ドークの『ハリエット・タブマン』（二〇一五年。未訳）などの伝記が現代でも新たに出版されているほか、ケイシー・レモンズ監督によって『ハリエット』（二〇一九年）として映画化されたり、二〇二〇年から二十ドル紙幣に肖像が用いられたりしている。

タブマンは農園奴隷として働いているときにタイス・デイヴィッズの逃亡伝説を耳にし、「小包」「箱」「乗客」と呼ばれるものが逃亡奴隷の隠語であることや、ナット・ターナーの反乱をはじめとする奴隷による暴動が起きていることを知った。デイヴィッズは、ケンタッキー州の農園から逃げた奴隷で、オハイオ川に飛び込んで自由州に渡ったが、このとき、追っ手の農園主が彼を近くまで追っていたにもかかわらず捕獲できず、「奴は地下の道にもぐったにちがいない！」と叫んで農園に戻り、これが「地下鉄道」の名前の由来になったという。(1) クエーカー教徒や福音メソディスト派の信者がおもに宗教的な理由で地下鉄道の活動を助けたが、

まず、地元の地理に詳しい「車掌」が、一人または複数の奴隷を「駅」（概して、協力的な「駅長」の自宅）

に連れていった。逃亡奴隷は、自由な土地にたどり着くまでこうした駅を転々としていった。奴隷たちは通常、暗くなってから移動し、ひと晩におよそ十六〜三十二キロメートル移動した。これは極めて危険な活動であった。車掌も奴隷も、捕まれば厳しく処罰され、あるいは処刑された(2)。

逃亡奴隷のまわりには、命をかけて地下鉄道を支援した市井の人々が数多くいた。各人の支援の点と点がつながって線になったレジスタンスが地下鉄道であり、タブマンも、助けられたのちにその活動に加わったのである。

偉人としてのタブマン——『ハリエット・タブマンの人生における諸場面』

白人歴史家のサラ・ブラッドフォードは、十九世紀にタブマンに直接聞き取りをおこなって伝記『ハリエット・タブマンの人生における諸場面』（一八六九年。未訳。以下、『諸場面』と略記）にまとめ、出版後の一八八六年にも再びタブマンを取り上げて『ハリエット・タブマン——彼女の民のモーセ』（未訳）を児童書として出版した。この「彼女の民のモーセ」というフレーズは、現在もタブマンを表現するのに使われている。

『諸場面』の「まえがき」には、ハリエットへの聞き取りと執筆の経緯に加え、奴隷制度廃止論者で白人社会改良家のゲリット・スミス、白人弁護士で政治家のウェンデル・フィリップス、元逃亡奴隷のフレデリック・ダグラスからの祝意を伝える手紙を掲載している。本編は章立てがなく、タブマンが語った話を三人称体で語り直し、ところどころにキリスト教への言及も含むブラッドフォード自身の声が差し挟まれる。タブマンのセリフは黒人英語で記され、後半にはタブマンの回顧を補完する白人支援者らの複数の手紙が並び、そのなかでは例えば、タブマンには不思議な力があって、多額の懸賞金がかけられ常に危険と隣り合わせだったにもかかわらず追っ手に見つかったことは一度もなく、最終的には数百人の奴隷を誰一人欠けることなく逃がしたことや、強い信念によって、必要な支援を必ず得ることができたことが証言されている。

奴隷制度への反対が主流の北部では、逃亡奴隷は理想の体現者として称賛される。『アンクル・トムの小屋』の演劇版である「トム・ショウ」は壮大な音楽や大きなセットを駆使し、逃亡をめぐる場面は緊張感と盛り上がりがある見せ場になった。(3) 凍った川を飛び越えていくエライザとハリーの母子は、野蛮人から逃れて真に博愛的なキリスト教徒のもとへ救済を求めるイメージで表現され、子どもを守る母としての北部の良妻賢母像と野生味とが合体している。白人の創作のなかで、本来は静かで惨めで不安だらけの逃亡奴隷の道行きは、希望に燃え立ち、北を目指して孤高に駆けていく者にデフォルメされて想像される。例えば南北戦争中に描かれたイーストマン・ジョンソンの『自由への騎乗――奴隷の逃亡』（一八六二年）の絵は、(4) 三人家族が馬で北部に逃げていくところを描いたもので、野蛮な南部をおとしめ、革新的な北部を目指す行為そのものを礼賛しているようだ。

ブラッドフォードは、逃亡したタブマンを北部の理想を目指して野蛮な土地から逃げ延びてきた宗教的な英雄として称える。タブマンが逃亡希望の奴隷を連れ出していく様子は「ある天気のいい朝、ジョーがいなくなり、また、別の大農園からは彼の弟のウィリアムがいなくなった。ピーターとエライザもいなくなった。彼らはハリエットの次の一団に加わり、メリーランドからカナダまで――彼らの表現でいえば「エジプトから約束の地カナン」までの巡礼を始めようとしていた」(5) と、『聖書』の「出エジプト記」に例えられ、その行動力は、

彼女は紳士の事務所に行った。

「何が欲しいんだい、ハリエット？」と言う声がまず迎えた。

「お金が欲しいです」

「ほんとかい？　いくら欲しいんだね？」

「二十ドル欲しいです」

「二十ドルだって？　二十ドルをもらうのに誰がここにいけと言ったんだい？」

「神様がおっしゃいました」

「それなら、今回は神様がお間違えになったのではないかい」

「そうは思いません。とにかく、いただくまではここに座らせていただきます[6]」

と、ユーモアを交えた会話のなかに示される強い信仰心によって称賛されている。結果的に、このあとタブマンは紳士の事務所の廊下から動かずに数日を過ごし、その間に事務所を偶然訪れて、タブマンがそこにいる理由を聞いた人たちから資金提供を受けて六十ドルを調達したという。その信念の強さと行動力も含め、タブマンが生きた時代に白人が出版した『諸場面』は、奴隷制度が廃止されたことを喜ばしく思う北部白人のブラッドフォードが奴隷制度を支持する南部白人を啓蒙することを念頭に、ユニークで信仰心があつい偉人としてタブマンを称えることに主眼が置かれているといえるだろう。

ネットワークのなかのはたらき――『ハリエット・タブマン――地下鉄道の車掌』

二十世紀になってから黒人作家が自分自身の集団の文脈でタブマンを語るとき、力点はその突出した偉人性ではなく、彼女を生かしたネットワークに置かれる。『諸場面』のなかで「地下鉄道」という表現が出てくるのは「あるときハリエットは森に一行を残し、彼女が言う「地下鉄道の駅」の一つに、長い回り道をしながら行った。ここで彼女は空腹の一行のために食べ物を入手した[7]」という一カ所だけで、タブマンとは切っても切れないはずの組織でありながら、詳細に言及していない。だが、アフリカン・アメリカンの文脈では、こちらのネットワークのほうが重要である。黒人社会は、奴隷制時代からネットワークと不可分であり、例えば奴隷居住区では、各自がもつ技能が成員のために自発的に用いられていた。小さな菜園での収穫を交換したり、近隣の農園の奴隷居住区の奴隷とつながりをもったり、監視の目をかいくぐった訪問や娯楽で気晴らしをしたりし、奴隷の売買や処遇に関する話題から主人たちが話す政治や社会についてまで、主人に近いところにいる奴隷や読み書きができる奴隷からの情報が、主人たちには想像もつかないほどのすばやさと正確さで共有されていたという[8]。白人の目には単なる均一的な集団にしか見えない奴隷たちの間には縦横の情報網が張り巡らされ、近隣のニュースから遠くで起きた奴隷蜂起の事件までが短い時間で知れ渡っていたのである。

『諸場面』を参照してアフリカン・アメリカン作家のアン・ピトリが書いた『ハリエット・タブマン――地下鉄道の車掌』（一九五五年。未訳）は、タブマンが頼った地下鉄道のネットワークそのものに着目し、そこにどのような人たちがどう関わり、そこでタブマンがどのようなはたらきをみせたのかを詳説している。地下鉄道が平和主義を掲げるクエーカー教徒、ドイツ系移民を中心とした奴隷制度反対主義者、自由黒人らが関わった共闘的な活動であること、市民権をもつ白人や自由黒人や解放奴隷が逃亡者に一夜の宿や食事を提供したり、衣類を与えたり、馬車で次の支援者の家に送ったりする仕組みが説明される。例えば、援助者の家には目印のランタンがともり、指示された小屋に逃げ込んで白い布を巻くと食料や衣類が運ばれてくる。こうした工夫をこらした合図をピトリは詳しく説明して、誰が支援者なのか公にされないまま大がかりなネットワークが存在し、その形成にあたって危険と隣り合わせの多数の善意があったことを強調している。

奴隷や逃亡奴隷をめぐって複雑な越境性があるとき、「地下鉄道」は、奴隷州の町と自由州の町を点と点でつなぐ線であるだけでなく、奴隷州のなかにも自由州のなかにも混交している奴隷制度廃止論者同士をつなぐ複数の線を俯瞰する面にもなる。「北部に延びる「地下鉄道」が鉄道でも何でもないことがわかった。地下を走っていなかった。ゆるやかに組織された集団で、食べ物や泊まるところ、隠れ場所を、北部へそして自由へ向かう長い道のりを進み始めた逃亡者に提供してくれる[9]」ものであることに気づいたタブマンは、白人のクエーカー教徒のトーマス・ギャレットに保護されたあとからは車掌役を務めるようになる。ギャレットは奴隷制度に反対する社会改良家で、『諸場面』では、「すばらしく心が広く寛大で、彼の手を通じて、二千人の自分で自分を解放しよ

図20　『ハリエット・タブマン――地下鉄道の車掌』の原書の表紙
(Ann Petry, *Harriet Tubman: Conductor on the Underground Railroad*, Amistad, [1955] 2007.)

うとする奴隷が自由への道を通り抜けていった[10]」と説明されている。逃亡してきた奴隷たちの一団が一度ばらばらに自由黒人の家に身を寄せたあと、ギャレットの指示でカナダまで送り届けられた成功例もあり、タブマンの活躍とは切っても切れない篤志家である。『諸場面』では、ギャレットのもとへタブマンが向かう線に注目しているが、『ハリエット・タブマン』ではギャレットもタブマンも「地下鉄道」という面の活動で相対化されている。タブマンやギャレットは、個別的に英雄的な行為を成し遂げたのではない。ギャレットは、北部の拠点で常にハリエットを支援し、指示を与え、ハリエットが連れ帰る逃亡奴隷の身の振り方を考えるが、それを支える無数の名も残らない支援者たちの網の目のほうがギャレット個人よりも重要だと認識されている。ピトリは逃亡者を助ける拠点の「駅」の白人にも着目した。ある農家の夫婦が合言葉を合図に扉を開けて一宿一飯を提供し、ある農夫が四輪馬車の積み荷の下の隙間に逃亡奴隷たちをかくまって運び、奴隷狩りの追っ手に問われたときにはユーモアを交えて隠し通すことを語る。あるクエーカー教徒の男性は、すぐそばにタブマンらが隠れていることに気づき、外に向かってわざと大声で「私の四輪馬車は、道の真向かいのすぐ先の次の農家の前庭にある。馬は馬小屋にいる。手綱はかけ釘にかかっている[11]」と独り言を言うので、奴隷たちは逃亡に使える乗り物があることを理解する。

「地下鉄道」の複数の人々によって形成された網の目のなかでは、最前線を担うタブマンもあくまで一つのコマである。ギャレットもタブマンの後ろ盾になり、奴隷州と自由州の境界線を攪乱しつづける最前線の「車掌」を支える大きな力になったが、それでも彼だけでは何もできない。様々な役割をもつ人たちの有機的なネットワークがあってこそタブマンやギャレットが活躍できたことをピトリは重視している。

南北戦争後に奴隷制度が解消されたあともこの運動はさらなる展開を示し、運動家たちの多くは次の被抑圧者の救済に動き始めた。タブマンは女性参政権運動にも関わり、二十世紀になっても身寄りがない元奴隷を引き取る施設を作ったり、南北戦争で戦死した黒人兵の遺族の面倒を見たりした。二〇〇四年に、地下鉄道の調査や研究をするためにオハイオ州に設立された国立地下鉄道自由センターは、歴史遺産としての「地下鉄道」を扱うだけでなく、現在進行中の人身売買や奴隷のように搾取される労働者の問題も扱って啓蒙活動を進めている。アフリカン・アメリカンが経験した奴隷制度と人種差別の闇は、同時代の様々な被抑圧者につながっていく可能性をもち、タブマンもそうした課題に関わり続けた人生を送ったといえるだろう。だが、それはやはり一人でできるものではない。タブマンにだけ光を当てたブラッドフォードとは異なり、ピトリの評伝はタブマンを媒介にしながらも、もう一つの主人公のように有機的なネットワークの強さを浮かび上がらせている。奴隷制を生き延びた奴隷たちの人間らしい行為やその周辺の援助者へのまなざしは、抑圧のなかにいるアフリカン・アメリカン以外の人たちとの連携につながり、常に現在の被抑圧者に向かう可能性の余白を残す。

2　ストリート・チルドレンの共同体——『ジュニア・ブラウンの惑星』

都会のストリート・チルドレン

ヴァジニア・ハミルトンの『ジュニア・ブラウンの惑星』（一九七一年）は、ハーレム地区を舞台に、大多数の住人が気づかないところで欠落を抱える者同士がつながりあい、形成するネットワークに焦点を当てる作品である。主人公は十四歳のバディー・クラークで、ホームレス生活をしながら裏通りの廃屋やビルの空き室などにひそかに作られているストリート・チルドレンの共同体、通称「惑星」で肩を寄せ合って生きる子どもたちの指南役「明日のビリー」を務めている。バディーは九歳のときに母親が家出して以来天涯孤独で、児童保護センターの大人たちを振り切って逃げたのちに「惑星〈明日のビリー〉」に紛れ込み、サバイバルのすべを学んだ。「惑星」では年長のホームレスの若者が通称「明日のビリー」として、幼い少年たちに食べ物を与え、日用品の世話をし、人混みでのまぎれ方や夜の安全な過ごし方を教えるならわしである。宿無しであるという秘密を人に打ち明けずに過ごせるだけのメンタリティーを「惑星」生活で鍛えられたバディーは、独り立ちしてから同じように「明日のビリー」を名乗り、次の「惑星」の子どもたちの面倒を見ている。彼には天才的な数学の才能と野生動物のようなたくましさがあり、年少の子どもたちに厳しくも温かい。のちに、バディーの秘密を知り、「惑星」運営に協力する元数学教師で用務員のプールは、賢く献身的なバディーのなかに「まったく新しい人類(12)」をみている。

バディーと同じ中学校に通う親友のジュニア・ブラウン（ヴァージル・ブラウン）は体重が百二十キロを超える巨漢で、容姿にコンプレックスを抱えている。裕福な家の一人息子で、ピアノと絵画の天才だが、父親は不在で、母親のジュネラとピアノ教師のピーブスから強い抑圧を受けている。ジュネラは夫が単身赴任中だという幻想を信じ、かつジュニアを思いどおりにしようとして、コンサートなどの社交に無理やり連れ出す一方、神経に障るという理由で家のピアノの弦をすべて切断し、ジュニアが描き進めていた絵も捨ててしまう。ピーブスは優秀なピアニストで、ジュニアは、彼女のおかげでセントラルパークの野外コンサートに出演したこともあるのだが、教室兼自宅に据えられたレッスン用のグランドピアノは、コンサートピアニストのためのものであるという持論からジュニアに触れさせず、レッスンをしない。そのうえ「汚い親戚の男が家に上がり込んでいる」という虚言にジュニアを巻き込む。口止めされたジュニアは抑圧を受け、最後には、彼にもその男の幻想が見えるようになってしまう。

ジュニアとバディーは互いの境遇を知らずに親しくなり、授業をサボタージュして過ごす中学校の地下室で、プールと一緒に太陽系の模型を作ることに熱中し、太陽系の架空の十番目の惑星として、肥満のジュニアになぞらえたベージュと黒の巨大な「ジュニア・ブラウンの惑星」を加える。最終的に、精神的に打ちのめされているジュニアを助けるため、バディーはプールに「惑星」の秘密を打ち明け、彼をそのうちの一つに避難させる。このとき、暫定的な名前しかなかった「惑星」に、友情の証しとして、模型と同じ「ジュニア・ブラウンの惑星」という名前が与えられる。

図21　『ジュニア・ブラウンの惑星』の原書の表紙
(Virginia Hamilton, *The Planet of Junior Brown*, Macmillan, Simon and Schuster, [1971] 1993.)

多くのアメリカ児童文学では、路上《ストリート》はおおむね家庭《ホーム》の対になる危険な場所とみなされている。十九世紀にはすでに移民や貧民が押し寄せる都会の路上は、「誠実な空間としての家を求める人々が、みずから裏腹に不誠実な行いに手を染めかねない、行動倫理の臨界」[13]であり、子どもは遠ざけられるべき場所だった。守られた家庭から路上に出れば、子どもであっても自衛せざるをえないと同時に、監視が行き届かない自由と自律の場にもなる。

よき家庭を文学的に構築してきたアメリカ児童文学のなかでは、路上はしばしば暴力や危険に満ちた場所として描かれ、子どもはできるだけ路上を避けて早く帰らなければならない。交通網が整い、道路が整備されていくにつれて、家の内と外はさらに明確に区切られ、子どもは家や学校のなかで管理されるようになる。路上は大人の干渉を逃れて冒険心が満たされる半面、そこでの遊びは必ず帰宅を伴うことが約束である。「都市はその本性として異質性を内包するが、そのなかでもっとも極端な形で異質性をはらむ空間がストリート」(14)であり、人が行き交う路上にとどまらざるをえない底辺層やドロップアウトした若者たちは固有のコードを作り出す。彼らは路上で小銭を稼ぎ、徒党を組み、ときに闇社会と手を結ぶ。児童文学のなかでも路上は、現実の過酷さを最も忠実に模倣するリアリズムの場として想像され、文字どおり、はみだし者が集合する。白人作家S・E・ヒントンの『アウトサイダーズ』(一九六七年)は、路上での二つの少年ギャング団の敵対関係を背景にし、フランク・ボーナムの『デュランゴ・ストリート』(一九六五年。未訳)でも、車泥棒で少年院送りになった少年ルーファスが路上に戻って困難に直面する。最終的にはカウンセラーの助けによって路上をあとにすることがハッピーエンドになっているが、この意味でストリート・チルドレンは、本来いてはならない存在であり、子どもだけの集団は解散され保護されなくてはならない。

奴隷小屋の「通り」の再現

他方で、異なるものが混沌として存在している路上は、新しい文化を生み、そこでつながりあうこともできる。路上には独自のルールがあり、常に新陳代謝がおこなわれている。独特の秩序があり、奇跡的な絆も生む場所である。『ジュニア・ブラウンの惑星』の路上《ストリート》にも、危険で刹那的な空間ではなく、家庭と同様のシェルター機能という積極的な意味が与えられているが、ハミルトンのイメージのもとになっているのは奴隷小屋の「通り《ストリート》」である。

ジョージ・ローウィックによると、十九世紀の南部の奴隷小屋は主人たちが住まう屋敷から見えないところに並べて建てられ、いずれも、簡素で雑然としていた。しかし、洗濯小屋や鍛冶屋など自然発生的に生まれた共同の作業場を中心に奴隷小屋の間を縫って走っている「通り」は、ある種の自律的な領域と見なされ、生活するだけでなく奴隷同士がつながりあえる歌や踊りの場にもなった。「通り」は雑多で曖昧な場所であり、社交や共同作業もできる場所だった。奴隷たちは、実質的な理由からも気分的な理由からも、暗く狭い小屋のなかより外での煮炊きや娯楽を好んだ。そこではいさかいもあれば相互扶助もある。農園主には秘密の宗教的な集会がおこなわれ、成員を結び付け、情報を分かち合う場になる。小屋という惨めなプライベートと、暴力的に働かされる農園というソサエティの間にも「通り」はある。

奴隷たちは日の出から日の入りまで、時にはそれ以上に労働した。この労働は彼らの存在の一部を支配していた——しかし一部だけである。他の社会システムと同様に奴隷制度下でも、社会の最底辺の人たちは奴隷主階級に、一〇〇%支配されたわけではなかった。彼らは、このシステムの最も過酷な部分を和らげ、時には奴隷主を支配する方法を見いだした。彼らは、アフリカの過去とアメリカの現在から得た素材で自分たち自身の共同体を築いた。そこには、新たな創造に意味と方向性を与えるアフリカの価値観と記憶があった。彼らは、日の入りから日の出までを生き、愛し合った。[15]

この「通り」観に影響を受けたハミルトンによって、『ジュニア・ブラウンの惑星』は、白人農園主の目には見えない奴隷小屋の間を縦横に走る「通り」をニューヨークの通りに空想している。廃屋や人目につかない場所に点在する「惑星」は、自分のためにも他者のためにも生きることができる者たちの共同体である。少年たちは「惑星」で力を蓄えたのちに再び路上に出ていき、高邁に生きていこうとする。「明日のビリー」に、「明日も来る？　ビリー？」[16]と聞かなくなった日、「惑星」の子どもたちは自立したとみなされ、次の日から「明日のビリー」はこなくなり、グループはばらばらになる。「惑星」に育まれた少年たちは自力で路上に居場所を見つけ、やがて、通常の共同体と並存する新たな生活のネットワークを作る。独立して離れても、どこかでつながるかもしれない。互いに次の「明日のビリー」になって再会し、別の子どもたちを助けるかもしれない。

独特な「通り」観をもつアフリカン・アメリカン文化と子ども読者が出合うところでなければ、奇跡的な「惑星」のイメージは構築不可能である。ニューヨークの雑多な「通り」と奴隷小屋の「通り」を重ね合わせ、なおかつ子ども読者を意識したときに、この作品では、廃墟の陰や使われていないビルの一室に、暴力を介さずに子どもの力と知恵だけで生き延びることを可能にする保護機能が空想されている。ハミルトンは「惑星」の自律的なダイナミクスを賛美し、奴隷制時代の人間性回復の場所としての「路上」から着想を得、一九七〇年代のニューヨークの街を書き換えた。黒人奴隷の歴史を遡上し、かつて先祖たちが語らったぬくもり、あるいはひそやかに反逆を企てた精神の高揚を現代に再生することを試みる。そこには豊穣な関係性とネットワークが創造され、複数の人間のつながりを志向し、子どもであっても盗みや麻薬に手を染めることなく大都会で生き延びていこうとする意志を描ける。

広がるネットワーク

『ジュニア・ブラウンの惑星』の路上観のユニークな点は、親からの遺棄や混乱を抱えた弱者をそこで生き延びさせながら、それに手を貸す年長者も巻き込み、アメリカの世相と政治のなかに自然発生的な援助と共同の場を構想しているところにある。(17) プールだけでなく、バディーがホームレスであることを知らずに新聞スタンドでアルバイトさせている二十四歳の青年ドゥーム・マラクも、最終的に、ジュニア・ブラウンをめぐる「惑星」の秘密を教えられ、活動に手を貸すガーディアンの一人になる。

ある面からみれば、これらの成人からの援助がなければ「惑星」の維持もジュニアの救済も不可能である点が児童文学の限界だが、作家の意図は、手を貸す大人を巻き込みながら、一方的に手を貸すのではなく、手を貸すことによってその大人も精神的に救済されるような共同体を構想することにあるだろう。「惑星」と路上に関わるすべての者が欠落を超えて助け合えるように構造化されるなら、バディーやジュニアのようなアフリカン・アメリカンだけでなく、より多様な人間のなかから次の「惑星」や「明日のビリー」が生まれてくることが予見される。

このことは、ジュニアがひそかに描き続け、ジュネラに捨てられたことで家出の決心を決定づけることになる「赤い男」の絵にも暗示される。ジュニアは、ジュネラが持病の発作を起こすと投薬や注射をしなければならないのだが、落ち着いたジュネラが眠ると部屋でひそかに油彩画を描き進める。黒で輪郭をとり、足以外の部分を「脈打つ血の色」[18]で塗った大きな男の内側に、「姿かたちも肌の色もちがう、三センチの大きさのさまざまな人たち」[19]をたくさん描き込んでいる。

考えていることを、夢を描いた。華麗な音をひびかせる何台ものピアノを描いた。学校を描き、惑星〈ジュニア・ブラウン〉を描いた。自由でたくましいバディー・クラークがゆうぜんと歩いている通りを、何本も描いた。人も物も、描いたものはすべて、なにものにもとらわれず、自由だった。プールさん、ジュニアの父親、バディーの父親、ゲーム、バス、老人、樹木。[20]

「惑星」は子どもだけでなく、勉学に傷ついた青年も、職業上の目標を見失った元教師も力づけるものである。欠落を抱えたアフリカン・アメリカンは、大人も子どもも協働して奴隷小屋の「通り」でおこなわれていたような連帯を現代に現出することを試みている。

児童文学らしさをどこにみるかという点で、このあまりに理想的な構造は、それ自体がひとつの主張を示すといえるかもしれない。作中に「明日のビリー」に並ぶ少女がいないという批判[21]があるが、それへのひとつの応答と考えられる作品として、カナダのクレメント・ヴァーゴ監督が『ジュニア・ブラウンの惑星』を原作として制作した映画『ジュニアズ・グルーブ』(一九九七年)が挙げられる。舞台はカナダのトロント、主人公はジャマイカ系カナダ人に変更され、家出してきたストリート・チルドレンは「難民《レフュジ》」と呼ばれる。バディーとジュニアにはそれぞれガールフレンドがいて、「惑星」は、暴力や銃の影もちらつく不穏な場所に変わっているが、バディーの「惑星」は、たくさんのろうそくの明かりがある穏やかな空間であり、映画の結末では、プールたちが作った天体模型だけでなく、楽器店の店員が協力して美しいピアノまで運び込まれ、少女たちも含めみんなでジュニアを迎える。ハミルトンは「通り」の可能性を具現化する試みとして夾雑物を除外し、ネットワークそのものに重きを置いた児童文学を書いたが、そのことによって、見える範囲での少女の不在よりもむしろ、この少年たちの共同体のさらに向こうに、少女と少年の、あるいは少女だけの「惑星」もまたありえるかもしれないという別の空想を生む。ジュニアの救済に主眼を置いて映像化された『ジュニアズ・グルーブ』が少女を含めて「惑星」を描くことができるのは、『ジュニア・ブラウンの惑星』が性の問題をあえて外し、奴隷制時代にネットワークを作っていた奴隷たちの、ともに生き延びようとする力の再現に主眼を置いたからではないだろうか。

3 ハーレム地区の共助と新しい男らしさ——『ニューヨーク145番通り』

ハーレム地区の表象への挑戦

ウォルター・ディーン・マイヤーズは、ウェストバージニア州に生まれ、幼いころに母親と死別して、父親の友人でニューヨークのハーレム地区に暮らすディーン家に姉たちとともに引き取られてディーン姓になった。経済的な理由で大学進学を断念し、軍隊経験を経て文筆を志して、コンテストでの受賞をきっかけに本格的な作家になった。等身大のロール・モデルを見いだせずにアイデンティティを確立しにくかった子どもも時代の経験と、アフリカン・アメリカンの子どもが児童書市場で読者対象として考えられていないことにジレンマを感じて、リアルなアフリカン・アメリカンが登場する子どもの本を中心に書くことに決め、[22]第一作はハーレム地区の立ち退き問題を扱った『若い地主たち』（一九八〇年。未訳）だった。マイヤーズが扱う時期のハーレム地区は、一九九三年に市長に就任したルドルフ・ジュリアーニが治安の回復に努め始める以前の荒廃したゲットーである。マイヤーズは、その荒れたイメージを覆し、自分が育てられた人間的な温かみがある場所として、貧困と暴力のなかにも見いだしうる希望に目を向けようとした。負の部分も、若者が乗り越えるべき試練として位置づけ、人間関係の温かさや生身の悲しみから生まれる多層的な感情や住人たちの状況を示すことで、ハーレム地区の見え方は大きく変わる。

145番通りの人々

『ニューヨーク145番通り』（二〇〇〇年）は十編からなる短篇集で、ハーレム地区で起こる様々な出来事を複数の登場人物を交差させながら連作で語っていく。

「ビッグ・ジョーの葬式」では、人気のバーベキュー屋を経営し、界隈で尊敬されているビッグ・ジョーが自分で生前葬とパーティーを企画する。ビッグ・ジョーの恋人で未亡人のセイディとその娘のピーチズはその企画が気に入らず、町の人たちも困惑するが、会は成功裏に終わる。

「ハーレムの極悪犬」は、自動小銃を持った男がいるという通報で警官が駆け付け、人がいるという叫び声をきっかけに激しい銃撃が起こる。関係がないアパートに多数の銃弾が撃ち込まれ、部屋の住人のメアリーと警官にたまたま現場に連れていかれた「ぼく」は、その部屋でメアリーの飼い犬が殺され、また、隣の部屋では、騒ぎを聞いて窓辺に寄ったと思われる男の子が死んでいるのを見て絶望的な気持ちになる。

図22 『ニューヨーク145番通り』の原書の表紙
(Walter Dean Myers, *145th Street: Short Stories*, Random House, [2000] 2012.)

「ボクサー」は、一試合百四十五ドルで妻と幼い子どものために稼ぐボクサーのビリー・ジャイルズの試合の前後の話である。彼にボクシングの才能はないが、高校を退学してレールから降りた人生を立て直すのは困難で、ファイトマネーでなんとか暮らしを立てようとするが、試合ではこれまでの人生で負け犬になった場面がフラッシュバックするなか、ノックアウト負けを喫する。

「アンジェラの目」は、タクシー運転手だった父親が殺された七年生のアンジェラの「夢」の話である。アンジェラが夢に見た人が不慮の死を遂げるという事件が続き、彼女は不吉な娘扱いされるようになる。小さなきっかけから警戒は解かれるが、実際は、アンジェラは父親が死ぬ前にもその夢を見、また、核爆弾を思わせる大量破壊の夢も見続けている。

「ストリーク」は、高校生のジェイミーに運が悪い出来事が続けざまに起きたのちに、それを逆転するかのように、続けざまにいいことが起きていく愉快な話である。ジェイミーは最後にいい運気の流れ《ストリーク》に乗って美人のシーリアをダンスパーティーに誘おうとするが、その前に、予想外に出されたバスケットボールの試合で逆転シュートを決めるという幸運が起きてしまう。幸運の連鎖は終わりかと思ったとき、シーリアのほうから誘いがきて、ジェイミーは天にも昇る気持ちになる。

「モンキーマン」は、不良集団のティグロスに目をつけられた高校生のモンキーマンについて級友の「ぼく」が語る。読書が好きで争いを好まないモンキーマンは、集団のティグロスの前に丸腰で現れ、殴られるままになる。けんかにならないためにティグロスのほうが気勢をそがれるが、逆恨みされて数週間後にティグロスのメンバーに刺されて重傷を負う。「ぼく」は、モンキーマンの心の大きさに感銘を受け、将来を語り合う。

「キティとマックのラブストーリー」では、メジャーリーグ級の高校野球選手のマックが発砲事件に巻き込まれ、右足を失って、恋人のキティにも心を閉ざす。キティは心変わりをせず、マックとの待ち合わせ場所で待ち続ける。級友たちが二人の純愛を応援し、マックは再びキティと向き合い、キティを守れる男になれない悔しさを告げると、キティは、マックはありのままでいるだけで十分に男らしいと返す。

「あるクリスマスの物語」は、ハーレムの外の郊外に暮らしながら通勤してくる警官のオブライエンと、ハーレムで最年長といっていいほどのマザー・フレッチャーのふれあいを描く。オブライエンが、具合を悪くしたマザー・フレッチャーのために救急車を手配し、お礼に手編みのカーディガンが警察署に届いたことからやりとりが始まり、オブライエンが家でマザー・フレッチャーの年齢を話題にしたことで家族も彼女に興味をもつ。マザー・フレッチャーからのクリスマス・ディナーの招待を当初は儀礼的に受けたオブライエンだったが、妻と娘に手を引かれ非番にもかかわらずハーレムに行くと、四人でいい時間を過ごすことができる。

「三部からなる物語」は、麻薬中毒の少年ビッグ・タイムの更生の兆しを捉える。第一部では祖母に麻薬を買うお金を無心し、第二部ではヘロイン注射で快感と不快感を味わう。第三部で、たまたま入った空きビルの一室で小さな男の子ベニーに出会ったところで、階下の麻薬中毒者が火事を起こす。火の手が迫るなか、ビッグ・タイムはベニーを隣の建物の屋根の上に放り投げ、自分も同じ屋根に向かって跳び、通気孔をつかんで這い上がる。その後、不思議とベニーに対して保護者めいた気持ちが湧いてくる。

最後の「ストリート・パーティー――一四五番通りの場合」は、ビッグ・ジョーと自分のママの再婚が決まりフラストレーションを抱えた、ピーチズと、親友のスクイーズィのやりとりで進む。ストリート・パーティーでもいらいらするピーチズは、ホームレス状態で暮らしている級友の少年JTに暴言を吐く。落ち着いたあとでスクイーズィと一緒にJTに屋台の食べ物を届けにいくが、JTは暴れて拒絶する。栄養失調と不衛生で病気になった母親をかばっているのを知ったピーチズは、いらだちの元凶だったはずのビッグ・ジョーのところにいって援助を頼み、再婚のお祝い用にしようとしていた貯金をJT母子にプレゼントする。ビッグ・ジョーの尽力で母子は小さな部屋に住み始め、自立への一歩を踏み出す。

欠落とつながり

『145番通り』には様々な欠落が描かれている。通りに住む半数以上の大人は職がなく、学校を中退している若者も多い。治安は悪く、警察が踏み込んでくることも銃撃も、疑わしいそぶりをしただけで後ろ手に地面に伏せさせられて身体検査されるのも日常茶飯事である。自分には何の落ち度もないマックは足と将来を奪われ、少年の目の前で幼い子どもが誤射で命を落とす。空きビルの一室には麻薬中毒者がたむろし、アンジェラの父親はタクシー強盗で殺される。安全も、職も、安定も、治安も、不足だらけである。

荒れていたころのハーレム地区をよく知るマイヤーズは、それでも、第一に、そのなかに生じるモラルの芽生えを捉える。モンキーマンの捨て身の正義に出会った「ぼく」は、

モンキーマンが公園でやったことはばかだ。はっきりいって、ばかだ。たぶん。だけど、ピーチズがずっといってたように、モンキーマンみたいな友だちがいたら、そいつを応援してやらなくちゃいけない。ぼくはそのあと何か月も公園でのできごとを考えた。あの夜、公園にいたモンキーマンはとても小さく見えた。だけどいまは、ぼくの頭のなかで、心のなかで、やつは大きくなっている。そう、モンキーマンってやつが。[23]

と、彼の勇気ある行為に時間をおいて敬服し、自分の変化を感じる。麻薬中毒のビッグ・タイムは、ペニーと呼ばれていた小さかった自分と目の前のベニーを重ね、彼への庇護の気持ちが湧く。ＪＴに暴言を言い放ったピーチズは後悔して、謝るために山盛りのバーベキューを持っていく。近隣の人に避けられるようになったアンジェラを気の毒に思い、彼女をかばおうとするのは店の常連客である。

そこから次のつながりの輪が生まれる。ボクサーのビリーがファイトマネーの百四十五ドルを持ち帰ると、妻は夫の体を心配しながら手を握り、その気持ちがビリーに通じる。モンキーマンに心を動かされるのは「ぼく」だけではない。彼に危ないところを助けてもらったピーチズも含め、級友たちはそろって夜中の公園にいき、凶悪なティグルスに向き合う。キティを心配する友人たちはマックにキティに会いにいくように勧め続け、マックは何度も転びながら、義足で待ち合わせの場所にやってくる。ＪＴと母親は、ビッグ・ジョーの援助を受けるが、その前に母と息子を数晩泊めるのはマザー・フレッチャーである。

マイヤーズは、危険と暴力が想起されるハーレム地区の内側に、複雑な人間関係と利害を超えた結び付きがありうることを探る。住民たちは、互いの事情をよく知りながら思いやりがある距離感を保つ。治安が悪い地区ならではの銃撃事件や殺人などの悲劇は、起きて当たり前ではない。住人はそうした犯罪を嘆き、犠牲者を思って悲嘆する。犯罪が日常茶飯事だから犠牲の痛みが薄れるわけではない。個々の隣人の顔が見えている場所で生まれる連帯があるから、人間らしい悲しみが生まれる。そこは、暴力がはびこると同時に、それを重大事として捉え、心を痛めることができる住人たちのつながりによって、人間を人間として育成する余地を形成する。小さな男の子の死体を見た「ぼく」は、「とんでもねえ話だ、こんなふうにあっけなく命を落としちまうなんて、ハーレムは、おれたちの町は、この一四五番通りは、なんてひでえところなんだっていってほしい。みんなで集まって痛みを吐き出せば、それが空に挙がって、あの子のいる場所にとどくかもしれない(24)」と嘆くが、犯罪や暴力がありふれたことであっても、一人ひとりのなかにそのつど感じられる痛みには、確かに血が通う。不良のティグルスがいる半面で「ぼくはただ、だれかがまちがっているところを見せて、べつのだれかが正しいところを見せるだろうと思ってた」[25]といえるモンキーマンがいる。ハーレムの外で中流の暮らしをする非番の警官と所轄内の老婆がクリスマス・ディナーを一緒に食べるというふれあいもある。欠落をひとつの共通軸にしながら、生き延びることに痛みがあってもなお生きて助け合おうとする大人と子どもの力に光を当てる。現実の過酷さは脇に置いても、児童文学にしかできないやり方で子どもに足場を与えようとしている。

新しい男らしさ

マイヤーズは、ハーレム地区を書き換えるプロセスで、白人のアメリカが目指してきたマッチョな男らしさを転覆し、新しい男らしさを提示しているようにも見受けられる。

『スコーピオンズ』(一九八八年。未訳)は、ハーレム地区に住む十二歳の少年ジャマールの物語である。ジャマールの父親は家族を捨て、十八歳の兄ランディはギャング団のスコーピオンズで麻薬売買に手を染めた結果、殺人と強盗罪で刑務所にいる。ジャマールは兄の不在の間にスコーピオンズのリーダーにならないかという誘いを受け、兄と同じ麻薬と銃の世界に足を踏み入れるか迷うが、親友のティトーが誤って人を銃殺してプエルトリコに強制送還されたことで道が分かたれる。この別れをきっかけに、一人でもギャングではない道をいこうと決め、スコーピオンズと手を切る。

同年の『地に落ちた天使たち』(一九八八年。未訳)は、ハーレム地区の高校を卒業してベトナム戦争に出征した十七歳のリッチー・ペリー青年が戦争の理不尽さや死への恐怖、軍隊内のレイシズムに悩みながらも、かろうじて正気を保って帰国する話である。軍隊からイメージされる強靭さとは無縁の、悩みやおびえばかりのベトナム戦線の最前線で、リッチーは同期入隊の青年ピーウィと心を通わせる。二人は友愛関係を築くことでマッチョな力を誇示せずにありのままでいることができる。数カ月の戦闘で疲弊するなか、ピーウィは、「お前のプライドはいったいどこにやりやがった？」と上長に言われ「シカゴ〔ピーウィの故郷：引用者注〕です。取ってきてもいいですか？」(26)と答えるほど規範的な男らしさを捨てているが、そのために戦死から免れることができる。やがて、ゲリラの狙撃で負傷して心身にダメージを負った二人は一緒に帰国するが、経由地からの民間機のなかでは、キャビンアテンダントにいぶかしがられても、男らしくなく「手を握り合って」(27)、傷ついた心を守り合い、正気を保とうとしている。英雄的でもなければたくましくもない帰還によってこそ、彼らには未来を語れる余地が守られる。

アフリカン・アメリカンの男性は、白人男性によって「男らしさ」を奪われてきた。奴隷制時代には、彼らの肉体のたくましさは白人農園主の財産価値を上げるための指標にすぎず、自分の家族が白人農園主に搾取されても耐えなければならなかった。人種差別が合法の時代には、黒人男性が白人の女性を見るだけでリンチされ、殴り殺されることもあった。白人と同じ強さを確立することは封じられ、社会的階層を超えられないことを叩き込まれる。「奴隷制時代以来、白人の家父長制の権力機構によって、人間として男性として無能扱いされ(28)」てきたことを乗り越えるために、『スコーピオンズ』のジャマールの兄と父は安易な麻薬売買や銃の世界にいざなわれ、自分たちの人生を損なってしまうのだが、ジャマールは、似た境遇のティトーとの「同輩関係(29)」を結ぶことで、孤高の強さはなくとも、社会の荒波を超えていくにあたり、既成の価値観に縛られずに進む男性像を模索できる。

リッチーは、勇壮な兵士という像は結べないが、友愛の念をもって助け合うなかで「のぞましい「男らしさ」を獲得し、積極的なシナリオを書きはじめる(30)」。白人が想像するような命令的でたくましい力を追い求めて挫折するのではなく、殺される前に殺すような殺気立った関係を作るのでもなく、怖いときには怖いと言うことができる相手と、友愛関係《ブラザーフッド》を築く。これによって彼の内面は守られ、「マッチョではないけれども強い」モデルが示され、新しい男らしさの兆しになっている。

ひるがえって、『145番通り』の男たちも、少年も大人もやはり、たくましい男として立つことが難しいのだが、そこでは「男らしさ」の概念がずらされ、新しくも魅力的で共感的な男らしさを提示している。ビッグ・ジョーは、困った人がいれば「話を聞いてくれるのはもちろん、ほぼまちがいなく助けてくれる」[31]。それは金持ちであることの誇示というよりは、胸を開いて手を差し伸べてくれるような愛の表れである。彼は、一世一代のイベントとして、自分の葬式開催を選ぶ。肉体的強さからいちばん遠い「死体」になり、棺のなかに実際に横たわって化粧を施され、歌や思い出話を棺桶のなかで聞き、霊柩車に乗せられてゆかりの土地をドライブしながら墓地に行く。自分が与えられているものをゆっくりと確かめたあとにパーティーを開き、惜しみなく料理を振る舞う。JT母子に、恩着せがましい言動をすることなく救いの手を差し伸べ、それをひけらかさない。

モンキーマンは、無抵抗なまま不良グループに殴られるが、その行為自体がほかの若者を変える。マックは有望なアスリートだったにもかかわらず見る影もなく松葉杖でよろよろと歩かなくてはならない。だが、それを支えようとするキティとの間には、花形だったときには考えられないような真の愛情が生まれる。麻薬の売人のビッグ・タイムは、小さな男の子を守り、彼を気にすることによって新鮮な良心の芽生えを感じる。ビッグ・ジョーが助けるホームレスの母子は、息子のJTが必死の思いで母親を守ろうとし、食べさせたり、寝かせたり、看護をしたりする。既存のジェンダーバイアスに沿わないアフリカン・アメリカンの男たちの人を思いやる力、暴力に暴力で立ち向かわない精神力、傷ついた者同士でその痛みを分け合おうとする共感の力が男としての幅の広さと結び付き、ハーレムという場で醸成される共助のネットワークに合致して、新しいアメリカの男の強さとして示される。このずらし方が、老若男女も人種も超えた住人たちのつながりを支えるものになっているのではないだろうか。

注

（1）"Davids, Tice," Notable Kentucky African American Database（https://nkaa.uky.edu/nkaa/items/show/584）［二〇二二年一月十五日アクセス］
（2）前掲『ついに自由を我らに』一二ページ
（3）前掲『アンクル・トムとメロドラマ』三四ページ
（4）Eastman Johnson, "A Ride for Freedom: The Fugitive Slaves," Brooklyn Museum（https://www.brooklynmuseum.org/opencollection/objects/495）［二〇二二年一月十五日アクセス］
（5）Sarah H. Bradford, *Scenes in the Life of Harriet Tubman*, W. J. Moses, 1869, Documenting the American South（http://docsouth.unc.edu/neh/bradford/bradford.html）［二〇二二年一月十五日アクセス］
（6）*Ibid.*, p. 109-110.
（7）*Ibid.*, p. 25.
（8）前掲『奴隷文化の誕生』三七八―四〇九ページ
（9）Ann Petry, *Harriet Tubman: Conductor on the Underground Railroad*, Amistad,［1955］2007, p. 97.
（10）Bradford, *op. cit.*, p. 30.
（11）Petry, *op. cit.*, p. 205.
（12）ヴァジニア・ハミルトン『ジュニア・ブラウンの惑星』掛川恭子訳（世界の青春ノベルズ）、岩波書店、一九八八年、二五ページ
（13）新田啓子『アメリカ文学のカルトグラフィ――批評による認知地図の試み』研究社、二〇一二年、二八ページ
（14）鈴木裕之『ストリートの歌――現代アフリカの若者文化』世界思想社、二〇〇〇年、一五ページ
（15）G・P・ローウィック『日没から夜明けまで――アメリカ黒人奴隷制の社会史』西川進訳（刀水歴史全書）、刀水書房、一九八六年、一一―一二ページ

（16）前掲『ジュニア・ブラウンの惑星』七三ページ
（17）『ジュニア・ブラウンの惑星』が発表された一九七一年は、冷戦を背景に六〇年から続いてきたベトナム戦争に大衆からの批判が高まり、反戦運動が盛んになっていた。日本語版訳者の掛川恭子は、「解説」で、惑星という共同体に、フラワーチルドレンと同じ哲学を見いだしている（前掲『ジュニア・ブラウンの惑星』三〇九ページ）。フラワーチルドレンとは、六〇年代から七〇年代にベトナム戦争での徴兵や派兵に反対し、「花または花の力」というスローガンを掲げて平和的な運動を展開し、全身を花で飾ったり、銃口に花を挿すパフォーマンスをしたりしたムーブメントの参加者を指す。『ジュニア・ブラウンの惑星』の分析では、奴隷制度に由来するアフリカン・アメリカンの共同体性と同時に、時代背景としての左翼思想も考慮に入れる必要があるかもしれない。
（18）前掲『ジュニア・ブラウンの惑星』一九八ページ
（19）同書一九九ページ
（20）同書二〇〇—二〇一ページ
（21）藤森かよこ「不在の少女たちからのメッセージ——Virginia Hamilton の“The Planet of Junior Brown”再読」「児童文学研究」第二十五号、日本児童文学学会、一九九三年、一〇一—一一一ページ
（22）Rudine Sims Bishop, “Presenting Walter Dean Myers,” in Diane Telgen ed., *Something about the Author, volume 71*, Cengage Gale, 1993, p.135.
（23）ウォルター・ディーン・マイヤーズ『ニューヨーク145番通り』金原瑞人／宮坂宏美訳（Y. A. Books）、小峰書店、二〇〇二年、一四四ページ
（24）同書四五ページ
（25）同書一四三ページ
（26）Walter Dean Myers, *Fallen Angels*, Scholastic, 1988, p. 271.
（27）*Ibid.*, p. 308.
（28）吉田純子『少年たちのアメリカ——思春期文学の帝国と〈男〉』阿吽社、二〇〇四年、二〇四ページ

（29）同書二一八ページ
（30）同書二一八ページ
（31）前掲『ニューヨーク145番通り』一五ページ

第7章　言葉の力

1　アフリカの言葉に宿る力──「すべて神の子には翼がある」

「すべて神の子には翼がある」──文学へのアダプテーション

黒人民話は、ジョエル・チャンドラー・ハリスの例にあるように早い時期に白人作家によってバイアスがかかった形態で流布した半面、黒人の民俗学者による収集も目立たないようにではあるが十九世紀から始まっていた。一八九三年、バージニア州ハンプトンでは、アメリカフォークロア学会会員のアリス・M・ベーコンの尽力によってハンプトン・フォークロア学会が黒人民話を扱い、最初のニグロ・フォークロア学会が結成されている。(1) また、最初期の黒人フォークロア研究者のメイソン・ブルワーは一九四六年に、

アメリカン・ニグロのフォークロアはアフリカの環境から豊かなものを受け継いでいる。アフリカという大

きな文化的要素がなければ、新世界の各地域のフォークロアと区別する「ニグロのフォークロア」はないだろう。おそらく、アフリカの奴隷移民以上に完全に伝統を運んだ人々はいなかったし、運べたのは伝統だけだった。というのも、彼らは故郷の芸術や習慣を広めたり発展させたりする助けとなる物質的な財産は何も持てなかったからだ。いや応なしの徒手空拳にもかかわらず、精神と心の中に複雑な音楽形式や劇的な話し言葉や空想的な物語を運び込み、自分たちで表現することを通じて保存した。(2)

と、その特質を正確に評価している。昔話は、「アフロ－アメリカンの他の形の創造的活動——歌、舞踏、多様な身体装飾の技法——と同じように、これらの物語は、根から切り離され奴隷にされた人々の忍耐力を立証しているだけではなく、その人々が保存し、その上に築き上げてきた文化的伝統の活力をも立証している(3)」といえ、学術の道に進むことができた黒人学者によって適切な発掘と評価がなされてきたといえるだろう。

黒人民話の神髄は、西アフリカのトリックスターのアナンシの類話や、まるで人間のような神の造形など、アメリカとアフリカの二つの要素の混交にあるが、そのなかで「すべて神の子には翼がある」は、アフリカとアメリカを結び付ける創作的でやや特異な話として位置づけられる。奴隷制時代のアフリカン・アメリカンの経験の過酷さを土台にしながらも、飛翔と救済のイメージがつながり、アフリカの言葉が力の源泉として取り入れられ、子どもも読む再話のなかでは格段に迫力をもつ。

内容は以下のとおりである。

かつてアフリカ人には翼があったが、新大陸や島嶼部で奴隷として働かされるうちに飛ぶ力を失い、普通の人間と同じ外見になった。時がたったあるとき、残酷な奴隷主が農園にアフリカ人の監督者を置いて奴隷をこき使っている。出産したばかりの女奴隷が赤ちゃんを背負って働いていたが、授乳と労働の厳しさに倒れてしまう。女が近くにいた老人に話しかけると、老人は「娘よ、まだだ」と止める。しかし、何度目かに女が倒れ、監督者が鞭を振るおうとすると、「時がきた、行きなさい」と告げる。女は赤ちゃんを抱いて、鳥のように飛び去る。労役に耐えられなくなった別の男が倒れ、監督者が鞭で打とうとすると、彼はまた何事かつぶやく。すると、その奴隷も生気を取り戻し、飛び去っていく。監督者たちが老人を捕まえて罰しようとすると、老人自身も不思議な言葉を高らかに叫び、飛び去っていく。長い間忘れていた飛ぶ力を思い出した奴隷は、みんな老人のあとについて飛んでいく。(4)

この話は、奴隷として連れてこられたアフリカ人の間で輪郭が整っていき、逃亡奴隷のアレゴリーとして広まった。一般文学では、白人作家のユージン・オニールが戯曲の『すべて神の子には翼がある』(一九二四年)でこの民話のタイトルを使っているが、内容は特に逃亡奴隷と関連するものではなく、同時代を舞台に幼なじみである白人女性と黒人男性の結婚を扱う。黒人と結婚することで白人女性の輪から疎外されるエラと、エラよりもはるかに教養があり高潔であるにもかかわらず、エラが望む夫になるために、黒人社会から「アンクル・トム」と見なされるという自己犠牲を払わなければならないジムの疲弊を描き、「人種アイデンティティという昔からある観念についての悲劇的なねじれ(5)」を示している。

二十世紀後半のトニ・モリスンの『ソロモンの歌』(一九七七年)では、主人公の青年ミルクマンが先祖をたどる旅のなかで、この寓話と内容が同じ童謡に出合う。歌のなかで、ミルクマンの曾祖父と思われるソロモンは、二十一人の子どものうち、末息子でミルクマンの祖父の名前と同じジェイクだけを連れてアフリカに向かって飛び去るのだが、まもなくジェイクは取り落とされてネイティブ・アメリカンの女性に養育される。ミルクマンは、初めて知ったこの歌が先祖の歴史と結び付くことを直感し、自分の系譜に納得がいくのだが、歌の内容は、「ああソロモン、ここに置いていかないで/綿のボールに息が詰まる/ああソロモン、ここに置いていかないで/白い旦那にこき使われる／ソロモンは飛んでいった。ソロモンはいってしまった／ソロモンは空を突っ切っていった。ソロモンは故郷に帰った」[6]という哀切なもので、置き去りにされたソロモンの妻の一人であるライナは嘆き悲しんで狂人になる。作品にはある種の謎解きと解放と過去との和解があるのだが、ミルクマンは最後に、自分をつけねらってきた青年ギターがいるほうに向かって岩山から跳び、転落して死ぬ。彼が追い求めた飛翔をめぐるソロモンの歌には、やはりどこか不吉さが漂う。

「すべて神の子には翼がある」——子ども読者に向けた再話

他方で、この話を奴隷の間で語り継がれた民話として他意なく子ども読者と結び付けると、この話に込められた希望が前景化される。初めてこの話を子ども向けに整えたメアリー・J・グレンジャーの『太鼓と影』（一九四〇年。未訳）では、アフリカの秘密の言葉を知るのはアフリカから直接輸送されてきた奴隷だけであり、クレオールの奴隷も飛ぶことができない。また、六十九セントでアフリカに送り返してもらう話や、飛べると称してお金を集めて回ったよそ者の話も所収されている。[7]これらはアメリカ的なトール・テールと結び付いたヴァリエーションだったと思われるが、多くの人に読まれ広まるものにはならなかった。

図23　『アメリカ黒人昔話集』の原書の表紙
(Julius Lester, *Black Folktales*, Richard W. Baron, Grove Press, [1969] 1994.)

中間航路《ミドル・パッセージ》をアフリカからアメリカに向かってきた奴隷船の奴隷は、運動不足解消のために鎖につながれたまま甲板で踊らされたり、限界ま

図24　『人間だって空を飛べる――アメリカ黒人民話集』の原書の表紙
(Virginia Hamilton, *The People Could Fly: American Black Folktales*, Alfred A. Knopf, 1985.)

で詰め込めるように設計された棚に身動きもままならない状態で寝かされたりした。「すべて神の子には翼がある」は、そのおぞましい航路を天空から逆走することを空想し、意志あるアフリカ人を従順な黒人奴隷に変質させたプロセスのみそぎをおこなうとしている。白人農園主からの暴力を無効化し、誰にも手出しができない空を通り、アフリカという土地の磁力に引かれるかのように飛び去って、永遠に戻ってこない。波の上の艱難辛苦を軽やかに上書きする彼らの飛翔は読み手の心に解放感を与える。

ジュリアス・レスターの『アメリカ黒人昔話集』（一九六九年）に収められた「空を飛べた人たち」では、言葉と飛翔の技術がアフリカでの職業と結び付けられている。白人農園主の目には「男」「女」「子ども」としか区分けされていない黒人奴隷は、故郷の村では教師であり農夫であり、そのなかには、言葉を知る職業人であるまじない師もいた。先祖から言葉を教わっていた若いまじない師は、虐待を受ける奴隷たちに言葉をささやき、飛ばせていく。レスターは、不思議な出来事は大昔のことで誰もその言葉は覚えていない、としながら、「でも、わかりませんよ。おそらく、ある朝目がさめたら、奇妙な言葉を言えるようになっている人が、これから出てくることでしょう。そうしたら、私たちは皆、その言葉を口にして、腕をひろげて、空に飛び立つのです。そして、悲惨な血塗られた畑をあとにするのです」[8]としめくくり、公民権獲得のあとも続いた厳しい人種差別的な状況を乗り越えてきた力と飛ぶ力を結び付け、アフリカを目指したこの不思議な力と言葉がいまを生きるアフリカン・アメリカンにも前向きに作用するというイメージを残している。この話の直後には、同じ逃亡の文脈から「歩き続けよ」という話も所収されている。農園主との約束によって自由を得た奴隷のデイブは、「でも、忘れるなよ、デイブ。お前はまだ黒んぼなんだぞ」[9]という悪意ある言葉を投げつけられても、縛られることなく歩む。レスターは彼に「ただ、歩き続けなさい」[10]とエールを送り、飛翔／逃亡／自由獲得に向かう奴隷の、それまでに損なわれた精神の力を、飛びながらあるいは走りながら回復しようとしている。

ヴァジニア・ハミルトンの『人間だって空を飛べる――アメリカ黒人民話集』（一九八五年）所収の「人間だって空を飛べる」は、飛び去った者と同様に、残って語り継いだ者が重要であることを強調する点でユニークである。話のなかでは、呪文を伝えたトービー老人や実際に飛び去ったマリーと赤ちゃん、そのほかの解放奴隷の魂を祝福しながら、それと同時に彼らを見送り、語り継いだ「飛べなかった人」にも共感を寄せる。

飛ぶことのできなかった奴隷たちは、飛べた人たちの話を、自分の子どもたちにしてやったんだって。といって、それも、かれらが自由になったときのことだけれど。自由な土地に住んで、暖炉の前にみんなで寄りそってすわって、この話を語ったのだ。かれらは暖炉の火の明かりが、それはそれはすきだった。「自由」がとてもすきだった。そして、お話をするのも、大すきだったんだ。

それから飛べなかった人の子どもたちは、自分の子どもたちに、この話をしてやった。そしていま、おれ、つまりこのわたしが、あんたたちに、この話をしてあげたってわけだ。[11]

語り継ぐという行為そのものが焦点化され、飛べた人たちが自由になったことをことほぎ、それを伝える試みもまた同様に尊いものであると述べる。語り手が飛ぶ行為とその先にある未来が幸せであることを疑わず、その奇跡を語り継いでいく精神も称揚するのは、子ども向けの語りならではだろう。

こうした再話では、アフリカの言葉は不吉さや絶望には結び付かず、祝福に変わる。『ソロモンの歌』では、アフリカのイボ族の歴史と融合したアメリカ南部のアフロ・ディアスポラの集合的な歴史が再構築され、[12]「カムブーバ　ヤリ。カム　ブーバ　タンビ！」[13]、「カム　コンカ　ヤリ、カム　コンカ　タンビー」[14]というわらべ歌が幻術的な雰囲気を醸し出し、不安をあおる。だがレスター版では「奇妙な言葉」[15]がささやかれるや、鞭で打たれて倒れていた女性奴隷は体を起こして飛び去っていく。ハミルトン版のトービーは「クム……ヤリ、クム、ブバ、タンベ……」[16]「クム　クンカ　ヤリ、クム……タンベ！」[17]や「ブーバ　ヤリ……ブーバ　タンベ」[18]というアフリカの言葉を唱え、それとともに次々に奴隷が手を翼のように広げて飛んでいく。いずれも「古いアフリカの言葉、黒い、神秘な約束の言葉」[19]であり、白人の農園主や監督人には理解できないつながりが、彼らをふるさとに向けて飛ばしていく。

ハミルトン版もレスター版も、励ましへの希求がアメリカからカリブへそしてアフリカへ逆流し、アフリカ人を奴隷に変えた中間航路の悲惨さを上書きする。アフリカとひとくくりにされた大きな地域の、どの語族のどのような意味の言葉なのかまで探られない点にはある種の他者化があるが、子ども向けの再話である点でこうした批判は薄まるだろう。アメリカに軸足を乗せてアフリカへの素朴な親近感を構築しようとするとき、抑圧者である白人の耳には聞き取れず、その呪術的な雰囲気に恐れをなすような言葉、それでいて、アフリカにルーツをもつ者には懐かしく響きうる言葉が用いられることが重要なのである。

2　複数の言葉から生まれる空間——『次女——ある奴隷少女の話』

エリザベスからファトゥへ

ミルドレッド・ピッツ・ウォルターは、ルイジアナ州に生まれ、サザン大学を卒業して教職に就き、公民権運動団体の活動に参加しながら作家を目指した。『ジャスティンと世界でいちばんのビスケット』（一九八六年。未訳）では、料理や皿洗いやベッドメーキングは女性の仕事だと思ってやりたがらなかった少年ジャスティンが、ロデオの名人でカウボーイの祖父のところで過ごすうちに、大人の男としてしっかり振る舞うために日常の家事が必要な仕事であることを理解する。ジェンダーの問題のほか、実際には人数が多かったにもかかわらず十分に描かれてこなかった黒人のカウボーイ像を提示している点でも評価されている。

『次女――ある奴隷少女の話』（一九九六年。未訳）は、独立戦争直後のマサチューセッツ州で、奴隷制度の違法性を争って裁判を起こして勝訴した実在の奴隷女性のエリザベス・フリーマン（通称ベット）の史実を脚色したフィクションである。エリザベスは作中ではファトゥ（フラニ語で「長女」）という名前で登場し、記録ではエリザベスの「姉もしくは妹」としか記載されていない女性について、六歳年下の妹のアイサ（フラニ語で「次女」）が設定されている。作品はアイサが姉のことを語る形式になっているが、ファトゥ、アイサというフラニ語の名前は白人のいるところでは使われず、ファトゥはエリザベス（ベット）、アイサは奴隷名のリジーが多く使われる。ただし、本章では、混乱を避けるため白人社会での名前ではなく、フラニ語のファトゥ、アイサとして述べる。

図25　『次女――ある奴隷少女の話』の原書の表紙
(Mildred Pitts Walter, *Second Daughter: The Story of a Slave Girl*, Scholastic, 1996.)

姉妹は独立戦争直前のニューヨークで奴隷の親のもとに生まれる。両親は、南部の農園労働と異なり、おもに家内労働や屋敷の切り盛りのための奴隷である。二人の父ジョサイアは、所有者に反抗したことで暴行を受けてアイサの誕生前に死に、兄たちは南部に売られ、母親はアイサを産んで九日目に亡くなる。産婆を務めた奴隷のオルーブンミ（ヨルバ語で「この最もすばらしい贈り物は私のもの」）が孤児の二人に仕事を教え、とりわけファトゥには薬草や民間療法の知識を伝授する。ファトゥは幼いころからアイサの世話をし、教わった治療の知識を奴隷たちの間で役立てる。

アイサが五歳のとき、マサチューセッツの判事ジョン・アシュリーが婚約者アンナへの贈り物としてファトゥを買う。ファトゥがアイサと一緒にいさせてくれるよう懇願したため、アイサも一緒に安値で売られ、このときあわせて買われた男性奴隷のブロムと姉妹との間には血縁に近い結び付きが生まれる。やがてファトゥは近所の自由黒人ジョサイア・フリーマンと結婚し、ジョサイアの家に住みながらアシュリー家に奴隷として通うことになる。ファトゥはアンナの生活に不可欠な存在だが身分はあくまで奴隷であり、アンナの出産時に医者が間に合わなかったときに介助しても、アンナは最後まで「黒人の産婆」[20]に抵抗し、無事に男の子を取り上げても感謝も口にしない。ファトゥはまた、娘のアイシャ（奴隷名「リトル・ベット」）を産むが、ジョサイアは赤ちゃんが母親の身分によって生まれながらの奴隷になるという法律に反発し、奴隷解放の嘆願を起こして敬遠される。

屋敷の料理人として雇い入れられた自由黒人のサラから読み書きを習うことで、ファトゥはリテラシーの力に気づく。時を同じくして植民地の政情が不安定になり、独立派が力を強めると、アシュリー家は独立派のサロンになり、ファトゥやアイサは白人女性は立ち入り禁止の集まりの場に給仕や伝令として入り、新憲法の草案や革命についての意見交換の内容を聞くことができる。

ジョサイアは、給金でアイサとアイシャの自由を買い戻すために独立軍に加わるが、黒人兵に支払いはなく、飢えと病気で兵士が死んでいく窮境のなかで戦死する。ファトゥは嘆きながらもジョサイアの願いだった家族の自由について考える。同じころ、ファトゥの奴隷仲間が白人主人に暴力を振るわれたことを告訴し、勝利して損害賠償を受けたことが大きなヒントになる。

短気なアンナは、気が利かないアイサにつらく当たることが多く、ファトゥがそれをかばってきたのだが、ある日、アンナは些細なことでアイサを焼けた暖炉のシャベルで叩こうとし、間に入ったファトゥがひどいやけどを負うという事件が起きる。アイサを思って従順に尽くしてきたファトゥだが、これ以上は無賃金で小間使いはしないと宣言し、アイサを連れて奴隷制度廃止論者の白人弁護士セジウィックの家を訪れ、ジョサイアの遺産を担保に告発を依頼する。セジウィックは、新憲法のパイロットケースとして裁判を引き受け、やけどを使用人への虐待と主人としての不適格の証拠として裁判を闘うことを決める。裁判の場で、ファトゥはセジウィックの戦略どおりに傷を見せ、自分がアンナやアシュリー氏が言う小間使いではなく、賃金なしの「奴隷」であることを主張して勝利するが、「善良とか親切とか主人を説明する言葉は、奴隷制度を話すときにはあてはまらない。（略）傷があろうとなかろうと、私たちは自由になるに値する」[21]という言い分や「彼女〔アシュリー夫人：引用者注〕が親切かどうかには関係なく、憲法には私たちに自由の権利があると書いてある」[22]という証言の真意は、作中では白人主人の側に伝わったようにはみえない。

ただ、少なくとも、現代の視点では、ファトゥは自分の状態が同情を呼ぶべき特殊な事例とされるのを拒み、哀れみを乞うためではなく当然の権利を得るために闘ったのだという作者の意図は、読者にまっすぐに伝えられる。アシュリー夫妻はほかの裁判での元奴隷と雇い主間の司法取引や雇い主敗訴の情報を聞いて、上告を取り下げる。母親の身分と結び付くアイシャも自由になり、「マサチューセッツ州憲法では奴隷制を違法と認める」という判例を根拠にアイサも自由になる。結末では、ファトゥとアイシャが解放黒人としてニューアムステルダムに残る（実際のファトゥはセジウィック邸で雇われている）一方、アイサはボストンに出て住み込みの家政婦の仕事を見つける。

複数の言葉の力

フィクションであるところの『次女』で、ファトゥの主体性獲得に言葉はどのように作用したのだろうか。

一つ目はオランダ語である。生まれた地であるニューヨークは旧オランダ領で、ジョサイアの雇い主もオランダ語話者である。ファトゥはアイサと離ればなれになるかもしれないときオランダ語で「私の妹（mijn zusje）[23]」と泣き、ブロムと初めて話すときは「こんにちは、小さい弟（Hoe gaat, het broertje）[24]」と呼びかけて心を通じ合わせる。アフリカの言葉ではないが、姉妹にとっての第一言語であるオランダ語は一つの武器になる。

二つ目は、移管された先のアシュリー家で使用される英語である。支配者の言語である英語は、ファトゥやアイサを縛り、なじんでいる言語から遠ざけ、自由を奪うと同時に、その力を理解し、ひそやかに学び、最も効果的な時と場所で用いることは姉妹の人生を大きく変化させる。英語は、暴力を振るわない白人との結び付きという見返りももたらす。愚かで鈍重と思われている奴隷たちは、互い同士では崩れた黒人英語《エボニクス》しか話さなくとも、耳の力では主人たちが話す英語の内容を解し、独立戦争の政治の意味と自分たちを縛る奴隷制度の状況を理解している。ファトゥとアイサは、アシュリー家の階上で開かれる会合で給仕をしながら、白人男性たちが喝采して作り上げた憲法草案に自分たちが含まれるのかと自問し、「われわれは、以下の事実を自明のことと信じる。すなわち、すべての人間は生まれながらにして平等であり、その創造主によって、生命、自由、および幸福の追求を含む不可侵の権利を与えられているということ[25]」という独立宣言を自分の身に引き付けて問い直す。作中では、白人男性たちの意識よりもはるかに鋭く、女性の黒人奴隷たちの耳は英語の音声とその意味内容を聞き取り、抽象的な単語が示す概念を考え抜いている。英語とそれを操る力を通じてファトゥやアイサは支援者であるセジウィックらと出会い、弁護士との会話や裁判では、ファトゥの理性と知性は立派な英語を話すことによって示される[26]。

三つ目の言語として、アフリカのフラニ語も重要である。もとの農園で、ファトゥ、アイサ、オルーブンミを結び付けるのはフラニ語であり、ファトゥやアイサに付けられた名前もフラニ語である。オルーブンミは拉致されたアフリカ人で、幼いファトウたちにアフリカの話をし、残された家族を思って嘆く。アフリカの記憶や土着の知恵をもち、ファトゥに産婆術と薬草の使い方を継承させる。もとの屋敷の主人は奴隷たちがフラニ語でやりとりするのを警戒し、オランダ語以外で会話したら一方を棘がついた鞭で打ち、もう一方を南部に売ると脅すが、オルーブンミは「母語を話すことは、それと引き換えに鞭で打たれてもいいと思えるような喜びを与えてくれる」[27]と言い、ルーツを肉体の痛みと引き換えに放棄してはいけないということをこっそりとファトゥに伝える。ファトゥは、アシュリー家の近くで別の屋敷の奴隷に会ったときに互いに英語とオランダ語がわからないところを、アフリカのフラニ語を使うことで通じ合う。

それからファトゥはフラニ語で彼に話しかけた。「ジャム　ウロ　ワアリー？」言葉を発しながら彼の目から喜びの涙がこぼれ落ちた。さよならをするとき彼は「ティーガーデ！」と言い、ファトゥは「イモ　ジェウィ　フーア　マム！」と答えた。

「彼になんて言ったの？」と私はファトゥに聞いた。

「「あなたの社会は平和な夜を過ごしましたか？」って聞いたのよ。朝早いときの挨拶の仕方よ。」

「で、彼は何て言ったの？」

「彼は、ザク・マレンというキリスト教名をもっているマンディンカ族ね。お別れのとき「ティーガーデ」って、しっかり頑張れって。それで、「私は私の自由に頑張ってしがみつくでしょう」って言ったの」[28]

ここでは、アフリカの言葉が一元的ではないこと、フラニ族とマンディンカ族が交わし合えた簡潔で力強い言葉が、その後のファトゥの運命を暗示している。農園を移ってから、ファトゥと夫になるジョサイアを結び付けるのもアフリカの言葉であり、ジョサイアは初対面のときにファトゥという名前からすぐに彼女が「長女」であることを理解して親愛の情を示す。ファトゥがオルーブンミから習った薬草を用いて苦しむ人を助けたり、産婆をしたりするアフリカの技術は、提供した働きに対する正当な支払いと敬意を受けられる仕事である。この手仕事はアフリカの言葉とも深くつながり、ファトゥに助けを求めにくる人の輪を広げ、非白人の世界との連関を保つ。

オランダ語、英語、フラニ語の複数の言語を操りながらファトゥは社会情勢を理解し、ほかの奴隷と友人になって生きる力の支えとした。ファトゥのモデルであるエリザベス・フリーマンは、アメリカの奴隷解放史のなかで初期の重要人物であり、実際には夫の名前は不詳で、女主人が折檻したのはエリザベスとは血のつながりはない使用人である。読み書きができないなかでマサチューセッツ州憲法を理解し、自由の身分を手に入れたエリザベスを創作のなかで新たに書き起こすとき、言葉の力に着目したのは現代作家のウォルターの主張の現れであるともいえるだろう。英語しか話せない白人雇い主よりも、混交的な言語環境のなかで複数の情報にふれることができた知的な女性として、ファトゥはアメリカの理想を理解し、多層的な人間関係と自分の求める自由を手に入れたと解釈されている。

3 詩作でつながる若者——『ブロンクス・マスカレード』

ラップとヒップホップ

ニッキ・グライムズは、ニューヨークのハーレム地区に生まれ、里親のもとを転々としながら読書を心の支えにして成長し作家になった。書くことや詩作が若者の自己形成に関わる力に注目したグライムズの第一作『ジャズミンのノート』（一九九八年。未訳）は、ハーレムのアムステルダム通りを舞台に、両親を亡くして里親のところを転々としたのち現在はウェイトレスで生計を立てる姉と二人暮らしをしている少女ジャズミンの日記形式の作品である。周囲には、麻薬や性暴力の危機や経済的困窮など多くの問題があるが、ジャズミンは姉をモラルのよりどころとしてどのように振る舞うかを考え、やすきに流されず、ささやかだが強い意思に支えられた暮らしを営んでいく。

コレッタ・スコット・キング賞受賞作の『ブロンクス・マスカレード』（二〇〇二年。未訳）は、アフリカン・アメリカンの言葉による詩と救済をヤングアダルト文学のなかに取り入れている。作中では、詩作によって子どもたちから力を引き出すというオーソドックスな言語観があるが、それがアフリカン・アメリカンをはじめとする子どもたちのヴァナキュラーな言葉で試みられているところが新鮮である。先が見えない暮らしに閉塞感を覚える生徒たちが、自分と同じ境遇から言葉を紡ぎ出したラングストン・ヒューズやアポロ劇場で挑戦を続けた先人たちの作品からプラスのエネルギーを得て変化し、ハーレム地区ならではのポエトリー・リーディング（詩の朗読）を通じて一種の共同体が形成される。

ラップに至る歴史をさかのぼると、ジャズは黒人霊歌を源流に生まれ、十九世紀にニューオーリンズのクレオールたちがもつヨーロッパ的雰囲気とアフリカン・アメリカンの「定型崩し」が融合して自然発生的に誕生したとされる。固定観念にしばられずにピアノやトロンボーンを演奏し、アフリカ風のリズムに西洋の音色を重ね、シカゴやニューヨークでジャンルとして大きく発展した。スコット・フィッツジェラルドが享楽的な時代を背景に『ジャズ・エイジの物語』（一九二二年）を書いたように、ジャズの退廃感や逸脱性はアメリカの都市文化のなかで好ましいものとして受容され、発展したアメリカの音楽場面に不可欠のものになった。

ブルースは、西欧音楽とは「異なる音階」[29]に特徴があり、当初は宗教的な主題も多かったが、しだいに恋愛や金銭など世俗の事柄も扱い始め、「西アフリカ的音階と西洋音階、奴隷制と賃金労働、個人的感情の発露とコマーシャリズムといった、あらゆる対立のあいだで宙吊りにされながら、しかも同時にそれ以後のあらゆる音楽のルーツとみなされ(30)」ている。作曲家のウィリアム・クリストファー・ハンディが、奇妙な風体の貧しい黒人がナイフをピックがわりに駅で奏でていたギターの音色を「これまで聞いたなかでいちばん奇妙な音楽(31)」として聞き取ったというエピソードを起源(32)とし、ミシシッピ・デルタ・ブルース、テキサス・ブルース、アパラチア山脈沿いのブルースなど、地域による特徴を生んだ。

黒人霊歌、ジャズ、ブルースは、いずれもアフリカ音楽の交唱《アンティフォナル》的歌唱技術に関係する。テーマを歌うリーダーとそれに応えるコーラスのやりとりでは、参加者が続けたいだけ即興で続けることができる。黒人霊歌の唱法から派生した「コール・アンド・リスポンス」は、伝道集会で牧師のリードに続いて大声で参加者が『聖書』の一節を繰り返し、それに合わせて手拍子を打ったり体を揺らしたりする、かけあいと繰り返しが重要である。ジャズは「構造それ自体が、最初のテーマについての即興的応答あるいはコメントを好きなだけメロディとして提示(33)」できる。ブルースも即興とセッションを大きな柱とし、楽理的には十二小節に三つのコードだけで気軽に延々とセッションできる。

ジャズやブルースに続き、ハーレム地区の路上では一九七〇年代ごろからアフリカン・アメリカンやプエルトリコ人の若者を中心に「事情に明るい、粋な（hip）」と「跳ぶ（hop）」を融合したヒップホップ文化が生まれ、そのなかにラップがあった。抑揚をつけてしゃべるように韻を踏みながら歌うラップは、母親をおとしめたりからかったりする黒人たちの口げんかに端を発する「ダズンズ」を原型にしたオーラル・プレイの一種で、命名は奴隷が市場でダース売りされた屈辱に由来する。韻文の巧みさや内容の面白さで競争するなかで、野卑な表現が一種の様式美を獲得し、コンテストの意味合いももつようになった(34)。同じ傷や欠落を抱える者同士のセッションや、共同的な連接の場を生成することも可能であり、カウンターカルチャーとして政治や偏見に抵抗するメッセージが含まれることもある。

「悪い《バッド》」を「かっこいい《バッド》」と形容するような独特の言語文化のなかで、アフリカン・アメリカンの若者は、白人の大人とは異なる価値観を路上で示し、階層も出自も超えてセッションしつづける。「かっこいい」と思う者たちの間で、境界を超えたかけあいを無限に続けることができる柔軟性があり、カリブ系から現代のアフリカ移民まで巻き込みながら、共通の地平をもつ。「「音楽」として認識されながら「歌」ではなく「語り」が中心[35]」の、若者らしく規範を外した詩の言葉の背後には、対抗文化としての受動性を超えて、幅広い年齢と人種、性別の人々を引き付ける魅力がある。「一二小節ABというルールが設定されたブルースも、特定の曲がお題として与えられるモダン・ジャズも、もちろん、ヒップホップも、その〝場〟に参加して「跳びたい」と思う人に開かれて[36]」いる。ラップはつながる場であり、一回性のなかに人を巻き込む。「伝統的で交唱的な「コール・リスポンス」構造のなかで、ダズンズやもの騙りやラップのような口頭表現は、水平面の上下にからみ合うメビウスの輪というよりもむしろ、書き言葉の伝統を包み込むものになっている[37]」が、そのとき児童文学は、表現的な荒々しさを和らげ、やりとりをするあり方そのものに焦点化して、子どもを巻き込もうとする。

ポエトリー・リーディングでのセッション

『ブロンクス・マスカレード』は、ブロンクス地区の学校に通う十五歳の高校生十八人が、年間を通じた英語の授業の「オープン・マイク・フライデー」のなかで、順番に級友の前で自作の詩を朗読していく物語である。きっかけは「バッド・ボーイ」と呼ばれるラッパーのウェズリー・ブーンがハーレム・ルネサンスの詩人について勉強したときに、レポートのかわりに、ラングストン・ヒューズについて「あなたは笛吹きだった、ブラザー・マン／詩があなたの笛／挨拶できて誇らしく、うれしい／ハーレムの／あなたに、真のルネサンスの人に[38]」という詩を書いたことである。詩人の功績に詩で応えたことをきっかけに教師が音頭をとって、それぞれが自作の詩

図26　『ブロンクス・マスカレード』の原書の表紙
(Nikki Grimes, *Bronx Masquerade,* Dial Books, 2002.)

を読むポエトリー・リーディングの会「オープン・マイク」が結成される。パフォーマンスを通じて自分や級友のなかから言葉が引き出されていく体験が生徒たちを変え、会は月に一度から週に一度に頻度が上がり、実在のプエルトリカンの詩人ペドロ・ピエトリの招待というイベントもおこなわれる。ほかの児童文学でも宿題や授業で作文を書くことによって自我に目覚めていく過程を扱う作品や、詩作や手紙を通した自己表現を扱う作品はあるが、本作では、扱われる詩がヒップホップやラップに関わり、アフリカン・アメリカン文化と子ども読者の出合いがより新鮮に表現できる点が特徴的である。

　貧困や家庭内暴力など、全員がそれぞれに何か欠落を抱えているクラスで、似たような境遇の仲間が真剣に聞いてくれることで、詩はいっそう強力になる。ディオンドラは百八十センチを超す長身の少女で、父親からはプロの女子バスケットボール選手になってほしいと期待され、周囲からも身体能力が高いと思われている。しかし、実際は運動が苦手でバスケットボール部への誘いも断り続けている。ディオンドラは限られた友人にしか打ち明けていなかった本当の夢である美術への思いを明らかにしていく。最初の「オープン・マイク」の「高飛び込み」という詩では「私は深呼吸する／空に絵筆を少し浸して／長い跳躍をして／そして…／続く[39]」と決意を表し、次の「オープン・マイク」での「自画像——父への詩」で「これが私の自画像／あなたはあなたのキャンバスを選んだ／私にも私のキャンバスを選ばせて」[40]と父への決別を告げる。ポーシャは母親に虐待され、その母親を麻薬のオーバードーズで亡くした過去がある。母親への怒りを抱え続けていたが、「母への手紙」の詩を通じて、皮下注射をした姿のまま亡くなっていた母に向け、「ママ、ついに許すわ／愛を込めて／ポーシャ／追伸／さようなら」[41]と読み上げることができる。

ヒップホップではセッションが重視され、その場にいる人を取り込んで舞台性[42]があるかけあいの空間を作ることが可能である。本作の「オープン・マイク」では、壇上での朗読のあとに、ウェズリーと同じクラスのタイロンが一人称で感想やクラスの変化を語る。肥満を理由にからかわれ続けていたジャネレが固い殻を作って大切な自分を守っていることを例えた「だって私はココナッツ／芯の部分は／あなたが知っているより／甘いのよ」[43]という詩を聞いてタイロンは、自分以外の人間に感情があるという当たり前のことに初めて気づき、見た目をからかったことを恥じる。個々の内的変化が静かな共感を呼ぶと同時に、「オープン・マイク」のあとのタイロンのモノローグによって、それぞれの詩が対話的になる。

詩が別の表現に広がる場合もある。アフリカの血を誇るタニーシャの朗読のあと、タイロンは、タニーシャの朗読に合わせてアフリカのドラムで伴奏をするかＤＪをしようと思いつき、タニーシャの詩とタイロンの音楽のセッションにつながる。白人のスティーブは、タイロンとウェズリーのラップに加わりたいと言い、グループで「五時のニュース」という歌を作る。黒人の犯罪率の高さや貧困問題を報道する夕方五時のニュースを批評し、タイロンの「おれはラッパー、銃は撃たない。言葉がおれの解放だ／マーティンの力を信じる、あのキングはもう死んでしまったけれど」というフレーズに、スティーブが「みんなが話すのを聞くと、麻薬と暴力だけがおれたちの歌だって／おれ自身は　それは嘘だと証明するときだと思う」と続ける。ウェズリーは「明日よ、こいおれたちがニュースを書く人になる／いまから始めよう　おれたちが真新しいクルーになるんだ」とつなぎ、「おれはとどまるためにここにいる、ヨー。おれは演奏するためにここにいる、ヨー。ピース」というそろいの

フレーズでしめくくる。(44)

アフリカン・アメリカンはウエスト・ハーレムやセントラル・ハーレムに多いが、プエルトリコ系やドミニカ系のラティーノが多いワシントン・ハイツと隣接した地区にはエスニシティの多様性がある。若者たちの共通の生活圏に組み込まれたヒップホップは地区を超え、「中学生から大学生くらいの若者たちは、リアーナやクリス・ブラウンなど世界的に知名度のあるアーティストの歌やファッションを友人との共通の話題にし(45)」、強い仲間意識を生む。特殊な才能の持ち主でなくとも、音楽の感性が互いを刺激し、協働的な活動を生む。ヒップホップは現代の若者がその場に参加し、自分を音楽で表現し、互いにかけあいをしながら楽しむことができる場そのものである。『ブロンクス・マスカレード』はそれを若者たち自身が、詩によってこれまで自分では気づいていなかった内面を自分で理解できるようなより豊かな機会とし、ポエトリー・リーディングという比較的「お堅い」共働活動の新しい可能性を示して、人間関係の化学反応が起きる様子を描く。ラップやリズムに乗せた語り口や、韻文や複数人でのパフォーマンスなどの目に見える部分と、暮らしの困難や差別などの目に見えない部分の両方に、アフリカン・アメリカンの現在が大きく作用し、言葉が大きな力をもつ。

ラップは、アフリカン・アメリカンの若者に励ましを与えるとともに、カリビアン・アメリカンやヒスパニック・アメリカンなど多様な聞き手の若者も連鎖に巻き込んでいく。エンドレスのパフォーマンスが路上でおこなわれ、かけあいが続く。路上は、アフリカン・アメリカンの文脈で、背を向けて立ち去る場所ではなく、参加する場所に変貌する。逃げ出す場所ではなく、積極的に足を踏み入れ、表現を支え、互いに交わる場になる。十代で妊娠・出産を経験して赤ちゃんの世話に閉塞感を覚える生徒もいれば、複雑な家庭環境に息苦しさを感じる生徒もいる。作中のイタリア系の少女は白人であるためにマイノリティとして複雑な感情を味わう。だが、ヒップホップを基盤にした言葉を武器にするとき、彼らの胸の内にある思いや互いを鼓舞する力が増幅される。伝統的な言葉遣いから解放された言語の力が若者を救済し、「自分たちの言語」が主体性と結び付く。

子ども読者にとって重要なのは、本のなかで自分の限界を超えられる仮想体験をすることである。超えた先が茫漠とした空白ではなく、様々な出自や背景の若者たちとの新たな出会いを提供する場であることを示すことができれば、彼らはより跳びやすくなるだろう。跳んだ先のつながる力を称揚する『ブロンクス・マスカレード』では、複数の表現形態や複数のプレーヤーが境界を超えてセッションしていくことを試みている。ヒップホップの「つながる力」は、都会の内側に新たなネットワークを浮かび上がらせ、若者世代をつないでいる。

注

（1）Henry Louis Gates Jr. and Maria Tatar eds., "Forward: The Politics of Negro Folklore," *The Annotated African American Folktales*, Liveright, 〔2017〕 2018, Kindle.

（2）J. Mason Brewer, "Negro Folklore in North America: A Field of Research," *New Mexico Quarterly*, 16(1), 1946, p. 51.

（3）ロジャー・D・アブラハムズ編『アフロ‐アメリカンの民話』北村美都穂訳、青土社、一九九六年、三七ページ

（4）Gates Jr. and McKay, eds., *op. cit.*, pp. 132-133.

（5）Adams Lively, *Masks: Blackness, Race and Imagination*, Oxford University Press, 1998, p. 201.

（6）トニ・モリスン『ソロモンの歌』金田眞澄訳（トニ・モリスン・コレクション）、早川書房、一九九四年、三二六ページ

（7）類話の展開については Olivia Smith Storey, "Flying Words: Contests of Orality and Literacy in the Trope of the Flying Africans," *Journal of Colonialism and Colonial History*, 5, 2004, pp. 1-34 に詳しい。

（8）ジュリアス・レスター『アメリカ黒人昔話集』岡田誠一訳（現代教養文庫）、社会思想社、一九七八年、一九九ページ

（9）同書二〇四ページ
（10）同書二〇五ページ
（11）ヴァージニア・ハミルトン語り・編『人間だって空を飛べる——アメリカ黒人民話集』金関寿夫訳（世界傑作童話シリーズ）、福音館書店、一九八九年、一九〇ページ
（12）Nada Elia, "'Kum Buba Yali Kum Buba Tambe, Ameen, Ameen, Ameen': Did Some Flying Africans Bow to Allah?," *Callaloo*, 26, 2003, p. 183.
（13）前掲『ソロモンの歌』二八四ページ
（14）同書三二五ページ
（15）前掲『アメリカ黒人昔話集』一九六ページ
（16）前掲『人間だって空を飛べる』一八六ページ
（17）同書一八八ページ
（18）同書一八八ページ
（19）同書一八八ページ
（20）Mildred Pitts Walter, *Second Daughter: The Story of a Slave Girl*, Scholastic, 1996, p. 53.
（21）*Ibid*., p. 183.
（22）*Ibid*., p. 198.
（23）*Ibid*., p. 14.
（24）*Ibid*., p. 20.
（25）「独立宣言（1776年）」「American Center Japan」（https://americancenterjapan.com/aboutusa/translations/2547/）［二〇二二年一月十五日アクセス］
（26）これは実はやや危険である。『アンクル・トムの小屋』でも、言葉を巧みに操るトムやジョージ・ハリスには共感的である一方、怠惰で語彙も乏しいサンボやキンボへの救いがないという峻別がおこなわれていた。ファトゥ本人は、

「きちんとした英語を話すのにひどい主人のもとにいるから」解放されるべきであるという選択論ではなく、どの黒人奴隷も等しく解放される権利があると訴えるが、作中では、時代背景の限界もあり、その論理が完全に通用するところまではいっていない。

(27) Walter, *op. cit.*, p. 7.

(28) *Ibid.*, p. 21.

(29) リロイ・ジョーンズ（アミリ・バラカ）『ブルース・ピープル――白いアメリカ、黒い音楽』飯野友幸訳（平凡社ライブラリー）、平凡社、二〇一一年、五七ページ

(30) 鈴木雅雄「解説――『ブルース衝動』の行方」、同書所収、四〇一ページ

(31) W. C. Handy, *Father of the Blues: An Autobiography*, Arna Bontemps ed., Da Capo Press, [1941] 1969, p.74.

(32) 大和田俊之『アメリカ音楽史――ミンストレル・ショウ、ブルースからヒップホップまで』講談社、二〇一一年、二七―二八ページ

(33) 前掲『ブルース・ピープル』六〇ページ

(34) Roger D. Abrahams, *Deep down in the Jungle: Black American Folklore from the Streets of Philadelphia*, 1964, Aldine Transaction, 2008, p. 58.

(35) 前掲『アメリカ音楽史』二二八ページ

(36) 長谷川町蔵／大和田俊之『文化系のためのヒップホップ入門』（いりぐちアルテス）、アルテスパブリッシング、二〇一一年、二三八ページ

(37) Henry Louis Gates Jr. and Nelly Y. McKay eds., *The Norton Anthology of African American Literature*, 1997, 2nd ed, W. W. Norton, 2004, p. xlvi.

(38) Nikki Grimes, *Bronx Masquerade*, Dial, 2002, p. 6.

(39) *Ibid.*, p. 100.

(40) *Ibid.*, p. 155.

(41) *Ibid.*, p. 161.

(42) W・T・ラモン・ジュニアは、ヒップホップのダンスをジム・クロウやブラック・フェイスと同列に位置づけ、「一九八〇年代から九〇年代にかけて、ヒップホップの動きとラップの手つきの強調が盛り上がったのは、ライスが一八三〇年代にジム・クロウを踊ったときと同じように、国境を超えた公共性を形成する、特にカリスマがあるジェスチャーの一例である。この近年の熱狂は、ブラック・フェイスを伝えるサイクルの一部である」とW. T. Lhamon Jr., *Raising Cain: Blackface Performance from Jim Crow to Hip Hop*, Harvard University Press, 1998, p. 218で述べて批判しているが、ヒップホップは、ジム・クロウのように戯画的なカリカチュアを嘲笑するのではなく、アフリカン・アメリカンに特徴的な身ぶりや言語が最先端の流行になり、肌の色を超えて魅力を放つので、ブラック・フェイスとは異なる積極性が見いだせる。

(43) Grimes, *op. cit.*, p. 49.

(44) *Ibid.*, pp. 130-132.

(45) 三吉美加「ヒップホップとレゲトンにみる黒人性とラティーノ性――ニューヨーク市のプエルトリコ系とドミニカ系のバリオから」、立教大学アメリカ研究所編「Rikkyo American Studies」第三十五号、立教大学アメリカ研究所、二〇一三年、一〇三ページ

おわりに――アフリカン・アメリカン児童文学というプラットフォーム：子どもを跳ばせる力

本書では、アフリカン・アメリカン児童文学が、子どもを読者対象とすることで、大人向けのアフリカン・アメリカン文学とは異なる方法でどのように作品を生み出し、どのようにそのなかに「励まし」を込めて質量ともに豊かなフィールドを作ってきたのかを考察した。序章で、特筆しなければ「黒人」「アフリカン・アメリカン」の作家や登場人物としたが、多くのアメリカ児童文学では、何も書かれなければ白人で、アフリカン・アメリカンや移民の子どもは特記される。それを逆転しただけで、マジョリティ／マイノリティの転覆と、「作家＝白人」「子どもの本の登場人物＝白人」という先入観に潜む政治性に気づけるかもしれない。

アフリカン・アメリカンの作家たちは、人種隔離政策と公民権運動という複雑な政治と、物心ともに乏しい状況でどのようなメッセージを発することができるかについて試行錯誤し、アフリカン・アメリカンの子どもが視野を広くもって境界を超えていくことを応援しようとしてきた。一九二〇年代の「ブラウニーズ・ブック」の掲載作品や編集方針を原型とし、白人を中心に作られてきたアメリカ観に異議を唱えながら、黒人の子どもを社会に受容させていくために、様々な切り口から困難を克服するモデルをより巧みに伝えられるようになったのは、公民権獲得後の六〇年代後半以降である。アメリカの多様な子ども像の提示、ルーツの受容と祝福など、複数の方法があるが、アフリカン・アメリカン文化や言葉、歴史と前向きに連接しているところが特徴で、設定や手法は深化・複雑化しながら、二十一世紀以降の児童文学にもこの特質と方向性は引き継がれている。これらの本は一貫して社会のなかで緊張状態に置かれている子どもたちを応援し、刺激し、自己肯定感を育もうというアプローチを続けている。特徴的なのは、その方法として、黒人霊歌やヒップホップ、ハーレム地区など、マジョリティの白人と対照されることでしばしば「劣った」と見なされてきたアフリカン・アメリカン文化の本質的な美や、抑圧の苦難の歴史に着目し、バックボーンとしたことである。

さらに、集団文化や歴史と連接する各作品は、アフリカン・アメリカンの特質を十分に保持しながら白人中心のアメリカ社会への同化という点では、アメリカの思想と教育をよく知るデュボイスが道筋をつけ、アメリカの教育観・児童観に合う内容や主題が選択されてきた。アフリカン・アメリカン児童文学は、主流のアメリカ児童文学が推進してきた児童文学の役割をきわめて忠実に受け継いでいる。アメリカ人としての民主主義や平等、宗教やモラルを受容したうえで示される励ましは、アフリカン・アメリカンの枠を超えて、困難を抱えるより広い子ども読者にアプローチする可能性も含んでいて、特殊な背景をふまえて目の前の子どもを愚直に見つめ、彼らに希望を語るという素朴な願いをもち続けるとき、それはアフリカン・アメリカンを超えて複数の読者集団にも開かれていく可能性がある。

マイノリティ文学の一領野であるアジアン・アメリカン文学は、「アジア系としての集団的・共同体的な文化的差異からくる豊かさは手放さず、同時に本来的には異種混淆的なものであるはずの当のカテゴリーをいかにして排他的・固定的なものに留めず、内外の多元的・流動的な価値や見方に開かれたものとして捉えうるか」(1)を探ってきた。アフリカン・アメリカン文学も、アメリカの語法に根差し、その文学がすでに「アメリカ文学の分かちがたい一部になって」(2)きた。単調な労働歌が洗練されて黒人霊歌になり、厳しい状況にある人々の救済を歌いながら、アメリカの大衆文化に欠かすことができない音楽に発展していったように、アフリカン・アメリカン児童文学も、背後にある奴隷制度や人種差別という特殊性から出発しながら、少なくとも児童文学は、外側にあって排他的に抵抗するものではなく、アメリカ児童文学のなかに融解し、その大切な一部となりながらマージナルの側からの主張を内側からおこなうという戦略を取ってきた。アメリカの教育思想や宗教を土台にした児童観を引き継ぎ、作中の子どもと読者である子どもの両方を支えようという意思は、アフリカン・アメリカンに特化された状況を扱いながらも、境界を超えて多様な読者に訴求する文学を生み、[3]民族集団の文化から引き出されてきた特質を内包しながらアメリカ児童文学に溶解し、黒さへのヘゲモニーだけではなく白さという神話もまた脱構築する。アフリカン・アメリカンであることを超えて常に現前の読者とセッションするとき、アフリカン・アメリカン児童文学は「これは、われわれの、かつ、あなたの物語なのである」というメッセージを発して、アメリカ児童文学という総体のなかに息づくことができるのではないだろうか。

アフリカン・アメリカン児童文学に、アフリカン・アメリカン作家が書く必然性はない。「地下鉄道」の活動に、白人や自由黒人の助力が不可欠であり、公民権運動に多くの白人が加わっていたように、アフリカン・アメリカン児童文学が目指すものを実現するにあたっては、文字どおり肌の色は関係ない。問題は、アフリカン・アメリカンを、マジョリティの子どもの成長につなげるための素材や道具にするのか、あるいは、アフリカン・アメリカンが置かれてきた状況や歴史から生まれる、人間としての尊厳への問いかけを自分の問題として引き受けるのかという姿勢の違いであり、白人作家であっても後者の態度をとり、アフリカン・アメリカン作家と共振することは可能である。カリフォルニア州の白人女性作家で文化人類学者のアーシュラ・K・ル＝グウィンは、『影との戦い』（一九六八年）で、「白人の読者をヒーローと同一化させて彼の肌の内側に入り込ませ、それから、その肌が黒いことに気づくようにさせたいという自分のなかの誘惑に気づいた。このことで人種偏見への一撃を狙っ[4]」て、大魔法使いゲドを褐色の肌でまっすぐな黒い髪の毛の持ち主と想定している。その褐色の肌色はネイティブ・アメリカンをイメージしたものではあるが、シリーズ全体は多様性の実現へのプロセスをたどり、白人中心主義の転覆がアフリカン・アメリカン児童文学の目指すものと深い部分で響きあっていたと思われる。また、奴隷制時代に秘密裡に字を習い、奴隷の少女が人間としての権利に目覚めるまでを描く『ナイトジョン』（一九九三年。未訳）やその少女のその後を描く『サーニー』（一九九七年。未訳）も、アフリカン・アメリカンの歴史を真摯に追憶し、現在とのつながりを考える佳作だが、作者は白人作家のゲイリー・ポールセンである。

特定の文化に影響を受けた主張と特質をもち、読み手も書き手も広がる文学的な場は、そのジャンルを食い破り、拡散していくことで主張を結実させる。「アフリカン・アメリカン」というかぎかっこが霧消し、その要素を融解させて受け継いだ文学的トポスに、アフリカン・アメリカンの志向する未来が根を張り始めているなら、ジャンルの消滅は新たな再生になりえるだろう。アフリカン・アメリカン児童文学が目指す多様性がアメリカ児童文学に広く浸透し、アフリカン・アメリカンというただし書きが消え、ただのアメリカ児童文学になることで、アフリカン・アメリカン児童文学が目指すものは真に完成するのではないだろうか。

注

（1）小林富久子監修、石原剛／稲木妙子／原恵理子／麻生享志／中垣恒太郎編『憑依する過去――アジア系アメリカ文学におけるトラウマ・記憶・再生』金星堂、二〇一四年、iiiページ

（2）荒このみ『アフリカン・アメリカン文学論――「ニグロのイディオム」と創造力』東京大学出版会、二〇〇四年、二二七ページ

（3）アメリカの白人たちが共通の思想としてもつ、良心と民主主義に訴えかけたキング牧師と同じ語法で書かれた児童文学が結果的に生き残った可能性も考えられる。

（4）Ursula K. Le Guin, *Earthsea Revisioned,* Green Bay Publications, 1993, p. 8.

引用文献一覧

●欧文文献

Abrahams, Roger, *Deep Down in the Jungle: Black American Folklore from the Streets of Philadelphia*, Routledge, ［1964］2008.

Abrahams, Roger, *Afro-American Folktales: Stories from Black Traditions in the New World*, Pantheon-Random, 1985.（ロジャー・D・アブラハムズ編『アフロ－アメリカンの民話』北村美都穂訳、青土社、一九九六年）

Adler, David A., *Frederick Douglass: A Noble Life*, Holiday House, 2010.

Adler, David A., *A Picture Book of Frederick Douglass*, Holiday House, 1995.

Alcott, Louisa May, *Hospital Sketches*, James Redpath, 1863.（ルイザ・メイ・オルコット『病院のスケッチ』谷口由美子訳、篠崎書林、一九八五年）

Alcott, Louisa May, *Little Men: Life at Plumfield with Jo's Boys*, Robert and Brothers, 1871.（L・M・オルコット『第三若草物語』吉田勝江訳〔角川文庫〕、角川書店、二〇〇八年）

Alcott, Louisa May, *Little Women*, Robert and Brothers, 1868.（L・M・オールコット『若草物語』矢川澄子訳〔福音館文庫〕、福音館書店、二〇〇四年）

Alger, Horatio, Jr., *Adrift in New York: or, Tom and Florence Braving the World*, Porter and Coates, 1895.

Alger, Horatio, Jr., *Do and Dare; or A Brave Boy's Fight for Fortune*, Porter and Coates, 1884, Project Gutenberg (https://www.gutenberg.org/files/5747/5747-h/5747-h.htm)［二〇二二年一月十五日アクセス］

Alger, Horatio, Jr., *Phil, the Fiddler; or, the Story of a Young Street Musician*, Porter and Coates, 1872.

Alger, Horatio, Jr., *Ragged Dick.: or, Street Life in New York with the Boot Blacks*, A. K. Loring, 1868.（ホレイショ・アルジャー『ぼろ着のディック』畔柳和代訳〔アメリカ古典大衆小説コレクション〕、松柏社、二〇〇六年）

Alger, Horatio, Jr., *Struggling Upward; or, Luke Larkin's Luck*, Porter and Coates, 1890.（アルジャー『秘密の小箱』刈田元司訳〔世界名作全集〕、講談社、一九六〇年）

Alger, Horatio, Jr., *The Telegraph Boy*, Loring, 1879.

Andrews, Williams L., "North American Slave Narratives: An Introduction to the Slave Narratives," Documenting the American South (http://

docsouth.unc.edu/neh/intro.html)〔二〇二三年一月十五日アクセス〕
Armstrong, William, *Sounder,* Harper and Row, 1969.（W・H・アームストロング『父さんの犬サウンダー』曾田和子訳〔岩波少年文庫〕、岩波書店、一九九八年）
Asbjørnsen, Peter Christen and Jørgen Moe eds., *Norske Folkeeventyr,* Johan Dahl, 1841-44.（アスビョルンセン編『太陽の東 月の西』佐藤俊彦訳〔岩波少年文庫〕、岩波書店、二〇〇五年）
Baker, Houston A. Jr., *Modernism and the Harlem Renaissance,* The University of Chicago Press, 1987.（ヒューストン・A・ベイカー・ジュニア『モダニズムとハーレム・ルネッサンス――黒人文化とアメリカ』小林憲二訳、未来社、二〇〇六年）
Baldick, Chris, *The Oxford Dictionary of Literary Terms,* 4th ed., Oxford University Press, 2015, Kindle.
Bannerman, *The Story of Little Black Sambo*〔*including The Story of Topsy from Uncle Tom's Cabin*〕, John R. Neill illus., Reilly & Britton, 1908.
Bannerman, Helen, *The Story of Little Black Sambo,* Grand Richards, 1899.（へれん・ばなーまん さく・え『ちびくろさんぼのおはなし』なだもとまさひさ やく、径書房、一九九九年）
Beecher, Catherine E., *A Treatise on Domestic Economy, for the Use of Young Ladies at Home, and at School,* Marsh, Capen, Lyon, and Webb, 1841.
Beecher, Catherine E., and Harriet Beecher Stowe, *The American Woman's Home: or, Principles of Domestic Science,* J. B. Ford and Company, 1869.
Bernabé, Jean, Patrick Chamoiseau and Raphaël Confiant, *Éloge de la Créolité,* Gallimard, 1989.（ジャン・ベルナベ／パトリック・シャモワゾー／ラファエル・コンフィアン『クレオール礼賛』恒川邦夫訳〔新しい〈世界文学〉シリーズ〕、平凡社、一九九七年）
Bishop, Rudine Sims, *Free Within Ourselves: The Development of African American Children's Literature,* Heinemann, 2007, Kindle.
Bishop, Rudine Sims, "Presenting Walter Dean Myers," in Diane Telgen ed., *Something about the Author, volume 71,* Cengage Gale, 1993, pp.133-137.
Bishop, Rudine Sims, "Walk Tall in the World: African American Literature for Today's Children," *The Journal of Negro Education,* 59(4), 1990, pp.556-565.
Blair, Walter, *Tall Tale America: A Legendary History of Our Humorous Heroes,* Coward McCann, 1944.（ウォルター・ブレア『ほら話の中のアメリカ――愉快な英雄たちの痛快伝説でつづるアメリカの歴史』廣瀬典生訳、北星堂書店、二〇〇五年）
Bonham, Frank, *Durango Street,* Dutton, 1965.
Bontemps, Arna, *Bubber Goes to Heaven,* Oxford University Press, 1998.
Bontemps, Arna, *Famous Negro Athletes,* Dodd, 1964.

Bontemps, Arna, *Sad-Faced Boy*, Riverside Press, 1937.

Bontemps, Arna, *Story of the Negro*, Alfred A. Knopf, 1948.

Bontemps, Arna and Langston Hughes, *Popo and Fifina: The Children of Haiti*, Macmillan, 1932.（アーナ・ボンタム／ラングストン・ヒューズ『ポポとフィフィナ――ハイチ島の子どもたち』木島始訳〔岩波少年文庫〕、岩波書店、一九五七年）

Bradford, Sarah H., *Harriet Tubman: The Moses of Her People*, Geo. R. Lockwood & Son, 1886.

Bradford, Sarah H., *Scenes in the Life of Harriet Tubman*, W. J. Moses, 1869, Documenting the American South（http://docsouth.unc.edu/neh/bradford/bradford.html）［二〇二三年一月十五日アクセス］

Brewer, J. Mason, "Negro Folklore in North America: A Field of Research," *New Mexico Quarterly*, 16(1), 1946, pp.51-58.

Brown, William S., *Narrative of William W. Brown, a Fugitive Slave. Written by Himself*, Anti-Slavery Office, 1847, Documenting the American South（https://docsouth.unc.edu/neh/brown47/brown47.html）［二〇二三年一月十五日アクセス］

Carpenter, Humphrey and Mari Prichard eds., *The Oxford Companion to Children's Literature*, Oxford University Press, 1984.（ハンフリー・カーペンター／マリ・プリチャード『オックスフォード世界児童文学百科』神宮輝夫監訳、原書房、一九九九年）

Childers, Joseph and Gary Hentzi eds., *The Columbia Dictionary of Modern Literary and Cultural Criticism*, Columbia University Press, 1995.（ジョゼフ・チルダーズ／ゲーリー・ヘンツィ編『コロンビア大学現代文学・文化批評用語辞典』杉野健太郎／中村裕英／丸山修訳〔松柏社叢書〕、松柏社、一九九八年）

Clack, George ed., *Free at Last: The U.S. Civil Rights Movement*, Bureau of International Information Programs U.S. Department of State, 2008.（ジョージ・クラック編『ついに自由を我らに――米国の公民権運動』米国大使館レファレンス資料室（https://americancenterjapan.com/wp/wp-content/uploads/2015/11/wwwf-pub-freeatlast.pdf）［二〇二三年一月十五日アクセス］

Cockrell, Amanda, "Harris, Joel Chandler," in Jack Zipes and ed al eds., *The Oxford Encyclopedia of Children's Literature, vol.2*, Oxford University Press, 2006, pp. 204-205.

Cooperative Children's Book Center, "Books by and/or about Black, Indigenous and People of Color (All Years)," Cooperative Children's Book Center, School of Education, University of Wisconsin-Madison（https://ccbc.education.wisc.edu/literature-resources/ccbc-diversity-statistics/books-by-about-poc-fnn/）［二〇二三年一月十五日アクセス］

Corbould, Clare, *Becoming African American: Black Public Life in Harlem 1919-1939*, Harvard University Press, 2009, Kindle.

Cotton, John B. D., *Milk for Babes. Drawn Out of the Breasts of Both Testaments. Chiefly, for the Spirituall Nourishment of Boston Babes in Either England: But May Be of Like Use for Any Children*, J. Coe, 1646. Libraries at University of Nebraska-Lincoln（https://digitalcommons.unl.edu/

etas/18)〔二〇二二年一月十五日アクセス〕
Cox, Palmer, *The Brownies, Their Book*, The Century, 1887.
Cullen, Countee, *Color*, Harper, 1925.（カウンティ・カレン『色――カウンティ・カレン詩集』斎藤忠利／寺山佳代子訳、国文社、一九九八年）
Curtis, Christopher Paul, *Elijah of Buxton*, Scholastic, 2007.
Curtis, Christopher Paul, *The Watsons Go to Birmingham-1963*, Delacorte Press, 1995.（クリストファー・ポール・カーティス『ワトソン一家に天使がやってくるとき』唐沢則幸訳、くもん出版、一九九七年）
Davis-Undiano, Robert Con, "Mildred D. Taylor and the Art of Making a Difference," *World Literature Today*, 78(2), May-Aug. 2004, pp. 11-13.
De Beaumont, Jeanne-Marie Leprince, "La Belle et la Bête," in *Le Magasin des Enfants*, John Nourse, 1756.（ボーモン夫人『美女と野獣』鈴木豊訳〔角川文庫〕、角川書店、一九七一年）
De Montaigne, Michel, *Les Essais*, 1580.（ミシェル・ド・モンテーニュ『エセー』第一巻―第三巻、宮下志朗訳、白水社、二〇〇五―〇八年）
De Villeneuve, Gabrielle Suzanne, "La Belle et la Bête," in *La Jeune Américaine et les Contes Marins*, Merigot, 1740.
Doak, Robin S., *Harriet Tubman*, Scholastic, 2015.
Dobias, Frank illus., *Little Black Sambo*, The Macmillan Company, 1927.（へれん・ばんなーまん文、ふらんく・どびあす／岡部冬彦絵『ちびくろ・さんぼ 1』光吉夏弥訳〔岩波の子どもの本〕、岩波書店、一九五三年／『ちびくろ・さんぼ』瑞雲社、二〇〇五年／ヘレン・バナーマンさく、フランク・ドビアスえ『ちびくろサンボ』径書房、二〇〇八年）
Douglass, Frederick, *My Bondage and My Freedom*, Miller, Orton, and Mulligan, 1855.
Douglass, Frederick ed., *The North Star*, May. 1848-May. 1851.
Douglass, Frederick, *Life and Times of Frederick Douglass, Written by Himself*, De Wolfe and Fiske, 1881.（フレデリック・ダグラス『わが生涯と時代』稲沢秀夫訳、真砂書房、一九七〇年）
Douglass, Frederick, *Narrative of the Life of Frederick Douglass, an American Slave. Written by Himself*, Anti-Slavery Office, 1845.（フレデリック・ダグラス『数奇なる奴隷の半生――フレデリック・ダグラス自伝』岡田誠一訳〔りぶらりあ選書〕、法政大学出版局、一九九三年）
Draper, Sharon, *Copper Sun*, Atheneum, 2006.
Du Bois, W. E. B., *The Autobiography of W. E. B. DuBois: A Soliloquy on Viewing My Life from the Last Decade of Its First Century*, International Publishers, 1968.
Du Bois, W. E. B. ed., *The Brownies Book*, Du Bois and Dill, 1920-21. "The Rare Book and Special Collections Division," The Library of Congress (http://hdl.loc.gov/loc.rbc/ser.01351)〔二〇二二年一月十五日アクセス〕

Du Bois, W. E. B. ed., *The Crisis*, NAACP, 1910-1934, 1934-present.

Du Bois, W. E. B., *The Souls of Black Folk: Essays and Sketches*, A. C. McClurg, 1903.（W・E・B・デュボイス『黒人のたましい』木島始／鮫島重俊／黄寅秀訳〔岩波文庫〕、岩波書店、一九九二年）

Dumas, Alexandre, *Le Conte de Monte-Cristo*, Michel Lévy Frères, 1844-46.（アレクサンドル・デュマ『モンテ・クリスト伯』第一巻―第三巻、山内義雄訳、岩波書店、一九五六年）

Dumas, Alexandre, *Les Trois Mousquetaires*, Baudry, 1844.（デュマ『三銃士』上・下、生島遼一訳〔岩波文庫〕、岩波書店、一九七〇年）

Edelstein, Tilden G., *Strange Enthusiasm: A Life of Thomas Wentworth Higginson*, Yale University Press, 1968.

Egoff, Sheila, *Worlds Within: Children's Fantasy from the Middle Ages to Today*, American Library Association, 1988.（シーラ・イーゴフ『物語る力――英語圏のファンタジー文学：中世から現代まで』酒井邦秀／靍田公江／南部英子／西村醇子／森恵子訳、偕成社、一九九五年）

Elford, Charles, *Black Mahler*, Grosvenor House Publishing, 2008.

Elia, Nada, "Kum Buba Yali Kum Buba Tambe, Ameen, Ameen, Ameen': Did Some Flying Africans Bow to Allah?" *Callaloo*, 26, 2003, pp.182-202.

Ellison, Ralph, *Invisible Man*, Random House, 1952.（ラルフ・エリスン『見えない人間』上・下、松本昇訳〔白水Uブックス〕、白水社、二〇二〇年）

Fenwick, Geoffrey, "African American Literature," in Jack Zipes ed., *The Oxford Encyclopedia of Children's Literature, vol.1*, Oxford University Press, 2006, pp.28-32.

Finch, Bill, "The True Story of Kudzu, the Vine That Never Truly Ate the South," Smithsonian Magazine (https://www.smithsonianmag.com/science-nature/true-story-kudzu-vine-ate-south-180956325/)〔二〇二二年一月十五日アクセス〕

Fishkin, Shelly Fisher, *Was Huck Black?: Mark Twain and African-American Voices*, Oxford University Press, 1993.

Fitzgerald, Francis Scott Key, *Tales of the Jazz Age*, Charles Scribner's Sons, 1922.（渥美昭夫／井上謙治編『ジャズ・エイジの物語――フィッツジェラルド作品集1』荒地出版社、一九八一年）

Foster, Harve, dir., *Song of the South*, Walt Disney Production, 1946.（『南部の唄』監督：ハーブ・フォスター（実写）／ウィルフレッド・ジャクソン（アニメ）、製作：ウォルト・ディズニー・プロダクション、一九五一年）

Fox, Paula, *How Many Miles to Babylon?*, David White, 1967.（ポーラ・フォックス『バビロンまではなんマイル』掛川恭子訳、冨山房、一九七六年）

Fox, Paula, *The Slave Dancer*, Bradbury Press, 1973.（ポーラ・フォックス『どれい船にのって』ホゥゴー政子訳〔Best choice〕、福武書店、一九八九年）

Gates, Henry Louis Jr., *The Signifying Monkey: A Theory of Afro-American Literary Criticism*, Oxford University Press, 1988.（ヘンリー・ルイス・ゲイツ・ジュニア『シグニファイング・モンキー――もの騙る猿／アフロ・アメリカン文学批評理論』松本昇／清水菜穂監訳、南雲堂フェニックス、二〇〇九年）

Gates, Henry Louis Jr. and Nellie Y. McKay eds., *The Norton Anthology of African American Literature*, 2nd ed., Norton, ［1997］ 2004.

Gates, Henry Louis Jr. and Maria Tatar eds., *The Annotated African American Folktales*, Liveright, ［2017］ 2018, Kindle.

Geoffrey Fenwick, "African American Literature," in Jack Zipes ed., *The Oxford Encyclopedia of Children's Literature, vol.1*, Oxford University Press, 2006, pp.28-32.

Granger, Mary, *Drums and Shadows: Survival Studies among the Georgia Coastal Negroes*, University of Georgia Press, 1940.

Grimes, Nikki, *Bronx Masquerade*, Dial Books, 2002.

Grimes, Nikki, *Jazmin's Notebook*, Dial Books, 1998.

Grimm, Jacob and Wilhelm Grimm eds., *Kinder und Hausmärchen*, 7th ed, Dieterich, 1857.（『完訳グリム童話集』一―七、野村泫訳〔ちくま文庫〕、筑摩書房、二〇〇六年）

Guy, Rosa ed., *Children of Longing*, Bantam, 1970.（ローザ・ガイ編『ハーレムの子どもたち』黄寅秀訳、晶文社、一九七三年）

Hamilton, Virginia, *Arilla Sun Down*, Greenwillow Books, 1976.（ヴァジニア・ハミルトン『わたしはアリラ』掛川恭子訳〔あたらしい文学〕、岩波書店、一九八五年）

Hamilton, Virginia, *The Magical Adventures of Pretty Pearl*, Harper Trophy, 1983.（ヴァジニア・ハミルトン『プリティ・パールのふしぎな冒険』荒このみ訳、岩波書店、一九九六年）

Hamilton, Virginia, *M.C. Higgins, the Great*, Macmillan, 1974.（ヴァジニア・ハミルトン『偉大なるM・C』橋本福夫訳〔あたらしい文学〕、岩波書店、一九八〇年）

Hamilton, Virginia, *The People Could Fly: American Black Folktales*, Knopf, 1985.（ヴァージニア・ハミルトン語り・編『人間だって空を飛べる――アメリカ黒人民話集』金関寿夫訳〔世界傑作童話シリーズ〕、福音館書店、一九八九年）

Hamilton, Virginia, *The Planet of Junior Brown*, Macmillan, 1971.（ヴァジニア・ハミルトン『ジュニア・ブラウンの惑星』掛川恭子訳〔世界の青春ノベルズ〕、岩波書店、一九八八年）

Hamilton, Virginia, *Sweet Whispers, Brother Rush*, Philomel Books, 1982.（ヴァジニア・ハミルトン『マイゴーストアンクル』島式子訳、原生林、一九九二年）

Hamilton, Virginia, *Virginia Hamilton: Speeches, Essays and Conversations*, Arnold Adoff and Kacy Cook eds, Blue Sky Press, 2010.

Hamilton, Virginia, *Zeely*, Simon and Schuster, 1967.（ヴァジニア・ハミルトン『わたしは女王を見たのか』鶴見俊輔訳〔岩波少年少女の本〕、岩波書店、一九七九年）

Handy, W. C., *Father of the Blues: An Autobiography*, Arna Bontemps ed., Da Capo Press,［1941］1969.

Harper Lee, Nelle, *To Kill a Mockingbird*, J. B. Lippincott, 1960.（ハーパー・リー『アラバマ物語』菊池重三郎訳、暮しの手帖社、一九六四年）

Harper, Mary Turner, "Merger and Metamorphosis in the Fiction of Mildred D. Taylor," *Children's Literature Association Quarterly*, 13, 1988, pp.75-80.

Harris, Benjamin, *The New-England Primer, Improved; Or, an Easy and Pleasant Guide to the Art of Reading. To Which Is Added, The Assembly's Catechism*, Manning & Loring,［circa 1690］circa 1803. The Lilly Library, Indiana University（https://collections.libraries.indiana.edu/lilly/exhibitions_legacy/NewEnglandPrimerWeb/title.html）［二〇二三年一月十五日アクセス］

Harris, Joel Chandler, *The Complete Tales of Uncle Remus*, Richard Chase comp., Houghton Mifflin,［1955］2002.［*Uncle Remus: His Songs and His Sayings*,［1880］1896, *Nights with Uncle Remus: Myths and Legends of the Old Plantation*, 1883, *Daddy Jake, the Runaway: And Short Stories Told after Dark*, 1889, *Uncle Remus and His Friends: Old Plantation Stories, Songs, and Ballads with Sketches of Negro Character*, 1892, *Told by Uncle Remus: New Stories of the Old Plantation*, 1905, *Uncle Remus and Brer Rabbit*, 1907, *Uncle Remus and the Little Boy*, 1910, *Uncle Remus Returns*, 1918, *Seven Tales of Uncle Remus*, 1948.］

Harris, Joel Chandler, *Uncle Remus: His Songs and His Sayings*, D. Appleton, 1880.（ジョエル・チャンドラー・ハリス『リーマス爺や――彼の歌と彼の発言：「輝かしい農園の伝説」』市川紀男訳、三恵社、二〇〇九年）

Harris, Violet J., "African American Children's Literature: The First One Hundred Years," *The Journal of Negro Education*, 59, 1990, pp.540-55.

Heiner, Heidi Anne, *Beauty and the Beast Tales From Around the World*, Createspace Independent Publishing, 2013.

Helbig, Alethea K. and Agnes Regan Perkins, *This Land is Our Land: A Guide to Multicultural Literature for Children and Young Adults*, Green Press, 1994.

Henderson, Laretta, *Ebony Jr!: The Rise, Fall and Return of a Black Children's Magazine*, Scarecrow, 2008.

Hentoff, Nat, *Jazz Country*, Harper, 1964.（ナット・ヘントフ『ジャズ・カントリー ベスト版』木島始訳、晶文社、一九九七年）

Higginson, Thomas Wentworth, "Negro Spirituals," *The Atlantic Monthly*, June. 19, 1867, The Atlantic（https://www.theatlantic.com/magazine/archive/1867/06/negro-spirituals/534858/）［二〇二三年一月十五日アクセス］

Hinton, Kaa Vonia, *Angela Johnson: Poetic Prose*, Scarecrow Press, 2006.

Hinton, Susan, *The Outsiders*, Viking, 1967.（S・E・ヒントン『アウトサイダーズ』唐沢則幸訳、あすなろ書房、二〇〇〇年）

Hollindale, Peter, *Signs of Childness in Children's Literature*, Thimble Press, 1997.（ピーター・ホリンデイル『子どもと大人が出会う場所——本のなかの「子ども性」を探る』猪熊葉子監訳〔子どもと本〕、柏書房、二〇〇二年）
Hughes, Langston, *The Collected Poems of Langston Hughes*, Arnold Rampersad and David Roessel eds., Vintage Classics, 1994.
Hughes, Langston, *The Negro Speaks of Rivers*, E. B. Lewis illus., Disney Book, 2009.（ラングストン・ヒューズ『川のうた』さくまゆみこ訳、光村教育図書、二〇一一年）
Hughes, Langston, *The Weary Blues*, Alfred A. Knopf, 1926.
Hunt, Peter, *An Introduction to Children's Literature*, Oxford University Press, 1994.
Hurston, Zora Neale, *I Love Myself when I am Laughing: A Zora Neale Hurston Reader*, Alice Walker ed., The Feminist Press, 1979.
Inglis, Fred, *The Promise of Happiness: Value and Meaning in Children's Fiction*, Cambridge University Press, 1981.（フレッド・イングリス『幸福の約束——イギリス児童文学の伝統』中村ちよ／北条文緒訳、紀伊國屋書店、一九九〇年）
Isaacs, Julia B., "Economic Mobility of Black and White Families," The Brookings Institution（https://www.brookings.edu/research/economic-mobility-of-black-and-white-families/）〔二〇二二年一月十五日アクセス〕
Jackson, Jesse, *Call Me Charlie*, Harper, 1945.
Jacobs, Harriet Ann, *Incidents in the Life of a Slave Girl: Written by Herself*, L. Maria Child ed., L. Maria Child, 1861.（ハリエット・ジェイコブズ『ハリエット・ジェイコブズ自伝——女・奴隷制・アメリカ』小林憲二編訳、明石書店、二〇〇一年）
Jacobs, Joseph ed., *English Fairy Tales*, David Nutt, 1890.（『イギリス民話集』河野一郎編訳〔岩波文庫〕、岩波書店、一九九一年）
James, Williams, *Pragmatism: A New Name for Some Old Ways of Thinking*, Longman, Green, and Co, 1907.（W・ジェイムズ『プラグマティズム』桝田啓三郎訳〔岩波文庫〕、岩波書店、一九五七年）
Johnson, A. E., *Clarence and Corrine; or God's Way*, American Baptist Publication Society, 1890.
Johnson, A. E., *The Hazeley Family*, American Baptist Publication Society, 1894.
Johnson, Angela, *The First Part Last*, Simon and Schuster, 2003.（アンジェラ・ジョンソン『朝のひかりを待てるから』池上小湖訳〔Y. A. books〕、小峰書店、二〇〇六年）
Johnson, Angela, *Heaven*, Simon and Schuster, 1998.（アンジェラ・ジョンソン『天使のすむ町』冨永星訳〔Y. A. books〕、小峰書店、二〇〇六年）
Johnson, Angela, *Toning the Sweep*, Scholastic, 1993.
Johnson, Eastman, "A Ride for Freedom: The Fugitive Slaves," Brooklyn Museum（https://www.brooklynmuseum.org/opencollection/objects/495）〔二〇二二年一月十五日アクセス〕

Johnson-Feeling, Dianne ed., *The Best of the Brownies' Book*, Oxford University Press, 1996.

Johnson, John H., *Ebony!*, Johnson Publishing Company, Nov. 1945-present.

Johnson, John H., *Ebony Jr!*, A Johnson Publication, May. 1973-Oct. 1985.

Jones, LeRoi. i.e., Amiri Baraka, *Blues People: Negro Music in White America*, William Morrow, 1963.（リロイ・ジョーンズ（アミリ・バラカ）『ブルース・ピープル――白いアメリカ、黒い音楽』飯野友幸訳〔平凡社ライブラリー〕、平凡社、二〇一一年）

King, Martin Luther Jr., *A Call to Conscience: The Landmark Speeches of Dr. Martin Luther King Jr.*, Clayborne Carson and Kris Shepard eds., Warner Books, 2001.（M・L・キング、クレイボーン・カーソン／クリス・シェパード編『私には夢がある――M・L・キング説教・講演集』梶原寿監訳、新教出版社、二〇〇三年）

King, Martin Luther Jr., *I Have a Dream: Writings and Speeches that Changed the World*, James M. Washington ed., Harper Collins, 1992.

Kline, Lucinda, "African-American Children's Literature," 1992, Fairfield University (https://files.eric.ed.gov/fulltext/ED35520.pdf)〔二〇二三年一月十五日アクセス〕

Knox, Margaret and Anna M. Lutkenhaus, "The Future Democracy of America as our Young Folk See it," *St. Nicholas Magazine for Boys and Girls Jan.* 1920, pp.260-264, University of Michigan (http://hdl.handle.net/2027/mdp.39015068521726)〔二〇二三年一月十五日アクセス〕

Konigsburg, E. L., *Jennifer, Hecate, Macbeth, William McKinley, and Me, Elizabeth*, Atheneum, 1967.（E・L・カニグズバーグ『魔女ジェニファとわたし』松永ふみ子訳〔岩波少年文庫〕、岩波書店、一九八九年）

Kulling, Monica, *Escape North!: The Story of Harriet Tubman*, Random House, 2000.

Ladson-Billings, Gloria, *The Dream-Keepers: Successful Teachers of African American Children*, 2nd ed., Jossey-Bass, [1994] 2009.

Laycock, Liz, "Slavery and the Underground Railroad: Working with Students," in Fiona M. Collins and Judith Graham eds., *Historical Fiction for Children: Capturing the Past*, David Fulton, 2001. pp.150-160.

Le Guin, Ursula K., *Earthsea Revisioned*, Green Bay Publications, 1993.

Le Guin, Ursula K., A Wizard of Earthsea, Parnassus Press, 1968.（U・K・ル＝グウィン『影との戦い――ゲド戦記1』清水真砂子訳、岩波書店、一九七六年）

Lejeune, Philippe, *L'Autobiographie en France*, Armand Colin, 1971.（フィリップ・ルジュンヌ『フランスの自伝――自伝文学の主題と構造』小倉孝誠訳〔叢書・ウニベルシタス〕、法政大学出版局、一九九五年）

Lemmons, Kasi, dir., *Harriet*, 2019.（『ハリエット』監督：ケイシー・レモンズ、二〇二〇年）

Lhamon, W. T. Jr., *Raising Cain: Blackface Performance from Jim Crow to Hip Hop*, Harvard University Press, 1998.

Lester, Julius, *Days of Tears*, Jump at the Sun-Disney, 2005.（ジュリアス・レスター『私が売られた日』金利光訳、あすなろ書房、二〇〇六年）
Lester, Julius, *The Tales of Uncle Remus: The Adventures of Brer Rabbit*, Puffin, 1987.
Lester, Julius, *Black Folktales*, Richard W. Baron, 1969.（ジュリアス・レスター『アメリカ黒人昔話集』岡田誠一訳〔現代教養文庫〕、社会思想社、一九七八年）
Lively, Adams, *Masks: Blackness, Race and Imagination*, Oxford University Press, 1998.
Lüthi, Max, *Das Volksmärchen als Dichtung: Ästhetik und Anthropologie*, Diederichs Eugen, 1975.（マックス・リュティ『昔話——その美学と人間像』小澤俊夫訳、岩波書店、一九八五年）
Machado y Álvarez, Antonio, *La Biblioteoa de las Tradiciones Populares Espanõlas*, Francisco Alvarez y Cª, 1883-1886.
Martin, Michell, "African American," in Phillip Nel and Lisa Paul eds., *Keywords for Children's Literature*, New York University Press, 2011, pp.9-13.
Martin, Michell, *Brown Gold: Milestones of African-American Children's Picture Books, 1845-2002*, Routledge, 2004.
Milne, A. A., *Winnie, the Pooh*, Methuen, 1926.（A・A・ミルン『クマのプーさん』石井桃子訳〔岩波少年文庫〕、岩波書店、二〇〇〇年）
Morrison, Toni, *Beloved*, Alfred A. Knopf, 1987.（トニ・モリスン『ビラヴド（愛されし者）』上・下、吉田廸子訳、集英社、一九九〇年）
Morrison, Toni, *Song of Solomon*, Alfred A. Knopf, 1977.（トニ・モリスン『ソロモンの歌』金田眞澄訳〔トニ・モリスン・コレクション〕、早川書房、一九九四年）
Morrison, Toni, *Tar Baby*, Alfred A. Knopf, 1981.（トニ・モリスン『タール・ベイビー』藤本和子訳〔トニ・モリスン・コレクション〕、早川書房、一九九五年）
Musker, John and Ron Clemens, dirs., *The Princess and the Frog*, Walt Disney, 2009.（『プリンセスと魔法のキス』監督：ジョン・マスカー／ロン・クレメンツ、製作：ウォルト・ディズニー・アニメーション・スタジオ、二〇一〇年）
Myers, Walter Dean, *Fallen Angels*, Scholastic, 1988.
Myers, Walter Dean, *Scorpions*, Harper Trophy, 1988.
Myers, Walter Dean, *The Young Landlords*, Viking, 1979.
Myers, Walter Dean. *145th Street: Short Stories*, Laurel-Leaf, 2000.（ウォルター・ディーン・マイヤーズ『ニューヨーク145番通り』金原瑞人／宮坂宏美訳〔Y. A. Books〕、小峰書店、二〇〇二年）
Nelson, Kadir, *We Are the Ship: The Story of Negro League Baseball*, Jump at the Sun-Disney, 2008.
Nilon, Charles H., "The Ending of Huckleberry Finn," in James S. Leonard, Thomas Tenney and Thadious M. Davis eds., *Satire or Evasion?: Black*

Perspectives on Huckleberry Finn, Duke University Press Books, ［1991］ 1992, Kindle.

Nodelman, Perry, *The Pleasure of Children's Literature*, 2nd ed., Longman, ［1992］ 1996.

Oliver, Paul, *The Story of the Blues*, Chilton Book Company, 1969.（ポール・オリヴァー『ブルースの歴史』米口胡＝増田悦佐訳、土曜社、二〇二〇年）

O'Neill, Eugene, *All God's Chillun Got Wings and Welded*, Boni and Liveright, 1924.（オニール『すべて神の子には翼がある』清野暢一郎訳〔河出文庫〕、河出書房、一九五五年）

Onwuchekwa, Jemie, *Langston Hughes: An Introduction to The Poetry*, Columbia University Press, 1976.

Osofsky, Gilbert, *Harlem: The Making of a Ghetto: Negro New York, 1890-1930*, Ivan R. Dee, ［1966］ 1996.

Parker, Alan William, dir., *Mississippi Burning*, Orion Pictures, 1988.（『ミシシッピ・バーニング』監督：アラン・パーカー、配給：ワーナー・ブラザース、一九八九年）

Parks, Van Dyke, *Jump! The Adventures of Brer Rabbit*, Harcourt, 1986.

Patterson, Lillie, *Martin Luther King, Jr.: Man of Peace*, Garrard, 1969.

Paulsen, Gary, *Nightjohn*, Bantam-Doubleday Dell, 1993.

Paulsen, Gary, *Sarny*, Dell, 1997.

Petry, Ann, *Harriet Tubman: Conductor on the Underground Railroad*, Amistad, ［1955］ 2007.

Pettit, Arthur G., *Mark Twain and the South*, The University Press of Kentucky, 2005.

Picker, John, "'Red War Is My Song': Whitman, Higginson, and Civil War Music," in Lawrence Kramer ed., *Walt Whitman and Modern Music: War, Desire, and the Trials of Nationhood*, Garland Publishing, 2000.

Pinkney, Andrea Davis, *Hand in Hand: Ten Black Men Who Changed America*, Disney-Jump at the Sun Books, 2012.

Prince, April Jones, *Who Was Frederick Douglass?*, Penguin, 2014, Kindle.

Ransome, Arthur, *Swallows and Amazons*, Jonathan Cape, 1930.（アーサー・ランサム『ツバメ号とアマゾン号』上・下、神宮輝夫訳〔岩波少年文庫〕、岩波書店、二〇一〇年）

Rawick, George P., *From Sundown to Sunup: The Making of the Black Community*, Greenwood, 1973.（G・P・ローウィック『日没から夜明けまで――アメリカ黒人奴隷制の社会史』西川進訳〔刀水歴史全書〕、刀水書房、一九八六年）

Rees, David, *Painted Desert, Green Shade: Essays on Contemporary Writers of Fiction for Children and Young Adults*, Horn Book, 1984.

Reynolds, Jason and Brendan Kiely, *All American Boys*, Atheneum, 2015.（ジェイソン・レノルズ／ブレンダン・カイリー『オール・アメリカ

ン・ボーイズ』中野伶奈訳、偕成社、二〇二〇年）
Rollins, Charlemae Hill, *We Build Together: A Reader's Guide to Negro Life and Literature for Elementary and High School Use*, National Council of Teachers of English, 1941.
Ruas, Charles, "Toni Morrison, Charles Ruas, 1981," in Danille Taylor-Guthrie ed., *Conversations with Toni Morrison*, University Press of Mississippi, 1994, pp. 93-118.
Russell, David L., "Cultural Identity and Individual Triumph in Virginia Hamilton's *M. C. Higgins, the Great,*" *Children's Literature in Education*, 21, 1990, pp. 253-59.
Said, W. Edward, *Orientalism*, Vintage, 1978.（エドワード・W・サイード、板垣雄三／杉田英明監修『オリエンタリズム』今沢紀子訳〔テオリア叢書〕、平凡社、一九八六年）
Segal, Ronald, *The Black Diaspora: Five Centuries of the Black Experience Outside Africa*, Farrar, Straus & Giroux, 1995.（ロナルド・シーガル『ブラック・ディアスポラ――世界の黒人がつくる歴史・社会・文化』富田虎男監訳〔明石ライブラリー〕、明石書店、一九九九年）
Sieruta, Peter D., "Bontemps, Arna Wendell," in Jack Zipes and et all eds., *Oxford Encyclopedia of Children's Literature, vol.1*, Oxford University Press, 2006, p.182.
Sims, Rudine, *Shadows and Substances: Afro-American Experience in Contemporary Children's Fiction*, National Council of Teachers, 1982.
Slade, Suzanne, *Frederick Douglass: Writer, Speaker, and Opponent of Slavery*, Picture Window Books, 2007.
Smith, Katharine Capshaw, "The Brownies' Book and the Roots of African American Children's Literature," The Tar Baby and The Tomahawk: Race and Images in American Children's Literature (http://childlit.unl.edu/topics/edi.harlem.html)［二〇二二年一月十五日アクセス］
Solomon, Barbara Bryant, *Black Empowerment: Social Work in Oppressed Community*, Columbia University Press, 1976.
Smith, Albert Alexander, "They Have Ears but They Hear Not," Yale Macmillan Center (https://glc.yale.edu/they-have-ears-they-hear-not)［二〇二二年一月十五日アクセス］
Stephens, Clare Gatrell, *Coretta Scott King Award Books: Using Great Literature with Children and Young Adults*, Libraries Unlimited, 2000.
Storey, Olivia Smith, "Flying Words: Contests of Orality and Literacy in the Trope of the Flying Africans," *Journal of Colonialism and Colonial History*, 5, 2004, pp.1-34.
Stowe, Harriet Beecher, *A Key to Uncle Tom's Cabin: Presenting the Original Facts and Documents upon Which the Story Is Founded*, Jewett, Proctor & Worthington, 1853.
Stowe, Harriet Beecher, *Uncle Tom's Cabin; or, Life Among the Lowly*, John P. Jewett, 1852.（ハリエット・ビーチャー・ストウ『新訳アンクル・

トムの小屋』小林憲二監訳、明石書店、一九九八年）

Tate, Claudia ed., *Black Women Writers at Work*, Continuum, 1983.（クローディア・テイト編『黒人として女として作家として』高橋茅香子訳〔晶文社アルヒーフ〕、晶文社、一九八六年）

Taylor, Mildred D., *All the Days Past, All the Days to Come*, Viking Books, 2020.

Taylor, Mildred D., *The Friendship*, Dial Books for Young Readers, 1998.

Taylor, Mildred D., *The Gold Cadillac*, Dial Books for Young Readers, 1987.

Taylor, Mildred D., *The Land*, Puffin, [2001] 2002.

Taylor, Mildred D., *Let the Circle Be Unbroken*, Dial Press, 1981.

Taylor, Mildred D., *Mississippi Bridge*, A Bantam Skylark Book, [1990] 1992.

Taylor, Mildred D., *The Road to Memphis*, Dial, 1990.

Taylor, Mildred D., *Roll of Thunder, Hear My Cry*, Dial, 1976.（ミルドレッド・D・テイラー『とどろく雷よ、私の叫びをきけ』小野和子訳〔児童図書館・文学の部屋〕、評論社、一九八一年）

Taylor, Mildred D., *Song of the Trees*, Dial, 1975.

Taylor, Mildred D., *The Well*, Puffin, 1995.

Thomas, Angie, *The Hate U Give*, Balzer+Bray, 2017.（アンジー・トーマス『ザ・ヘイト・ユー・ギヴ――あなたがくれた憎しみ』服部理佳訳〔海外文学コレクション〕、岩崎書店、二〇一八年）

Tompkins, Jane, *Sensational Designs: The Cultural Work of American Fiction 1790-1860*, Oxford University Press, 1986.

Townsend. John Rowe, *A Sounding of Storytellers: New and Revised Essays on Contemporary Writers for Children*, J. B. Lippincott, 1979.

Trites, Roberta Seelinger, *Disturbing the Universe: Power and Repression in Adolescent Literature*, University of Iowa Press, 2000.（R・S・トライツ『宇宙をかきみだす――思春期文学を読みとく』吉田純子監訳、人文書院、二〇〇七年）

Twain, Mark, *The Adventures of Huckleberry Finn*, Webster, 1885.（マーク・トウェイン『ハックルベリ・フィンの冒険』大久保博訳〔角川文庫〕、角川書店、二〇〇四年）

Twain, Mark, *The Adventures of Tom Sawyer*, The American Publishing Company, 1876.（マーク・トウェイン『トム・ソーヤーの冒険』大久保康雄訳〔新潮文庫〕、新潮社、一九五三年）

Twain, Mark, *Autobiography of Mark Twain Volume 1 & 2*, Harriet E. Smith ed., University of California Press, 2010.（マーク・トウェイン、カリフォルニア大学マーク・トウェインプロジェクト編『マーク・トウェイン完全なる自伝』Volume 1-3、和栗了／市川博彬／永原誠／山本祐

子／浜本隆三訳、柏書房、二〇一三—一八年）

Upton, Florence Kate, *The Adventures of Two Dutch Dolls and a Golliwogg*, Bertha Upton illus., De Wolfe, Fiske & Co, 1895.（フローレンス・K・アプトン『二つのオランダ人形の冒険』ももゆりこ訳〔ほるぷクラシック絵本〕、ほるぷ出版、一九八五年）

Virgo, Clément, dir., *Junior's Groove*, Ardustry,［1997］2003, DVD.

Wagner, Wendy, "Black Separatism in the Periodical Writing of Mrs. A. E. (Amelia) Johnson," in Todd Vogel ed., *The Black Press: New Literary and Historical Essays*, Rutgers University Press, 2001, pp.93-103.

Walker, Alice, *The Color Purple*, Harcourt Brace Jovanovich, 1982.（アリス・ウォーカー『カラーパープル』柳沢由実子訳〔集英社文庫〕、集英社、一九八六年）

Walker, Alice, *Possessing the Secret of Joy: A Novel*, Harcourt Brace Jovanovich, 1992.（アリス・ウォーカー『喜びの秘密』柳沢由実子訳、集英社、一九九五年）

Walter, Mildred Pitts, *Justin and the Best Biscuit in the World*, Lothrop, Lee & Shephard, 1986.

Walter, Mildred Pitts, *Second Daughter: The Story of a Slave Girl*, Scholastic, 1996.

Washington, Booker T., *The Story of Negro: The Rise of the Race from Slavery*, Volume I,II, Doubleday, Page & Company, 1909.

Washington, Booker T., *Up from Slavery: An Autobiography*, Doubleday, Page & Company, 1901.（B・T・ワシントン『奴隷より立ち上がりて』稲澤秀夫訳、真砂書房、一九六九年）

Washington, Booker T., *Working with the Hands: Being a Sequel to "Up from Slavery," Covering the Author's Experiences in Industrial Training at Tuskegee*, Doubleday, Page & Company. 1904.

Webber, Thomas L., *Deep Like the Rivers: Education in the Slave Quarter Community, 1831-1865*, W. W. Norton, 1980.（トーマス・L・ウェッバー『奴隷文化の誕生——もうひとつのアメリカ社会史』西川進監訳、新評論、一九八八年）

Wilder, Laura Ingalls, *Little House in the Big Woods*, Harper and Brothers, 1932.（ローラ・インガルス・ワイルダー『大きな森の小さな家』恩地三保子訳、福音館書店、一九七二年）

Wilder, Laura Ingalls, *Little House on the Prairie*, Harper and Brothers, 1935.（ローラ・インガルス・ワイルダー『大草原の小さな家』恩地三保子訳、福音館書店、一九七二年）

Wilder, Laura Ingalls, *By the Shore of Silver Lake*, Harper and Brothers, 1939.（ローラ・インガルス・ワイルダー『シルバー・レイクの岸辺で』恩地三保子訳、福音館書店、一九七三年）

Wilkins, Ebony Joy, "Using African American Children's Literature as a Model for ' Writing Back' Racial Works," in Kenneth J. Fasching-Varner,

Rena E. Reynolds and Katrice A. Albert eds., *Trayvon Martin, Race, and American Justice*, Sense Publishers, 2014, pp. 67-71.

Williams-Garcia, Rita, *One Crazy Summer*, Harper, 2010.（リタ・ウィリアムズ＝ガルシア『クレイジー・サマー』代田亜香子訳〔鈴木出版の海外児童文学——この地球に生きる子どもたち〕、鈴木出版、二〇一三年）

Woodson, Jacqueline, *Between Madison and Palmetto*, Puffin, 1993.（ジャクリーン・ウッドソン『メイゾンともう一度』さくまゆみこ訳〔ポプラ・ウイング・ブックス：マディソン通りの少女たち3〕、ポプラ社、二〇〇一年）

Woodson, Jacqueline, *Brown Girl Dreaming*, Nancy Paulsen-Penguin, 2014.（ジャクリーン・ウッドソン『わたしは夢を見つづける』さくまゆみこ訳、小学館、二〇二一年）

Woodson, Jacqueline, *Last Summer with Maizon*, Puffin, 1990.（ジャクリーン・ウッドソン『マーガレットとメイゾン』さくまゆみこ訳〔ポプラ・ウイング・ブックス：マディソン通りの少女たち1〕、ポプラ社、二〇〇〇年）

Woodson, Jacqueline, *I Hadn't Meant to Tell You This*, Delacorte, 1994.（ジャクリーン・ウッドソン『レーナ』さくまゆみこ訳、理論社、一九九八年）

Woodson, Jacqueline, *Maizon at Blue Hill*, Puffin, 1992.（ジャクリーン・ウッドソン『青い丘のメイゾン』さくまゆみこ訳〔ポプラ・ウイング・ブックス：マディソン通りの少女たち2〕、ポプラ社、二〇〇一年）

Wright, Richard, *Black Boy*, Harper,1945.（リチャード・ライト『ブラック・ボーイ——ある幼少期の記録』上・下、野崎孝訳〔岩波文庫〕、岩波書店、二〇〇九年）

Wright, Richard, *Three Books from Exile: Black Power; The Color Curtain; and White Man, Listen!*, Cornel West intro., Harper Collins, [2008] 2010, Kindle.

●和文文献

阿部安成／小関隆／見市雅俊／光永雅明／森村敏己編『記憶のかたち——コメモレイションの文化史』柏書房、一九九九年

荒このみ『アフリカン・アメリカンの文学——「私には夢がある」考』（平凡社選書）、平凡社、二〇〇〇年

荒このみ『アフリカン・アメリカン文学論——「ニグロのイディオム」と創造力』東京大学出版会、二〇〇四年

荒木暢也「植民地アメリカのジャーナリズム——PUBLICK OCCURRENCES Both FORREIGN and DOMESTIC」、法政大学社会学部学会編「社会志林」第六十六巻第三号、法政大学社会学部学会、二〇一九年、一五三—一六八ページ

泉山真奈美編著『アフリカン・アメリカンスラング辞典 改訂版』研究社、二〇〇七年

魚津郁夫『プラグマティズムの思想』（ちくま学芸文庫）、筑摩書房、二〇〇六年

大和田俊之『アメリカ音楽史―ミンストレル・ショウ、ブルースからヒップホップまで』講談社、二〇一一年
小川洋司『深い河のかなたへ――黒人霊歌とその背景』音楽之友社、二〇〇一年
小此木啓吾『対象喪失――悲しむということ』(中公新書)、中央公論社、一九七九年
加藤恒彦/北島義信/山本伸編著『世界の黒人文学――アフリカ・カリブ・アメリカ』鷹書房弓プレス、二〇〇〇年
川口喬一/岡本靖正編『最新文学批評用語辞典』研究社、一九九八年
川島浩平『人種とスポーツ――黒人は本当に「速く」「強い」のか』(中公新書)、中央公論新社、二〇一二年
貴堂嘉之「南北戦争・再建期の記憶とアメリカ・ナショナリズム研究――『ハーパーズ・ウィークリー』とトマス・ナスト政治風刺画リスト(1) 1859-1870」、千葉大学文学部総務委員会内図書・紀要委員会編「千葉大学人文研究」第二十九号、千葉大学文学部、二〇〇〇年、一五一―一八六ページ
共同訳聖書実行委員会『聖書 新共同訳――旧約聖書続編つき』日本聖書協会、一九八八年
小林憲二『アンクル・トムとその時代――アメリカ大衆文化史』(立教アメリカ研究ブックレット)、立教大学アメリカ研究所、二〇〇八年
小林富久子監修、石原剛/稲木妙子/原恵理子/麻生享志/中垣恒太郎編『憑依する過去――アジア系アメリカ文学におけるトラウマ・記憶・再生』金星堂、二〇一四年
斎藤忠利「アメリカ黒人の不可視性をめぐって――ラルフ・エリソン論のための覚え書き」、一橋大学一橋学会一橋論叢編集所編「一橋論叢」第六十九巻第一号、日本評論社、一九七三年、二一―三四ページ
斎藤偕子『19世紀アメリカのポピュラー・シアター――国民的アイデンティティの形成』論創社、二〇一〇年
阪口瑞穂「女性の「儀式」と「血」の色――アリス・ウォーカーの『喜びの秘密』」大阪大学大学院英文学懇話会/O・L・R同人会編「Osaka Literary Review」第三十六号、大阪大学大学院英文学談話会、一九九七年、一〇四―一一七ページ
ジェームス・M・バーダマン『アメリカ黒人の歴史』森本豊富訳、NHK出版、二〇一一年
シドニー・W・ミンツ『聞書 アフリカン・アメリカン文化の誕生――カリブ海域黒人の生きるための闘い』藤本和子編訳、岩波書店、二〇〇〇年
神宮輝夫『現代イギリスの児童文学』(神宮輝夫児童文学の世界)、理論社、一九八六年
菅原大一太「ゾラ・ニール・ハーストン『彼らの目は神を見ていた』研究――音とプロットについて」、成蹊大学大学院文学研究科編「成蹊人文研究」第二十一号、成蹊大学大学院文学研究科、二〇一三年、一七―三〇ページ
杉尾敏明/棚橋美代子『焼かれた「ちびくろサンボ」――人種差別と表現・教育の自由』青木書店、一九九二年
鈴木裕之『ストリートの歌――現代アフリカの若者文化』世界思想社、二〇〇〇年

「セント・ニコラス」研究会編『アメリカの児童雑誌「セント・ニコラス」の研究』「セント・ニコラス」研究会、一九八七年
谷本誠剛『児童文学とは何か——物語の成立と展開』中教出版、一九九〇年
千葉則夫「W・E・B・デュボイスの人種平等獲得に賭けた生涯（2）」、亜細亜大学国際関係研究所編「亜細亜大学国際関係紀要」第九号、亜細亜大学国際関係研究所、二〇〇〇年、四三七—四七四ページ
常山菜穂子『アンクル・トムとメロドラマ——19世紀アメリカにおける演劇・人種・社会』（慶應義塾大学教養研究センター選書）、慶應義塾大学教養研究センター、二〇〇七年
寺沢みづほ「何故、Ralph Ellison は生涯に一作しか完成させなかったのか？ *Invisible Man* 考」「学術研究（人文科学・社会科学編）」第六十二号、早稲田大学教育・総合科学学術院、二〇一四年、一九九—二二一ページ
新田啓子『アメリカ文学のカルトグラフィ——批評による認知地図の試み』研究社、二〇一二年
日本児童文学学会編『児童文学事典』東京書籍、一九八八年
長谷川町蔵／大和田俊之『文化系のためのヒップホップ入門』（いりぐちアルテス）、アルテスパブリッシング、二〇一一年
藤本和子『ブルースだってただの唄——黒人女性のマニフェスト』（朝日選書）、朝日新聞社、一九八六年
藤森かよこ「不在の少女たちからのメッセージ——Virginia Hamilton の "The Planet of Junior Brown" 再読」「児童文学研究」第二十五号、日本児童文学学会、一九九三年、一〇一—一一一ページ
風呂本惇子『アメリカ黒人文学とフォークロア』山口書店、一九八六年
本田創造『アメリカ黒人の歴史 新版』（岩波新書）、岩波書店、一九九一年
本多英明／桂宥子／小峰和子編著『たのしく読める英米児童文学——作品ガイド120』（シリーズ・文学ガイド）、ミネルヴァ書房、二〇〇〇年
宮本敬子「トニ・モリスンと歴史的トラウマ表象」「ユリイカ」二〇一九年十月号、青土社、一八五—一九三ページ
三吉美加「ヒップホップとレゲトンにみる黒人性とラティーノ性——ニューヨーク市のプエルトリコ系とドミニカ系のバリオから」、立教大学アメリカ研究所編「Rikkyo American Studies」第三十五号、立教大学アメリカ研究所、二〇一三年、九七—一一四ページ
山田史郎『アメリカ史のなかの人種』（世界史リブレット）、山川出版社、二〇〇六年
山本孝司「オルコット教育思想へのアダム・スミスの影響——「道徳感情」論の受容と展開」「九州看護福祉大学紀要」第十八号第一巻、九州看護福祉大学、二〇一七年、三—一三ページ
吉田純子『少年たちのアメリカ——思春期文学の帝国と〈男〉』阿吽社、二〇〇四年
吉田純子／鈴木宏枝／大喜多香枝『マイノリティは苦しみをのりこえて——アメリカ思春期文学をよむ』冬弓舎、二〇一二年
ラングストン・ヒューズ『ある金曜日の朝——ヒューズ作品集』木島始訳、飯塚書店、一九五九年

●ウェブサイト

"Ain't You Got A Right To The Tree Of Life "You Got a Right" ," 1900's, Bluegrass Messengers（http://www.bluegrassmessengers.com/ain't-you-got-a-right-to-the-tree-of-life--versions.aspx）［二〇二二年一月十五日アクセス］

"Amelia E. Johnson," Oxford Reference（https://www.oxfordreference.com/view/10.1093/oi/authority.20110803100022427）［二〇二二年一月十五日アクセス］

"Books for Children," New York Times Online, Oct. 23, 1932.（http://www.nytimes.com/books/01/04/22/specials/hughes-popo.html）［二〇二二年一月十五日アクセス］

"Davids, Tice," Notable Kentucky African American Database（https://nkaa.uky.edu/nkaa/items/show/584）［二〇二二年一月十五日アクセス］

"Jim Crow［graphic］/ GEM［monogram］," Popular graphic art print filing series, Library of Congress（https://lccn.loc.gov/2014649335）［二〇二二年一月十五日アクセス］

"Monday's Child," All Nursery Rhymes（https://allnurseryrhymes.com/mondays-child/）［二〇二二年一月十五日アクセス］

"Population by Race: 2010 and 2020," U.S. Census Bureau（https://www2.census.gov/programs-surveys/decennial/2020/data/redistricting-supplementary-tables/redistricting-supplementary-table-01.pdf）［二〇二二年一月十五日アクセス］

"Works," The Horatio Alger Society（https://www.horatioalgersociety.net/101_works.html）［二〇二二年一月十五日アクセス］

「鎌状赤血球症」「遺伝性疾患プラス」二〇二一年四月九日（https://genetics.qlife.jp/diseases/sickle-cell）［二〇二二年一月十五日アクセス］

「先天性光線過敏症」「皮膚科Q＆A」（https://www.dermatol.or.jp/qa/qa36/index.html）［二〇二二年一月十五日アクセス］

「独立宣言（1776年）」「American Center Japan」（https://americancenterjapan.com/aboutusa/translations/2547/）［二〇二二年一月十五日アクセス］

「ポルフィリン症（指定難病254）」「難病情報センター」（https://www.nanbyou.or.jp/entry/5546）［二〇二二年一月十五日アクセス］

「ローラ・インガルス・ワイルダー賞の名称変更」「国立国会図書館 国際子ども図書館」（https://www.kodomo.go.jp/info/child/2018/2018-080.html）［二〇二二年一月十五日アクセス］

コレッタ・スコット・キング賞受賞作一覧

1970年　Lillie Patterson, *Martin Luther King, Jr.: Man of Peace*
1971年　Charlemae Rollins, *Black Troubador: Langston Hughes*
1972年　Elton C. Fax, *17 Black Artists*
1973年　Jackie Robinson and Alfred Duckett, *I Never Had it Made: The Autobiography of Jackie Robinson*
1974年　Sharon Bell Mathis, *Ray Charles*
1975年　Dorothy Robinson, *The Legend of Africana*
1976年　Pearl Bailey, *Duey' s Tale*
1977年　James Haskins, *The Story of Stevie Wonder*
1978年　Eloise Greenfield, *Africa Dream*
1979年　Ossie Davis, *Escape to Freedom*
1980年　Walter Dean Myers, *The Young Landlords*
1981年　Sidney Poitier, *This Life*
1982年　Mildred D. Taylor, *Let the Circle Be Unbroken*
1983年　Virginia Hamilton, *Sweet Whispers, Brother Rush*（ヴァジニア・ハミルトン『マイゴーストアンクル』島式子訳、原生林、1992年）
1984年　Lucille Clifton, *Everett Anderson' s Goodbye*
1985年　Walter Dean Myers, *Motown and Didi*
1986年　Virginia Hamilton, *The People Could Fly: American Black Folktales*（ヴァージニア・ハミルトン語り・編『人間だって空を飛べる――アメリカ黒人民話集』金関寿夫訳〔世界傑作童話シリーズ〕、福音館書店、1989年）
1987年　Mildred Pitts Walter, *Justin and the Best Biscuits in the World*
1988年　Mildred D. Taylor, *The Friendship*
1989年　Walter Dean Myers, *Fallen Angels*
1990年　Patricia C. & Fredrick L. McKissack, *A Long Hard Journey: The Story of the Pullman Porter*
1991年　Mildred D. Taylor, *The Road to Memphis*
1992年　Walter Dean Myers, *Now is Your Time: The African American Struggle for Freedom*
1993年　Patricia C. McKissack, *The Dark-Thirty: Southern Tales of the Supernatural*
1994年　Angela Johnson, *Toning the Sweep*
1995年　Patricia C. & Fredrick L. McKissack, *Christmas in the Big House, Christmas in the Quarters*
1996年　Virginia Hamilton, *Her Stories*
1997年　Walter Dean Myers, *Slam*
1998年　Sharon M. Draper, *Forged by Fire*

1999年　Angela Johnson, *Heaven*（アンジェラ・ジョンソン『天使のすむ町』冨永星訳〔Y. A. Books〕、小峰書店、2006年）

2000年　Christopher Paul Curtis, *Bud, Not Buddy*（クリストファー・ポール・カーティス『バドの扉がひらくとき』前沢明枝訳、徳間書店、2003年）

2001年　Jacqueline Woodson, *Miracle' s Boys*（ジャクリーン・ウッドソン『ミラクルズボーイズ』さくまゆみこ訳、理論社、2002年）

2002年　Mildred D. Taylor, *The Land*

2003年　Nikki Grimes, *Bronx Masquerade*

2004年　Angela Johnson, *The First Part Last*（アンジェラ・ジョンソン『朝のひかりを待てるから』池上小湖訳〔Y. A. books〕、小峰書店、2006年）

2005年　Toni Morrison, *Remember: The Journey to School Integration*

2006年　Julius Lester, *Day of Tears: A Novel in Dialogue*（ジュリアス・レスター『私が売られた日』金利光訳、あすなろ書房、2006年）

2007年　Sharon Draper, *Copper Sun*

2008年　Christopher Paul Curtis, *Elijah of Buxton*

2009年　Kadir Nelson, *We Are the Ship: The Story of Negro League Baseball*

2010年　Vaunda Micheaux Nelson, *Bad News for Outlaws: The Remarkable Life of Bass Reeves, Deputy U.S. Marsha*

2011年　Rita Williams-Garcia, *One Crazy Summer*（リタ・ウィリアムズ＝ガルシア『クレイジー・サマー』代田亜香子訳〔鈴木出版の海外児童文学――この地球に生きる子どもたち〕、鈴木出版、2013年）

2012年　Kadir Nelson, *Heart and Soul: The Story of America and African Americans*

2013年　Andrea Davis Pinkney, *Hand in Hand: Ten Black Men Who Changed America*

2014年　Rita Williams-Garcia, *P.S. Be Eleven*

2015年　Jacqueline Woodson, *Brown Girl Dreaming*（ジャクリーン・ウッドソン『わたしは夢を見つづける』さくまゆみこ訳、小学館、2021年）

2016年　Rita Williams-Garcia, *Gone Crazy in Alabama*

2017年　John Lewis and Andrew Aydin, *March Book: Three*

2018年　Renée Watson, *Piecing Me Together*

2019年　Claire Hartfield, *A Few Red Drops: The Chicago Race Riot of 1919*

2020年　Jerry Craft, *New Kid*

2021年　Jacqueline Woodson, *Before the Ever After*

初出一覧

各章のもとになった出版物は以下のとおりである。

第3章第1節　「〔研究発表〕雑誌 The Brownies' Book における表紙絵の現代性」「日本イギリス児童文学会会報」二〇一四年春季号、日本イギリス児童文学会、一六―一七ページ

第4章第1節、第4章第3節、第5章第1節　「ミルドレッド・テーラー――ふたつの世界：白人社会の疎外者として」、井辻朱美監修、ふたつのプロジェクト編『児童文学における〈ふたつの世界〉』(てらいんくの評論)、てらいんく、二〇〇四年、一六六―一七六ページ

第5章第2節　「『マイゴーストアンクル』再読」、てらいんく編集部編「ネバーランド――児童文学総合誌」第四号、てらいんく、二〇〇五年、一一四―一二七ページ

第5章第3節　「アフリカ系アメリカ人少女の成長と言葉の力――ヴァジニア・ハミルトンの『プリティ・パールのふしぎな冒険』」、吉田純子／鈴木宏枝／大喜多香枝『マイノリティは苦しみをのりこえて――アメリカ思春期文学をよむ』所収、冬弓舎、二〇一二年、一六〇―一八一ページ

第6章第2節　「*The Planet of Junior Brown* と映画 Junior's Groove: 少女、planet、street の観点から」「英語圏児童文学研究 Tinker Bell」第五十四号、日本イギリス児童文学会、二〇〇九年、二七―四四ページ

第6章第3節　「ニューヨーク・ハーレムの濃密な人間関係」、金原瑞人監修『金原瑞人［監修］による12歳からの読書案内』すばる舎、二〇〇六年、一四八―一四九ページ

あとがき

本書は二〇一六年十一月に白百合女子大学に提出した博士論文「アフリカン・アメリカン児童文学におけるエンパワメント――可視化、受容、連接」を大幅に加筆修正したものです。

一九九五年に入学した白百合女子大学大学院では、修士課程と博士課程の五年間、神宮輝夫先生にご指導いただきました。授業では、二十タイトルほどの英米児童文学作品のペーパーバックが人数分の複本で用意され、院生は二週間に一冊、同じ原書を読んでレポートを書きます。一週目は講義、二週目は提出されたレポートをもとに先生が様々な角度からの分析を紹介してコメントを入れていくという内容で、アラン・ガーナー、アン・ファイン、ポーラ・フォックス、ジャン・マークなどの、それまで聞いたこともなかった現代の重要作品をたくさん読みました。ここで出会った『わたしはアリラ』（一九七六年）に感動したことをきっかけに、修士論文でヴァジニア・ハミルトンを扱い、博士課程では、アフリカン・アメリカンだけでなくネイティブ・アメリカンやヒスパニック・アメリカンなどエスニック・マイノリティにも研究範囲を広げました。

こうした研究の一方で、神宮先生には大学院時代からブックガイドや評論の執筆の場も与えていただきました。追究することと書くこと。先生がいらっしゃらなかったら、いまの私はありません。本書を執筆中の二〇二一年八月、思いがけなく神宮先生のご訃報に接し、いまも様々な思いがあふれるばかりです。埋めようがない寂しさを抱えながら、「先生だったらどうおっしゃるだろう」といまもいつでも心の中で問える先生に出会えたことを幸せに思い、小さな歩みでもこれからも学び、書いていきたいと思います。

満期退学後、非常勤などを経て最初に専任として着任した大学で働くうちに、やはり学位を取ろうと思い、二〇〇三年ごろに一歳の娘を連れて白百合女子大学の白井澄子先生にお目にかかりにいき、相談に乗っていただきました。紆余曲折あり、結果的にはそれから干支が一回りもして、次の大学に移ってからやっと論文提出・受理となり、最後は期限ぎりぎりになって大変ご心配をおかけしました。ていねいなアドバイスをくださり、最後まで励まし続けてくださった指導教員の白井先生には、本当に感謝してもしきれません。また、貴重なご示唆をいただきました審査委員会の井辻朱美先生、石井直人先生、鈴木忠先生、外部審査員の神宮輝夫先生にも感謝の気持ちでいっぱいです。最後の最後に指摘いただいたところを絞り出して書いた部分が、論文全体の土台になりました。

大学院時代、ひとつの視点をもって作品に切り込んでいくことの大切さを教えてくださった猪熊葉子先生、国際学会参加へのアドバイスとアメリカ児童文学への指針だけでなく「早く到着するのではなく、ゆっくり遠くまでいく」ことを教えてくださった吉田純子先生、常に新しい学びを与えてくださる英語圏児童文学会の先生方と気の置けない友人たちに感謝します。東京と京都の父と母、私の勉強を誰よりも近くで励ましてくれた泰孝さん、学位授与式を保護者席で見守ってくれた珠希さん、公聴会の日に鶴を折って祈ってくれた朋践さん、家族の行楽にもパソコンを手放さない私に文句一つ言わず、ずっと日常を助けてくれました。本当にありがとう。

アフリカン・アメリカン児童文学を扱いながら、私は、複雑なアメリカ社会のなかでのアフリカン・アメリカンの現実を心から理解しきれていないのではないかと、どこかでずっと後ろめたさがありました。しかし、博士論文を書き、本書をまとめるなかで、自分はむしろ、児童文学という少々特殊なジャンルのなかにある希望や、大人からの真摯な贈り物としての成長への祈りにたいそう引かれていること、一見厳しくみえるアフリカン・アメリカン児童文学は、大人と子どもで「励まし」を共有できるという意味で、実は、この児童文学的な部分をいちばん強くもっている文学かもしれないということに気がつきました。

奴隷制度や日常での人種差別を経験してきたわけではありません。でも、社会的立場や性別、あるいは、何かの場面でこうしなければという集合的な抑圧は、誰もが多かれ少なかれどこかで何らかは経験してきたのではないでしょうか。時空は遠く離れていても、アフリカン・アメリカンが乗り越えようとしてきた経験は私たちにも響いていいのだと思います。困難ななかで、それが困難であることを「声」にしていいのだし、あなたはそのままで社会のなかで認められ、愛されていいのだし、話したいことを話し、痛みや喜びを分かち合い、書き留めることで苦しみを昇華し、言葉を大きな力にしていいのだ、というアフリカン・アメリカン児童文学のメッセージは、だからこそ、何の関係もなさそうな現代の日本の私にも響き続けてきました。

最近は、マージナル（周縁）にいる者の表象にも関心を広げ、メアリー・ノートンの「床下の小人たち」シリーズの小人の小ささの問題や、J・K・ローリングの「ハリー・ポッター」シリーズのヴォルデモートの問題も研究対象にしています。小さな声、ものいえぬ誰か。児童文学の本質と響き合うような、そうした声を書く作品が語りかけてくるものに、これからも耳をすませていきたいと思います。

本書は、神奈川大学人文学研究所からの出版助成によって、神奈川大学人文学研究叢書の一巻として刊行していただきました。二〇二〇年度に着任してまだ二年目の私の初めての単著出版をこのような形で支えてくださいました人文学研究所と青弓社の矢野恵二氏に、心からお礼を申し上げます。

［著者略歴］
鈴木宏枝（すずき ひろえ）
東京都生まれ
神奈川大学外国語学部教授
専攻は英語圏児童文学・文化
共著に『マイノリティは苦しみをのりこえて――アメリカ思春期文学をよむ』（冬弓舎）、『子どもの世紀――表現された子どもと家族像』（ミネルヴァ書房）、論文に「イギリスファンタジーにおけるポストコロニアリズムの問いかけ――サバルタンとしての借り暮らしの小人」（「児童文学研究」第45号）、「ディズニーの長編アニメ映画における王国――Frozen のアレンデルを中心に」（「白百合女子大学児童文化研究センター研究論文集」第22号）、“The Child within Alice: Boys’ Characteristics and the Mockery of Male Adults”（「英語圏児童文学研究 Tinker Bell」第64号）、「太平洋戦争下の翻訳児童文学への「児童読物改善ニ関スル指示要綱」の影響――*The Chinese Ink Stick*（1929）と『支那の墨』（1942）を手がかりに」（「白百合女子大学児童文化研究センター研究論文集」第24号）など

神奈川大学人文学研究叢書47

アフリカン・アメリカン児童文学《じどうぶんがく》を読《よ》む
子どもの本という「励まし」

発行　2022年2月28日　第1刷
定価　3000円＋税
著者　鈴木宏枝
発行者　矢野恵二
発行所　株式会社青弓社
〒162-0801 東京都新宿区山吹町337
電話 03-3268-0381（代）
http://www.seikyusha.co.jp
印刷所　三松堂
製本所　三松堂

ISBN978-4-7872-9265-0　C0095